D0901000

Flake wurde 1966 in Ostberlin geboren. Er war u. a. Keyboarder der Bands Feeling B und Magdalene Keibel Combo. Seit 1994 spielt er bei Rammstein. Sein erstes Buch »Der Tastenficker« ist 2015 erschienen. Flake lebt in Berlin.

FLAKE

Heute hat die Welt Geburtstag

FISCHER Taschenbuch

Dieses Buch habe ich auf Tour in den Wartezeiten auf den Bus oder das Konzert geschrieben. Eventuelle Übereinstimmungen mit realen Personen und Vorkommnissen sind meiner fehlenden Phantasie geschuldet und nicht beabsichtigt.

2. Auflage: Juli 2019

Erschienen bei FISCHER Taschenbuch
Frankfurt am Main, November 2018

Druck und Bindung: GGP Media GmbH, Pößneck
Printed in Germany
ISBN 978-3-596-29795-5

Ich habe endlich keine Träume mehr
Ich habe endlich keine Freunde mehr
Hab endlich keine Emotionen mehr
Ich habe keine Angst vorm Sterben mehr

Alles Grau   Isolation Berlin

Ich habe kein Gefühl mehr dafür, wie spät es eigentlich ist. Wir sind heute Vormittag irgendwo losgeflogen, und mein Handy stellt selbständig die Uhr um, wenn wir mit dem Flugzeug auch nur in die Nähe einer neuen Zeitzone kommen. Meter für Meter schiebt sich der Bus durch die Innenstadt. Budapest scheint ziemlich groß zu sein. Wir stecken mitten im Berufsverkehr. Da heute Freitag ist, wollen alle ganz schnell aus der Stadt raus. Aber schnell geht hier überhaupt nichts.

Ich schaue aus dem Fenster. Mein Blick endet nach einem halben Meter, neben uns fährt ein großer schmutziger Lkw. Sogar der ist schneller als wir. Unser Fahrer erträgt diese Situation überhaupt nicht, bei der kleinsten Lücke gibt er Vollgas. Dann drückt es mich richtig in die stinkenden Sitze. Sofort muss er wieder bremsen, und ich kippe nach vorne. Als der Lkw uns erneut überholt, gibt er den Blick auf eine graue Mauer frei. So langsam scheinen wir uns doch der Vorstadt zu nähern. Ich hätte lieber vorne gesessen, aber der Fahrer hat seine ganzen Sachen auf dem Sitz neben sich verteilt und komisch gekuckt, als ich die Beifahrertür öffnen wollte. Als hätte ich versucht, in sein Bett zu steigen.

Hinten komme ich mir immer so abgestellt vor, so als wäre ich Gepäck. Als hätte ich kein Mitspracherecht. Außerdem mag ich es, mich mit den Fahrern zu unterhalten, denn sie sind oft der einzige echte Kontakt zu dem Land, in dem wir gerade sind. Ich würde ihn jetzt gerne fragen, von wem die Musik ist, die mich aus den Boxen anschreit.

Ich habe schon einmal in einem Shuttlebus eine neue Band entdeckt. Für mich war die Band zumindest neu. Die Musik, die sie machten, klang sehr drängend und wand sich immer in neuen Schleifen, ein bisschen so, als ob eine Platte springt. Ich war ganz fasziniert davon und fragte den Fahrer, wer diese Band sei. Wir waren gerade in Barcelona, und der Fahrer konnte sich mir nicht richtig verständlich machen. Das war nicht seine Schuld, ich spreche weder Spanisch noch ein akzeptables Englisch. Da zog er kurzerhand die CD aus dem CD-Player und schenkte sie mir. So habe ich es jedenfalls verstanden. Wieder in Berlin angekommen, spielte ich die CD ganz stolz meiner Tochter vor. Ich wollte ihr zeigen, dass ich in meinem Alter noch voll am Puls der Zeit bin. Ich versuchte ihr zu erklären, dass mir diese Musik so gefällt, weil es so klingt, als ob eine springende Platte zufällig die Melodien bestimmt. Meine Tochter brauchte nur einen Blick auf das Display des CD-Players zu werfen, um festzustellen, dass ganz einfach die CD wirklich sprang. Der Blick, mit dem sie mich ansah, ist nicht zu beschreiben.

Ich höre die CD trotzdem noch sehr gerne, sie ist irgendwie so meditativ, und außerdem kann wirklich niemand voraussehen, wann sie wieder springen wird. Es fühlt sich nicht so an, als würde ich eine Musikkonserve hören, sondern als wäre ich aktiver Bestandteil des Musikhörens. So höre ich immer etwas Neues.

Das Lied, das eben lief und mir auch ganz gut gefallen hat, ist mittlerweile vorbei. Jetzt kommen die Nachrichten, natürlich auch auf Ungarisch. Da ist es zu spät, um noch nach dem letzten Lied zu fragen. Ich weiß auch sonst nicht, wie ich ein

Gespräch mit dem Fahrer beginnen könnte, zumal er einen sehr wortkargen Eindruck macht. Es gibt gerade auch nichts zu besprechen. Beim Einsteigen wollte er nur von mir wissen, ob noch mehr Leute von uns mitfahren wollen. Falls ich ihn richtig verstanden habe. Und selbst diese einfache Frage konnte ich nicht beantworten, denn seitdem wir in Einzelzimmern schlafen, weiß ich nicht mehr, wo die anderen sind.

Ich hatte gehofft, dass wir alle zusammen zur Halle fahren würden, aber als ich runterkam, war ich der Einzige von uns, der da stand, und so fuhr der Fahrer nur mit mir los. Wahrscheinlich wissen die anderen, wie sinnlos es ist, um diese Uhrzeit loszufahren. Falls es jetzt wirklich so spät ist, wie ich denke.

Es ist auch schon vorgekommen, dass die Uhr sich nicht zurückgestellt hat, wenn wir von einem weit entfernten Konzert wieder zurückgeflogen sind, jedenfalls kann ich mich nicht mehr auf meine Uhr im Handy verlassen. Und selbst dem Fernseher kann man nicht trauen, denn die Sender kommen aus verschiedenen Ländern. Wenn es in England drei ist, kann es hier schon viel später sein.

In Australien gibt es sogar Zeitverschiebungen von einer halben Stunde. Die Zeitgrenze geht manchmal mitten durch eine Stadt. Da kommt man sogar zu spät zum Zahnarzt. Vielleicht war das auch in Amerika. In Hartfort oder so.

Da sind wir als Mutprobe mal über eine Eisenbahnbrücke geklettert. Wenn ich als Kind weniger in der Wohnung gehockt und mehr mit den anderen Kindern gespielt hätte, müsste ich so etwas nicht erst im hohen Alter machen, wo die Angst noch größer ist. Natürlich kam dann auch ein Zug, und zwar genau in dem Moment, als wir die Mitte der Brücke erreicht hatten. Wir mussten uns ganz an den Rand drängen, ein Geländer gab es nicht, und zwischen den Eisenbahnschwellen blickten wir direkt auf das Wasser. Da der Zug schier unendlich lang war und deshalb wohl auch so langsam fuhr, verging nach meinem Gefühl eine Ewigkeit, bis alles überstanden war, zumal ich dabei noch in Ruhe einen überfahrenen Dachshund oder Waschbären betrachten konnte, der wie ein zerschnittener Teddy aussah. Auf dieser Brücke habe ich wieder einmal gespürt, wie sehr sich die Zeit strecken kann. Leider streckt sie sich meistens in unangenehmen Situationen.

Auch jetzt im Bus kommt es mir so vor, als ob wir schon ewig unterwegs wären. Ganz schuldlos bin ich daran nicht, denn ich habe angeregt, unser Hotel mal im Stadtzentrum zu buchen, damit man gleich alle Sehenswürdigkeiten vor der Nase hat. Dabei interessieren mich die Sehenswürdigkeiten eher wenig. Das klingt komisch, aber in Berlin gehe ich auch nicht auf den Fernsehturm oder zum Brandenburger Tor. Die Hallen, in denen wir spielen, liegen wiederum meistens außerhalb der Stadt, schon damit die Fans, egal ob nun unsere oder die einer Fußballmannschaft, nicht das Stadtbild versauen. Das klappt ziemlich gut, und jetzt merke ich, dass wir anscheinend zur Halle kommen, da ich schon ziemlich viele Fans links und rechts der Straße sehen kann. Sie haben ihre Autos am Straßenrand geparkt und ziehen in Grüppchen weiter. Zu Fuß sind sie schneller als ich im Bus.

Früher bin ich auch manchmal zu Fuß zum Konzert gegangen, verlaufen konnte ich mich ja nicht, da ich einfach den Fans hinterhergelaufen bin, aber bei den großen Hallen hatte ich dann manchmal Schwierigkeiten, zur Garderobe zu kommen, denn es kommt vor, dass die Telefone in so einer Halle nicht funktionieren, und die Sicherheitskräfte rechnen nicht damit, dass einer von der Band ratlos vor ihrer Tür steht. In

Berlin wollte ich einmal mit dem Taxi zum Konzert fahren, damit ich auch ein Bier trinken kann und das Auto dann nicht stehenlassen muss. An der Halle angekommen, bat ich den Taxifahrer, mich zum Bühneneingang zu bringen. Ich war etwas in Zeitdruck, weil ich am Nachmittag noch so viel hatte erledigen wollen und erst auf den letzten Drücker losgegangen war. Wenn wir dort spielen, wo wir wohnen, haben wir ja praktisch doppelt zu tun. Ich vergesse dann gerne mal, dass abends noch ein Konzert ist. Jedenfalls wollte ich schnell zum Künstlereingang.

»Da hinten ist das Ende, Großer!«, sagte der Fahrer und zeigte auf die Menschenschlange, die sich um die Halle wand. Da blieb mir nur übrig, ihm zu sagen, dass ich zur Band gehöre. »Nee, nee, Kollege!«, lachte er mich aus. »Heute spielt Rammstein hier, da kommst du mit solchen Tricks nicht weiter.« Als ich ihm vorsichtig zu erklären versuchte, dass ich da mitspiele, erwiderte er mit brutaler Logik: »Wenn du«, und da musste er schon wieder lachen, »da mitspielen würdest, säßest du nicht hier bei mir im Taxi.« Mit diesen Worten setzte er mich am Ende der Schlange ab. Deshalb fahre ich jetzt lieber mit dem Bus, den der Veranstalter für uns bereitstellt.

Draußen ist inzwischen ein hässliches Industriegebiet zu sehen. Das bedeutet, dass ich gleich ankommen werde. Ich blicke genauer aus dem schmutzigen Fenster. Da stehen ja auch schon unsere großen Nightliner, die Busse, in denen die Crew schläft. Also jetzt natürlich nicht, aber in der Nacht, wenn sie zum nächsten Konzertort fahren. In einiger Entfernung dahinter kann ich etwas sehen, das wie eine Messehalle oder ein Sportstadion aussieht. Davor dehnt sich ein Parkplatz aus. Alles ist grau. Und das soll jetzt Rock 'n' Roll sein?

Der Rock 'n' Roll ist längst nicht mehr das, was er mal war, würde ich behaupten. Es ist natürlich fraglich, ob ich ein kompetenter Gesprächspartner zu diesem Thema bin, bloß weil ich Musik mache. So richtig Ahnung habe ich übrigens von überhaupt nichts. Und Rock 'n' Roll, was ist das überhaupt? War das nicht diese lustige Musik, die unsere Eltern früher gehört haben? Oder waren das unsere Großeltern? Waren die nicht dabei, als dieser Bill Haley kurz nach dem Krieg in der Deutschlandhalle gespielt hat? Oder war es die Waldbühne? Für uns Kinder aus der DDR war das egal, wir konnten mit den beiden Namen nicht viel anfangen, und auch später als Jugendliche kannten wir kaum mehr als den Kulti und das Haus der jungen Talente. Manche der Talente, die dort spielten, waren allerdings schon über siebzig, aber die spielten Blues, da war das in Ordnung.

So unglaublich es auch klingt, in meiner Jugend gab es keine alten Rockmusiker, da der Rock 'n' Roll an sich noch so jung war. Mick Jagger war damals zwanzig Jahre jünger, als ich jetzt bin. Das muss man sich mal vorstellen. Ich war auch der festen Meinung, dass man gar keine Rockmusik mehr spielen darf, wenn man älter als dreißig ist. Und keinen Jazz, wenn man jünger ist. Bundeskanzler darf man auch erst mit vierzig werden.

Ich sprach von Rockmusik. Das 'n'Roll hat man zu meiner Zeit schon weggelassen. Nicht einmal die Sitzenbleiber sagten das noch. Die sprachen wiederum von Hard Rock, wobei ich natürlich Hart Rock verstand. Wer schreibt denn Hart mit weichem D? Und die Rock 'n' Roll-Bands, die ich kannte, spielten ihre Lieder auch mehr wie Museumsstücke, sie versuchten förmlich, dieses spezielle Lebensgefühl mit den Klassikern wie *Sweet Little Sixteen* wieder aufzuwecken. Zu diesem Leben gehörte auch eine Lederjacke oder ein Motorrad. Und Jeans. Als Kind habe ich wirklich mal gehört, wie eine Oma über diese ollen Jenshosen geschimpft hat. Und man muss als Rocker in Grüppchen herumlungern. Selbstverständlich ist das nur etwas für ganz harte Jungs. Sind die Heavy-Metal-Fans Rocker? Bei AC/DC singen sie auch ständig von Rock 'n' Roll. Und was ist mit den Rockabilly-Fans? Dürfen die sich auch als Rocker bezeichnen? Man konnte so viel falsch machen. Erst recht, als dann noch der Punk ins Spiel kam. Wenn man Pech hatte, durfte man sich gar nicht als Punk bezeichnen, dann wurde man gleich als Plastic abgestempelt.

Darf man als Punk noch bei seinen Eltern wohnen? Meiner Meinung nach ja, schließlich bin ich selbst dort erst ausgezogen, als ich schon 23 Jahre alt war. Es war auch sehr hilfreich, wenn man als Punk über gute Westkontakte oder wenigstens eine Menge Geld verfügte, denn wo sollte man sonst die Springerstiefel herbekommen? Und die Lederjacke? Lederhosen konnte man sich im Osten nicht einfach kaufen, die musste man sich extra nähen lassen. Das dauerte dann etwa ein Jahr, bis man die Hosen hatte, und es war wirklich nicht billig. Viele Punks, die ich kannte, kamen aus einem wohlsituierten Elternhaus und konnten sich das leisten. Sie waren am allgemeinen Geschehen sehr interessiert und konnten ein gutes Abitur vorweisen. Wenn sie nicht in einer Band spielten, malten oder dichteten sie. Manchmal auch alles zusammen. Mit ihren proletarischen Vorbildern aus England verband sie nur die Liebe zur Punkmusik und dass sie es aushielten, auf der Straße beschimpft oder verprügelt zu werden. Die beruflichen Perspektiven waren zwar nicht überwältigend, wenn man wie ein Punk aussah, aber die meisten von uns waren mit ihren Jobs bei der Post, der Volkssolidarität oder auf dem Friedhof sehr zufrieden. Ich habe keinen getroffen, der es wirklich ernst meinte, wenn er No Future auf seine Jacke malte. Einige sahen höchstens keine Zukunft für sich in der DDR, dafür umso mehr im Westen. Manchmal bekamen sie die Ausreise bewilligt, bevor ihre Lederhosen fertig waren, dann konnte ich sie fragen, ob ich die kriegen kann.

Aber es geht ja eigentlich um Rock 'n' Roll. Johnny Cash hat mal gesagt, dass er, wenn er aus dem Busfenster schaut, auf fünf Kilometer genau sagen kann, wo er sich gerade befindet. Ich glaube ihm das. Es bedeutet, dass er so oft mit dem Bus durch Amerika gefahren ist, bis er fast jede Stelle des Weges kannte. Er hat einfach unwahrscheinlich viele Konzerte in seinem Leben gegeben. 300 Konzerte im Jahr waren damals nichts Besonderes. Und dass die Bands jahrelang am Stück unterwegs waren, auch nicht. Jetzt lösen sie sich immer gleich bei den ersten Schwierigkeiten auf. Manchmal schon, bevor ich sie wahrgenommen habe. Aber selbst ich, der schon einige Jahre Musik macht, kenne höchstens ein paar Straßen in Ostdeutschland. Das Hermsdorfer Kreuz und so weiter. Oder das Schkeuditzer Kreuz, wo jetzt der Höffner-Klotz steht. Wenn wir mit dem Flugzeug zu unseren Konzerten fliegen, sehe ich allerdings nur ein paar Wolken. Daran kann ich mich schlecht orientieren, denn die sind am nächsten Tag schon wieder verschwunden. Richtiger Rock 'n' Roll findet eben auf der Straße statt.

Und dann die Frauen. Bei den Stones standen die Frauen vor den Hotelzimmern der Musiker geduldig in einer Schlange an, bis sie drankamen. Das ist nicht zu fassen. In einer Schlange! So etwas ist schon rein technisch nicht mehr möglich. Jetzt muss man im Hotel die Zimmerkarte in einen Schlitz im Fahrstuhl stecken, sonst fährt der erst gar nicht los. Wie sollen die Frauen da hochkommen? Da bin ich froh, wenn ich selbst an meinem Zimmer ankomme.

Wenn man den Erzählungen Glauben schenken darf, hatte man früher als Musiker vor, während und nach dem Konzert Sex. Die Musiker strahlten das auch aus. Jedes Gitarrensolo war schon ein Vorspiel. Die Hemden waren immer bis zum Bauch aufgeknöpft. Heutzutage stehen monogame, politisch engagierte Veganer auf der Bühne, die wie zum Hohn auch noch nüchtern sind. Dafür haben sie sich mit Yoga-Atemübungen gewissenhaft auf das Konzert vorbereitet. Und mit Dehnübungen ihre Muskeln erwärmt.

Wahrscheinlich stimmt das alles nicht, und ich habe nur so eine Sicht auf die Dinge, weil ich so alt geworden bin. Mein eigenes kleines Leben hat sich wohl schon zu weit vom Rock 'n' Roll entfernt. Falls es überhaupt je dort war. Objektiv gesehen spricht nicht viel dafür. Es hat auch niemand außer mir je wahrgenommen, dass ich mich jahrelang als Punk verstanden habe. Genau! Es liegt nicht an meinem Alter. Ich bin Punk und kein Rock 'n' Roller. Ich weiß deshalb nicht, was Rock 'n' Roll ist und was man da machen muss. Ich weiß auch nicht, was man als Punk machen muss, aber ich fühle mich einfach besser, wenn ich mir einrede, dass ich ein Punk bin.

I

Ich zerre mit ganzer Kraft am Reißverschluss meiner Jacke, aber er geht einfach nicht auf. Wahrscheinlich, weil ich auf der Bühne so sehr schwitze, das ganze Zeug ist dann klatschnass und fängt im Schrank zu rosten an. Ich dachte, die Reißverschlüsse sind aus Edelstahl und rosten nicht, aber dieser hier ist ganz hart und geht einfach nicht auf.

»Hast du Gäste?«, gellt mir eine Stimme ins Ohr. Sie klingt ein bisschen so wie von Kermit dem Frosch, nur viel, viel lauter. Ich zucke zusammen und stoße mit dem Ellenbogen an das Tischchen, das neben meinem Sofa steht. Es tut so weh, dass der Schmerz wie ein Blitz durch meinen ganzen Körper flitzt. Ich rutsche vor Schreck vom Sofa.

»Hast du Gäste?« Tom, unser Bandassistent, sieht mich ausdruckslos an. Er ist nicht groß, dafür sehr muskulös, besonders im Gesicht. Davor ist noch eine riesige Hornbrille, hinter der man die Augen nur noch erahnen kann. Tom ist kurzsichtig, und vielleicht kommt er deshalb so nah an seine Gesprächspartner heran. Er arbeitet gerade daran, die Gästeliste zu vervollständigen. Da er keine Lust hat, kurz vor dem Konzert hektisch die Namen, die er ganz spät zugerufen bekommen hat, zum Einlass durchzugeben, fragt er lieber am frühen Nachmittag jeden, den er von der Band erwischen kann, ob er Gäste hat.

»Hast du Gäste?«, schreit er also gleich noch einmal, da ich noch nicht antworten konnte. Eigentlich schreit er gar nicht, er spricht nur laut, das ist sozusagen seine Dienstlautstärke, er ist gerade völlig ruhig und entspannt. Um ihn nicht ein viertes Mal schreien zu lassen, schüttele ich schnell den Kopf und sage zur Sicherheit ganz deutlich: »Nein danke, heute habe ich keine Gäste.«

Tom nickt zufrieden, er hat sowieso mit keiner anderen Antwort gerechnet. Aber sicher ist sicher. Das hat er im jahrelangen Umgang mit Musikern gelernt. Aber wo sollte ich denn hier in Budapest Gäste hernehmen? Manchmal rufen mich zwar Bekannte an, die gerade in der Nähe sind und zum Konzert kommen wollen, aber das ist wirklich die Ausnahme, und selbst, wenn das passieren sollte, sage ich Tom sofort Bescheid. Schon damit ich es nicht vergesse und die Leute am Abend nicht verzweifelt vor der Tür stehen. Ich kenne dieses schlimme Gefühl, wenn man sich freudig auf den Weg zu einem Konzert gemacht hat und dann nicht reinkommt. Die Gäste können mich auch nicht mehr erreichen, da ich so kurz vor dem Konzert mein Telefon nicht hören kann. Dann stehen sie traurig vor der Tür, sehen all die Leute, die in die Halle stürmen, und überlegen, was sie in ihrem Leben falsch gemacht haben. Sich auf mich zu verlassen war schon mal ein Fehler.

Tom stürzt aus der Garderobe, um die anderen aus der Band zu suchen, und ich wende mich wieder meiner Jacke zu. Wenn ich den Reißverschluss nicht aufbekomme, kann ich sie heute nicht anziehen. Die Glitzerjacke, die von mir so genannt wird, weil sie wie eine Discokugel glitzert, wenn das Licht darauf fällt, sitzt nämlich sehr straff an meinem Körper. Sie wurde mir liebevoll aus Paillettenstoff von unseren Schneiderinnen auf den Leib gezimmert, nein, natürlich geschneidert, aber da ich so schwitze, wird sie nach jedem Konzert ein wenig enger. Oder ich werde nach jedem Konzert ein wenig fetter. Man soll nicht immer die Schuld bei den anderen suchen. Natürlich gehört diese Jacke unbedingt mit zur Show, da kann nicht jeder einfach anziehen, wozu er Lust hat, denn es soll zu erkennen sein, dass wir als Band zusammengehören. Außerdem gibt es Kleidung, mit der man in dem Bühnenlicht nicht mehr zu sehen ist. Und ich stehe schon hinten. Ich will nicht wissen, was die Band sagen würde, wenn ich ohne meine Glitzerjacke auf der Bühne auftauchen würde, na ja, vielleicht würden sie sich sogar freuen, denn mit meinem Glitzeranzug falle ich ganz schön auf, und das gefällt nun auch nicht jedem. Wir wollen ja alle gleichberechtigt sein. Es gehört aber sozusagen zu meiner Figur auf der Bühne, dass ich etwas anders aussehe als zum Beispiel die Gitarristen. Man würde es mir auch gar nicht abkaufen, wenn ich so ernst und böse auftreten würde, und darunter würde dann auch die Glaubwürdigkeit der ganzen Band leiden. Also je lustiger ich aussehe, desto böser wirken die anderen. Es ist wie beim Polizeiverhör mit dem netten und dem bösen Polizisten.

Ich suche mir aus der blauen Plastewanne, die unter dem Tisch steht, eine Cola heraus. Als Werkzeugmacher haben wir festgerostete Schrauben mit Cola wieder gängig gekriegt. Ich muss dafür tief in dem Eis wühlen. Ich finde nur Diät-Cola, aber was soll's. Ich schütte sie auf den Reißverschluss. Das meiste geht dabei direkt auf das weiße Tischtuch. Tom achtet aus einem unerfindlichen Grund streng darauf, dass auf den Tischen weiße Tischtücher liegen, auch wenn diese meistens nicht mal den Anfang des Konzertes erleben. Wozu brauchen wir weiße Tischtücher, denke ich und ziehe es vom Tisch. Dabei rutscht auch die Schale mit Nüssen herunter. Auf Nüsse reagiere ich allergisch. Da sie aber meistens, wahrscheinlich aus denselben Gründen wie die weißen Tischtücher, auf dem Tisch stehen, stecke ich mir gedankenverloren doch immer wieder ganz viele davon in den Mund. Wenn es im Hals zu kratzen anfängt und ich keine Luft mehr bekomme, fällt mir wieder auf, dass ich wirklich allergisch bin. Ich sollte darum bitten, keine Nüsse in die Garderobe zu stellen, aber etwas abzusagen ist schwieriger, als etwas zu bestellen, eine Hochzeit geht auch viel schneller als eine Scheidung. Und generell sind Nüsse sehr gesund, wenn man von der Blausäure absieht. Damit sie nicht auf dem Boden liegen, sammele ich die Nüsse auf und stecke sie mir doch wieder in den Mund, weil ich nicht an die Schüssel herankomme. Wie eklig alte Nüsse schmecken, habe ich ganz vergessen. Ich muss an Tran denken, obwohl ich nie Tran gekostet habe. Um diesen Geschmack aus dem Mund zu bekommen, suche ich mir eine Flasche Wasser. Wieder muss ich mich durch das Eis wühlen. Dabei kann ich mir gleich die Hände waschen, denn auch wenn es Diät-Cola sein soll, klebt sie doch gewaltig an den Fingern. Mann, ist das Wasser kalt. Da sterben mir die Finger ab. Viel lieber hätte ich ja eine Wasserflasche, die nicht stundenlang im Eis gelegen hat. Aber hier gibt es kein warmes Wasser, also jedenfalls nicht in der Flasche, also stelle ich mir wenigstens für nachher ein paar Flaschen auf den Tisch, damit sie auftauen können. Sind das jetzt schon diese berüchtigten Starallüren?

Ein Luxusproblem ist das mit dem warmen Wasser auf jeden Fall, aber wenn ich so erhitzt von der Bühne komme und dann eiskaltes Wasser trinke, bekomme ich Magenkrämpfe, oder ich erkälte mich praktisch von innen und bin dann tagelang krank. Krankheit während einer Tour ist ein Extrakapitel. Irgendein Ehrenkodex besagt, dass nur der Tod ein ausgefallenes Konzert rechtfertigt. Jedenfalls erzählten mir das alle gestandenen Musiker, wenn das Gespräch auf Krankheiten kam. Also stehe ich immer wieder mal mit hohem Fieber auf der Bühne und fiebere dem Ende des Konzertes entgegen. Das Feuer erhitzt mich dann noch ein bisschen mehr. Es ist schon fast wie eine Behandlung. Ein Treatment, wie sie beim Ayurveda sagen. Nur den Rauch sollte ich lieber nicht einatmen, denn diese diversen Gifte haben im menschlichen Körper nichts zu suchen, egal, ob man jetzt gerade krank ist oder nicht. Nach dem Konzert geht es mir dann meistens sogar ein bisschen besser. Durch die Aufregung blende ich die Schmerzen und das Unwohlsein aus, so richtig schlecht geht es mir erst wieder am nächsten Tag. Da stehe ich dann mit Schüttelfrost am Flughafen und quäle mich während der langen Fahrten im sogenannten Shuttle zum Hotel oder zum Veranstaltungsort. Ich sehne mich dann ganz doll nach einem Bett, in dem ich einfach liegen bleiben kann. Das sind trübe Stunden. Wer will es mir da verübeln, dass ich rechtzeitig auf meine Gesundheit achte und lieber kein eiskaltes Wasser trinken will.

Ich betrachte also mit stumpfem Blick die Wasserflaschen auf dem Tisch. Langsam beschlagen sie von außen, und die ersten Tropfen laufen vorsichtig herab. Ich warte darauf, dass endlich die Cola wirkt. Und als ich an die Cola denke, fällt mir ein, dass ich auch einen Kaffee trinken könnte, davon soll man ja auch wach werden. Wann war ich das letzte Mal richtig wach? Ich schlafe sogar problemlos nach Kaffee ein, aber da ich immer und überall sofort einschlafen kann, messe ich dem nicht so viel Bedeutung bei. Die Fähigkeit, schnell einschlafen zu können, ist wichtig, wenn man Musiker werden will, denn wer oft spät ins Bett kommt, sollte den Schlaf am Tag nachholen können, bevor er wieder auf die Bühne klettert.

Ich kenne einen Gitarristen, der sofort einschläft, sobald er im Bandauto sitzt. Er hat mir mal von seinen Schwierigkeiten erzählt, aus dem Bett zu steigen. Wenn er schnell aufstand, machte sein Kreislauf nicht mit, und ihm wurde schwarz vor Augen, so dass er wieder aufs Bett fiel, und wenn er sich langsam im Bett aufsetzte, roch er seine Füße, und ihm wurde auch wieder so schlecht, dass er sich hinlegen musste. Dagegen geht's mir doch noch relativ gut. Ich bin einfach nur müde. Und jetzt habe ich eben Lust auf Kaffee und gehe in den Nachbarraum, weil ich annehme, dass dort Kaffee zu finden ist. Paul, einer unserer Gitarristen, der da jetzt sozusagen wohnt, trinkt nämlich gerne einen frisch gebrühten Kaffee vor dem Konzert. Paul macht sich das Leben mit der Band richtig schön. Er besitzt die Gabe, die ganzen Umstände, die mit unserem Erfolg verbunden sind, in vollen Zügen zu genießen. Es macht ihm einen Riesenspaß, mit den anderen Bands, die wir früher nur aus dem Radio kannten, zu fachsimpeln. Er freut sich, wenn er auf den Festivals erkannt und gegrüßt wird. Er geht gerne abends in gepflegter Atmosphäre essen und trinkt einen guten Wein dazu. Er hat sich sogar mal ein fabrikneues Auto gekauft! Ich finde das beneidenswert, bekomme es aber selbst nicht so richtig hin. Und gerade Paul kann das, der Paul, der jahrelang nicht mal einen Gitarrenkoffer hatte, sondern seine Gitarre in eine Plastiktüte gewickelt hat und sie so mit sich herumtrug. Der Paul, der sich in seiner Jugend scheinbar ausschließlich von Knäckebrot ernährte. Der in Schuhen herumlief, die er im Müllcontainer gefunden und sofort angezogen hatte. Und der schon zu Feeling-B-Zeiten sofort nach dem Konzert von der Bühne ins Publikum gesprungen ist, um zusammen mit dem Publikum den ganzen Abend weiter zu tanzen. Und jetzt ist er in einem gemütlichen Zimmerchen, das so aussieht, als wäre es aus einem Katalog für gemütliches Wohnen ausgeschnitten worden.

Sofort umfängt mich eine anheimelnde Atmosphäre. Verdunkelte Stehlampen spenden ein warmes Licht, und ich höre leise Musik. Oliver, der Bassist, liegt in Sportzeug auf dem Sofa und versucht wieder einzuschlafen, denn Tom hat auch ihn gerade nach seinen Gästen gefragt. Ich glaube nicht, dass Olli hier Gäste hat. Aber ich weiß es natürlich nicht. Ich weiß leider so gut wie gar nichts über ihn. Zumindest habe ich keine Ahnung, was er denkt oder was er von dem ganzen Zirkus hält. Angeblich ist das ein Markenzeichen von Bassisten, dass sie einfach da sind und ihre Sachen spielen, ohne viel zu sagen, aber das muss auch nicht auf ihn zutreffen, denn ich habe gehört, dass er eigentlich Gitarrist werden wollte und nur, weil es schon einen Gitarristen in der damaligen Band gab, einen Bass in die Hand gedrückt bekam. Bassisten spielen ja bekanntlich gerne stundenlang stoisch ein Thema, aber Olli ist dafür viel zu ungeduldig. Ich finde das gut, denn dadurch hat er immer wieder neue Ideen, auf die kein Mensch von uns kommen würde. Ob diese Ideen dann verwirklicht werden, ist eine andere Geschichte. Ich schaufele mir zwei Löffel Kaffee in eine Tasse und will den Wasserkocher anmachen, aber das Wasser ist noch heiß. Es ist mir unangenehm, dass ich dabei etwas Kaffee verschüttet habe, denn die Garderobe sieht noch so schön aufgeräumt aus. Jetzt auch noch die Milch, denn ich bekomme diese Tetra Paks so schlecht auf. Eine Schere müsste man haben.

Leise gehe ich wieder in meine Garderobe. Damit ich mich nicht verlaufe, hat der Assistent des Bandassistenten einen eingeschweißten Zettel mit meinem und Tills Namen an die Tür geklebt. Im Flur kleben auch noch die anderen Schilder, auf denen steht, wo es zur Bühne, zum Essen und zum Produktionsbüro geht. Die werden jeden Abend nach dem Konzert wieder abgemacht und eingepackt. Ins Produktionsbüro gehe ich eigentlich nie, höchstens wenn ich Gäste habe und vergesse, Tom davon zu informieren. Und das kann eigentlich nicht passieren. Alle Schilder sind auf Englisch, und wir mussten am Anfang die ganzen Begriffe lernen.

Als ich zum ersten Mal einen Wegweiser zur Wardrobe gesehen habe, bin ich davon ausgegangen, dass der Verfasser des Schildes ein Witzbold war, der ein Wortspiel mit Krieg machen wollte, weil wir uns manchmal nach einem schlechten Konzert in der Garderobe ein bisschen anschreien und dann vielleicht auch mal etwas runterfällt. Aber bei anderen Bands steht auch Wardrobe, sogar bei Coldplay, und das sind ja nun wirklich die leisesten und rücksichtsvollsten Musiker, die man sich vorstellen kann. Ich suche jedenfalls die Wardrobe, die mir zugedacht ist, und gehe hinein. So schwer zu finden war das jetzt nicht, ich kam ja aus dem Nachbarzimmer. Jetzt sitze ich wieder auf dem Sofa und rüttele am Reißverschluss. Er geht immer noch nicht auf. Hat die Cola noch nicht lange genug eingewirkt?

Mein Blick wandert zur Uhr. In jeder Garderobe hängt eine Uhr aus dem Ein-Euro-Laden oder von Mäc-Geiz an der Wand. Die packen wir immer nach dem Konzert mit ein, und Tom hängt sie am nächsten Tag wieder gut sichtbar auf. Einmal ist unsere Uhr stehengeblieben, weil die Batterie leer war. Da kann man mal sehen, wie lange wir schon unterwegs sind. Oder jemand hat die Batterie geklaut. Hat sie für ein Videospiel gebraucht oder so. An diesem Tag haben wir es fast nicht geschafft, pünktlich auf die Bühne zu kommen. Na ja, das habe ich jetzt etwas dramatisiert, meistens schaffen wir es dann doch, pünktlich anzufangen, in dieser Beziehung sind wir keine Punks, sondern so ordentlich wie deutsche Beamte, falls die überhaupt so ordentlich sind, wie ich denke.

*

Schon wieder gab es eine neue Band. Ich kam gar nicht mehr hinterher. Fast alle Musiker, die ich kannte, spielten gleichzeitig in mehreren Bands und bewegten sich mit den jeweiligen Musikern in völlig unterschiedlichen Musikrichtungen.

Ich blieb selber nicht davon verschont, ich versuchte in wirklich jeder Band mitzuspielen, die sich irgendwo gründete. So kam es manchmal dazu, dass wir an einem Abend bei ein und demselben Konzert in mehreren Bands spielten. Die zuletzt gegründete Band war immer die spannendste. Wenn meine Bandkollegen wieder mit neuen Leuten etwas ausheckten, freute ich mich natürlich auf die neue Band, war aber gleichzeitig auch etwas eifersüchtig. Warum hatten sie mich nicht gefragt, ob ich mitspielen will?

Als Paul bei der Firma einstieg, also bei der Band, die die Firma hieß, gefiel mir die Musik so gut, dass ich, so oft es ging, mit der Band zu ihren Konzerten fuhr, obwohl ich dort gar nicht mitspielte. Ich hörte ihnen einfach gerne zu. Ich war ein männliches Groupie. Das geht auch ohne Sex. Hauptsache, im Bus war noch ein Platz frei. Oder in irgendeinem anderen Auto. Die ganze Herangehensweise an die Musik war in dieser Band eine andere. Was uns sonst wichtig war, interessierte jetzt niemanden mehr. Mein lustiges Geplimper wollte keiner hören. Wenn ich dabei sein wollte, sollte ich richtig gruftig spielen oder mit Gefühl, was mir noch schwerer fiel. Umgekehrt war es genauso. Als ich mit zwei anderen Leuten eine neue Band gründete, kam Paul als Gast zu einigen Konzerten mit. Er spielte später noch in der Band, als ich wieder ausgestiegen war.

Und jetzt gab es schon wieder eine neue Band, und Paul hatte mir nichts davon gesagt. Ich merkte es nur, weil ein Zettel an der Tür hing. Da stand etwas von einer Probe, und darunter war mit dem Kugelschreiber ein abstürzendes Flugzeug gezeichnet worden. Ich machte den Zettel ab und las ihn mir gründlich durch. Dann legte ich ihn auf den Küchentisch, denn ich wohnte mit Paul in einer Wohnung. Ich musste jetzt noch herausbekommen, mit wem Paul da zusammenspielte. Vielleicht wurde er ja abgeholt. Aha, mit Schneider. Das war ja auch unser Trommler bei Feeling B. Den hatte ich schon eine Zeitlang nicht mehr gesehen.

Wenn ich ehrlich zu mir gewesen wäre, hätte ich mir eingestehen müssen, dass es Feeling B eigentlich gar nicht mehr so richtig gab. Wir hatten schon lange keine neuen Lieder gemacht und spielten nur noch manchmal vor unseren alten Fans, wenn wir Geld brauchten. So etwas wollte ich natürlich nicht wahrhaben und betrachtete mit leichter Sorge, dass zwei Mann von uns sich um eine neue Band kümmern wollten.

Dann machten angeblich noch zwei Leute aus Schwerin mit. Und sie wollten neue, ganz harte Musik machen. Bei den Autofahrten hörten wir zu dieser Zeit viel Pantera und Ministry. Das lag daran, dass wir zu unseren Konzerten bei Schneider im Auto mitfuhren und er als Fahrer natürlich die Musik bestimmen durfte. Das war eine Art von Musik, mit der ich erst mal nicht so viel anfangen konnte. Aber die immer wiederkehrenden Klangfetzen, die man auch als Samples bezeichnet, gefielen mir. Ich hatte mir schon für Feeling B irgendwann einen Sampler gekauft, um bei solch moderner Musik mitspielen zu können, denn mit meinem Spielzeugcasio aus den achtziger Jahren hätte ich da eigentlich nicht aufzutauchen brauchen. Bin ich natürlich trotzdem. Aber ein Sampler war meiner Meinung nach damals ein recht modernes Gerät. So etwas benutzten die richtig angesagten Bands.

Irgendwann kam dann der Tag, an dem ich mich doch zu einer Probe eingeladen fühlte. Ich war völlig eingeschüchtert. Da standen fünf böse Männer im Halbdunkeln. Ich erkannte den Gitarristen neben mir. Das war Richard, ein toller Typ aus Schwerin, der mir schon bei mehreren Bands aufgefallen war. Erstens sah er gut aus, und zweitens hatte er einen wahnsinnig guten Gitarrensound. Er hatte mit Schneider und Olli diese neue Band gegründet. Dann haben sie Paul mit dazu genommen. Selbst der war ganz verändert. So eine ernste und konzentrierte Probe hatte ich seit Jahren nicht erlebt. Genau genommen noch nie. Zu meiner Überraschung sollte Till der Sänger der Band sein, ein alter Freund aus der Nähe von Schwerin, den wir immer gerne besucht hatten. Eigentlich war er der Trommler in einer lustigen Band. Selbst da hatte Paul schon mitgespielt. Als Trommler hatte Till mir unheimlich gut gefallen, obwohl oder gerade weil er nicht wie ein richtiger Trommler wirkte. Ich glaube, es ging ihm ein wenig so wie mir, er hat die vielen Bands aus dem Boden schießen sehen und erkannt, wie beliebt Musiker bei den Frauen sind, und wollte einfach dabei sein. Damit hat er die Idee der Punkmusik voll verkörpert.

Er hat für sich das Schlagzeug gewählt, weil es ihm wohl am meisten entspricht. Er spielte nicht mit raffinierter Technik, dafür mit Begeisterung und unwahrscheinlicher Kraft. Es war eine Augenweide. Wenn diese Band im Konzert ihre Zugabe spielte, stand Till auf und fing an zu singen. Dieses Lied hatte dadurch einen besonderen Reiz, und man konnte hören, was Till für eine tolle Stimme hat. Eigentlich war es das schönste Lied der Band.

Und jetzt wollten die Jungs eine Band mit ihm als Sänger gründen. Was heißt, sie wollten, sie hatten es schon längst getan, nur ich hatte davon nichts mitbekommen. Ich konnte den Gedanken, dass sie mir mit Absicht nicht Bescheid gesagt hatten, nie ganz unterdrücken. Da war auch etwas Wahres dran. Aber jetzt stand ich mit im Keller und versuchte, einen guten Eindruck zu hinterlassen. Meine Meinung zu den Liedern war erst einmal nicht gefragt. Aber wenn man mich gefragt hätte, wäre meine Antwort sofort gewesen, dass ich völlig überwältigt war. Die Lieder waren einfach perfekt. Ich hatte noch nie solche Gitarrenriffs gehört, geschweige, dass mir in dieser Richtung etwas eingefallen wäre, aber sie trafen genau ins Ziel. Selbst ich, der schon etwas älter war als das Publikum, das sich später so davon angesprochen fühlen sollte, war hin und weg. Und Tills Stimme berührte mein Herz, da war es erst mal völlig egal, was er sang. Die ersten Lieder waren zum Teil noch auf Englisch, ohne dass mir das auffiel.

Wenn Jugendliche erwachsen werden, entscheidet oft ein kleiner Zufall, welche Musik sie während dieser Zeit hören und welche Richtung daraufhin ihr Leben nimmt. Und diese Musik war wie dafür geschaffen, aufzuspringen und sich durchs Leben tragen zu lassen. Für mich war das wie eine zweite ganz große Liebe.

Denn als ich in meiner Jugend bei meinem eigenen Erwachsenwerden bei Feeling B spielte, war ich auch schon unendlich glücklich und erfüllt. Ich rannte jeden Tag begeistert zur Probe, egal, was wir dann machten. Meistens saßen wir nur herum und betranken uns. Ich musste allen von meiner

Band erzählen, und mir war damals schon klar, dass ich nichts anderes im Leben mehr machen wollte. Also vom musikalischen und menschlichen Standpunkt aus gesehen. Ich genoss jeden Meter auf den langen, schlechten Straßen, die uns zu den Konzerten führten, und sog tief und glücklich die biergeschwängerte Luft des Dorfsaals ein, wenn wir am Nachmittag in einem verlassenen Ort im Niemandsland ankamen. Ich brauchte keine anderen Menschen mehr um mich. Nur die Band musste in der Nähe sein. Ich musste kein einziges Mal darüber nachdenken, ob ich das Richtige mache oder ob ich glücklich bin. Und dann, Jahre später, als ich gar nicht mehr damit rechnete, war es wieder so. Ich fand einfach alles gut, was mit mir geschah.

Das Verrückte war, dass dieses Gefühl jetzt noch viel stärker war, als in den anderen Bands. Die Musik gefiel mir so gut, dass ich sie immer wieder hören wollte. Bei einem Lied, wir nannten es den *Matrosen*, ganz so, als wäre es ein lebendiges Wesen, fiel mir nicht auf, dass ich da gar nicht mitspielte, denn ich hörte beim Proben jeden Ton so intensiv, als ob ich all die Töne selber spielen würde. Ich verstand nicht mal, warum die Gitarristen an den Liedern noch so herumfeilen und alles verbessern wollten, für mich gab es nichts zu verbessern, in den Liedern war alles drin, was sie brauchten. Ob ein Ton so oder so gespielt wurde oder ob das Lied schneller oder langsamer war, veränderte in meinen Augen, oder vielmehr Ohren, das Ergebnis kein bisschen. Die Lieder waren einfach gut, und sie spielten sich auch ganz anders als die, bei denen lange nachgedacht wurde. Sie waren wie junge Hunde, die einfach losrannten. Ich kam da kaum hinterher, da ich die Musik nicht durchschaute oder nicht richtig verstand, aber das war nicht unbedingt ein Nachteil. Ich war zwar von der

Musik überfordert, aber so war ich gezwungen, mir selbst etwas dazu auszudenken. Das war dann oft völlig artfremd, denn ich konnte nicht spielen, was andere an dieser Stelle getan hätten, weil ich es eben nicht kannte. Diese Art von Musik mit solchen Gitarren und einem Keyboard war ja zu dieser Zeit nicht so populär. Ich spielte einfach das, was mir als Erstes in den Sinn kam. Ich dachte nicht groß darüber nach, sondern versuchte so laut zu spielen, dass ich überhaupt zu hören war. Das war nicht so einfach, also wartete ich, bis in einem Lied mal eine kurze Pause entstand, und füllte sie schnell mit ein paar Tönen. Dann blickten mich alle strafend an. Da hatte ich wieder mal genau das Falsche gemacht.

Diese Band sollte sich von den anderen, bei denen ich davor mitgespielt hatte, zusätzlich durch ihre Disziplin unterscheiden. Ursprünglich auch dadurch, dass niemand versuchte, sich in den Vordergrund zu drängen. Eine Vorgabe, die man als Musiker eigentlich nicht erfüllen kann. Also spielte ich nicht mehr in den Pausen, aber an den Stellen, bei denen nicht alle mit ganzer Kraft loshämmerten. Den Gesang sollte man ja verstehen. Dann fand ich noch einen Sound, der sehr laut und verzerrt und gar nicht mehr als Keyboardklang erkennbar war. Es klang eher wie ein sterbender Saurier. Diesen Saurier spielte ich in jedem Lied, weil er noch im größten Krach zu hören war. Wenn es auch nicht ganz das war, was die Band von mir erwartete, war es doch besser als nichts, und zum Glück kannten sie in dieser Zeit keinen anderen Menschen, der Keyboard spielte und der sowohl Zeit als auch Lust hatte mitzuspielen.

Der Einstieg in eine Band war in unseren Kreisen an keinerlei Bedingungen geknüpft, und oft wurde nicht einmal ausgesprochen, ob jemand Mitglied ist oder nicht. Wer regelmäßig zur Probe kam, war einfach dabei, wenn er nicht explizit gebeten wurde, nicht mehr zu kommen. Das kam aber eigentlich nie vor, denn man merkt normalerweise selber, ob man willkommen ist oder nicht. So viel Gespür sollte man als Musiker schon mitbringen.

Ich jedenfalls kam nach der ersten Probe immer wieder in den Keller und musste so nicht darüber nachdenken, ob ich jetzt Bandmitglied war oder nicht. Außerdem war noch nicht klar, ob es diese Band wirklich geben würde und ob sie in dieser Besetzung überhaupt bestehen könnte, es hatte bis zu dem Zeitpunkt noch kein einziges Konzert mit uns stattgefunden. Ein Konzert vor fremden Menschen ist für mich so etwas wie der Startpunkt einer Band. So konnte ich vorher die mir noch etwas fremden Bandmitglieder kennenlernen.

Endlich gab es ein paar neue Menschen, mit denen ich Musik machen konnte, wenn ich auch etwas Angst vor ihnen hatte, denn das waren solche Leute, die echten Einsatz von mir erwarteten und für die es nicht reichte, dass ich der lustige, unbeholfene Flake war, dem man alles großmütig nachsieht. Schnell wurden mir meine musikalischen Grenzen aufgezeigt, und ich musste langsam aufwachen, wenn ich weiter mitspielen und nicht in meinen muffigen Osterinnerungen hängenbleiben wollte.

Es gab ja wirklich mal Zeiten, in denen es ausreichte, wenn ich mich mit meinem Casio bei einer anderen Band, wie zum Beispiel bei die anderen, die später Namensgeber für die sogenannten anderen Bands werden sollten, auf die Bühne stellte, um das Gefühl zu bekommen, etwas ganz Tolles zu machen und ein ganz toller Hirsch zu sein. In dieser Beziehung wurde jetzt nichts mehr verschenkt. Dafür durfte ich an diesen herrlich lauten und kraftvollen Proben teilnehmen und bekam schnell das Gefühl, ein Teil einer großen Sache zu werden, ohne im Geringsten zu ahnen, was jetzt alles auf uns zukommen würde. Es war wie bei einer Verschwörung, wer einmal dabei war, für den gab es kein Zurück mehr.

Ziemlich schnell mussten wir unseren ersten Proberaum verlassen und zogen in den Keller der Kulturbrauerei. Da hieß die aber noch nicht so, es war einfach eine alte leerstehende Brauerei in der Knaackstraße. Hier gewöhnten wir uns an, jeden Tag zu proben. Außer mir hatten sich gerade alle von ihren Freundinnen getrennt und demzufolge keine Lust, alleine zu Hause zu sitzen. Außerdem erkannten wir, welchen Spaß es bringt, intensiv Musik zusammen zu machen. Wir hatten wie gesagt noch kein einziges Konzert gegeben und waren uns noch nicht sicher, wohin die Reise gehen würde, aber wir spürten, dass wir eine Tür zu einer uns unbekannten Welt aufgestoßen hatten, die sehr verlockend aussah.

Ich war zu dieser Zeit schon stolz auf unsere Band. Wir wirkten wirklich böse, da niemand von uns ein Interesse daran hatte, irgendjemandem zu gefallen. Wir wollten nicht so sein wie die anderen Bands. Nicht so aussehen und vor allem nicht nach den üblichen Regeln spielen. Die dachten alle so kleinkariert. Waren wir jetzt nicht im Westen angekommen, wo angeblich alles möglich war, ohne dass man sich verbiegen oder lügen musste? Wir wollten es alleine schaffen, wir brauchten keine Hilfe, nicht mal einen Gefallen. Mit sechs Mitgliedern waren wir uns selbst genug.

Ich erzählte meiner Familie stolz von meiner neuen Band, und mein Bruder wurde ganz neugierig auf uns. Er sang zu dieser Zeit in einer Band, die internationale Hits mit phonetisch verwandten Texten nachspielte. *Like a Virgin* von Madonna hieß dann *Wie ein Würstchen*. Bei *Heroes* von David Bowie sang er: Hallo, ist hier ein Stuhl frei? Nein, da sitzt Bärbel Bohley, na, dann nehm ich ein Rührei usw. Also eher komödiantisch, aber sehr unterhaltsam. Er hatte mit seiner Band jedenfalls einen Auftritt in Leipzig und lud uns ein, bei ihm als Vorband zu spielen. Da niemand wusste, dass wir mitkommen würden, mein Bruder dort aber schon mal gespielt hatte, waren dann im Club Nato in Leipzig auch hauptsächslich, ich meine natürlich hauptsächlich, gut aufgelegte Studenten und Intellektuelle, die sich einfach vergnügen wollten. Und plötzlich standen wir da auf der Bühne.

Dieses Konzert hätte ich gerne als Zuschauer gesehen. Wir wirkten ganz ernst und fingen an zu spielen, ohne vorher ein Wort zu sagen. Immer dasselbe langsame Riff. Es muss richtig bedrohlich gewesen sein, da wir keinerlei Show machten, sondern einfach ganz ruhig unsere Titel spielten, ohne die geringste Notiz vom Publikum zu nehmen. Nach den einzelnen Liedern klatschte niemand, denn das wäre irgendwie unpassend gewesen. Die Leute standen einfach da und starrten uns an. Wahrscheinlich fragten sie sich, was unser Problem war. Till machte nicht die geringsten Anstalten, zwischen den Liedern etwas zu sagen oder sonst wie die Stimmung aufzulockern. Natürlich waren wir auch aufgeregt und hätten gar nicht gewusst, wie wir diese Spannung lösen könnten. Richard vergaß sogar manchmal beim Spielen zu atmen.

Nach dem Konzert klatschten dann zögerlich doch ein paar Leute, besonders als sie feststellten, dass die Band, wegen der sie ja eigentlich gekommen waren, jetzt noch spielen würde. Der Abend wurde dann auch noch ganz lustig. Ein Gast kam auf mich zu und erklärte mir, dass er unsere Band ganz toll finde, und am allerbesten gefalle ihm, dass einer unserer

Gitarristen wie Karl-Heinz Rummenigge aussehe. Ein anderer meinte, wir sollten uns AIDS nennen, das würde besser zu uns passen.

Da wir in meinem schönen Kombi nach Leipzig gefahren waren, durfte ich nach dem Konzert die Band auch wieder nach Berlin fahren. Alle stiegen euphorisiert und mit gewaltigen Alkoholvorräten ins Auto, aber eine Viertelstunde später war ich als Einziger noch wach. Ich hatte große Schwierigkeiten, das Auto auf der Straße zu halten, da das Lenkgetriebe kaputt und die Spur falsch eingestellt war. Für solche Reparaturen hatte ich kein Geld übrig. Trotzdem verspürte ich dieses große Glücksgefühl. Es hatte Spaß gemacht, die Leute zu überraschen.

Mit Feeling B hatten wir in der letzten Phase überwiegend vor Leuten gespielt, die uns kannten. Die waren dann zwar unsere Fans, die sich gefreut haben und richtig gute Stimmung verbreiteten, aber es war ein ganz besonderes Gefühl, vor Leuten zu spielen, die uns noch nie gesehen hatten. Das ist durch nichts zu ersetzen.

*

Ich könnte jetzt eine Zigarette rauchen. Eigentlich will ich ja aufhören. Oder nur noch ganz gemütlich zum Sonnenuntergang mit meinen Freunden eine einzelne Zigarette so richtig genießen. Das ist für mich natürlich völlig illusorisch. Entweder ich bin Raucher oder nicht. Hier drin ist das Rauchen sowieso verboten. Die Rauchverbotsschilder sind überall zu sehen, da ist es sogar egal, in welchem Land ich gerade bin, denn das Piktogramm mit der durchgestrichenen Zigarette versteht man auf der ganzen Welt.

In Amerika war ich sogar einmal in einem Café, wo mit Blindenschrift an der Wand Rauchen verboten stand. Also ich denke mal, dass es Rauchen verboten hieß, weil oben drüber das dazugehörige Zeichen war, aber das muss ja nichts bedeuten. Bloß wie sollen die Blinden die Stelle finden, wo das steht? Dazu müssten sie die ganzen Wände abtasten. Das ist doch unhygienisch. Zumindest wurden sie da nicht diskriminiert. Wenn man von einem Verbot ausgenommen wird, ist das ja ebenfalls Diskriminierung.

Wir waren auch mal in Austin, Texas, in einer Westernkneipe. Es sah alles fast genauso aus wie im Film, mit den alten Holzmöbeln und richtigem Pferdezubehör vor der Tür, und alles war schön abgewetzt. Die Gäste tranken das Bier direkt aus der Flasche, und es liefen die Lieder von Johnny Cash. Aber etwas fehlte. Man musste zum Rauchen nach draußen gehen. Das störte selbst mich, obwohl ich in dieser Zeit nicht rauchte. Ein Cowboy, der zum Rauchen nach draußen geht, hat auch Angst vor Indianern. Und hier im Backstage-Bereich patrouillieren ständig Sicherheitsbeamte durch die Gänge. Man sagt, die schmeißen uns sofort raus, wenn sie uns beim Rauchen erwischen, selbst wenn das Konzert dann ausfällt. Wir glauben das zwar eigentlich nicht, aber so richtig darauf ankommen lassen will es auch keiner.

Mein Blick wandert ganz langsam wieder zur Uhr. Sie geht wieder. Oder immer noch. Es bleiben noch mehr als drei Stunden bis zum Konzert. So viel Zeit! Eigentlich ist die Zeit ja das Wertvollste, was ein Mensch hat. Das ganze Leben besteht nur aus Zeit. Davon bekommen auch alle gleich viel, denn solange man lebt, ist der Tag für jeden gleich lang. Und wenn man tot ist, ist man ja nicht mehr da, um die Zeit zu nutzen, also braucht man die Zeit nicht mehr. Bei manchen

Menschen wird es natürlich abends früher dunkel, aber die Zeit an sich ist dieselbe, man kann ja das Licht anschalten. Zeit kann man sich auch nicht kaufen. Höchstens, dass man in einer bestimmten Zeit nicht arbeiten muss, sondern etwas anderes machen kann. Mir hat mal eine Frau erzählt, dass sie arbeiten gegangen ist, um Geld für den Babysitter zu verdienen, der dann auf ihr Kind aufgepasst hat, damit sie arbeiten konnte. Genial. Die Zeit ist dieselbe, aber die Frau war wieder sozial eingebunden, und das ist für ein menschliches Leben auch ganz wichtig.

Ich sollte mich mit meiner vielen freien Zeit sehr reich fühlen, aber so richtig frei ist die Zeit nicht, wenn ich weiß, dass ich nachher noch spielen muss. Als ich noch arbeiten war, kam mir die Freizeit viel freier vor. Da habe ich mich über jede halbe Stunde gefreut, die ich nichts machen musste. Das ist aber schon lange her, und es waren auch nur insgesamt drei Jahre in meinem Leben. Und richtige Arbeit war es natürlich auch nicht, sondern nur meine Lehrlingszeit.

Ich kann ja mal kucken, ob mit meinem Reißverschluss etwas passiert ist. Er geht immer noch nicht auf. Komisch, früher hat das geklappt. Ob es an der Cola liegt?

Im Osten hatten wir ja die Club Cola, die war wahrscheinlich etwas härter. Ein Mitlehrling hat mal eine Bockwurst aus der Kantine in ein Glas gelegt und Club Cola draufgekippt. Am nächsten Tag war die Wurst so gut wie aufgelöst. »So sieht dann auch die Magenwand aus«, sagte der Lehrmeister. Also sollte die Cola spielend mit meinem Reißverschluss fertig werden.

Ich schaue auf die Uhr. Immerhin schon wieder vier Minuten geschafft. Mann, ist das kalt hier! Jetzt gehe ich wirklich raus und rauche eine Zigarette. Ich brauche nur noch meinen

Tourpass, damit ich später wieder hierher zurückkomme. Die Crew hängt sich ihre Pässe um den Hals oder mit dem Bändchen an die Hose, aber ich will meinen Pass nicht so sichtbar tragen, denn ich befürchte, sonst in der Stadt oder so mit der Band in Verbindung gebracht zu werden. Die Leute könnten denken, ich will angeben und mich wichtigmachen, indem ich allen zeige, dass ich zur Rammstein-Crew gehöre, damit ich bessere Chancen bei den Frauen habe. Man glaubt gar nicht, auf welche Ideen manche Leute kommen.

Ich durchwühle meinen Beutel. Ich habe immer so einen praktischen Stoffbeutel mit meinen persönlichen Sachen bei mir. Im Osten gab es diese geilen Einkaufsnetze. Da konnte man auf einen Blick sehen, was man alles eingekauft hatte. Die kleinen Dinge fielen durch die Maschen, die musste man sich dann in die Hosentaschen stecken. Aber diese Netze haben nur noch sehr alte Männer. Und ich habe eben einen grauen Beutel von der Thalia-Buchhandlung. Da scheint sich jemand ein Buch gekauft zu haben. Ach, da ist auch noch ein belegtes Brötchen von gestern. Das habe ich mir nach dem Konzert mitgenommen, um es abends im Hotelzimmer in Ruhe zu essen, und dann vergessen. Also das Vergessen war nicht meine Absicht. Dieses Brötchen ist jetzt über tausend Kilometer mit mir gereist und sieht dementsprechend aus. Es wegzuwerfen tut mir aber auch leid, und ich lege es zurück in den Beutel. Und hier ist mein Tourbuch. Es heißt Itinerary, ich kann das aber nicht aussprechen und sage immer Eternity dazu. Das heißt wohl Ewigkeit, und so kommt mir die Tour auch manchmal vor.

Auf den ersten Seiten stehen alle Firmen, die mit uns auf der Tour zusammenarbeiten, richtig mit Adresse und Telefonnummer. Also auch das Reisebüro, das Management, die

Sicherheitsfirma, die Versicherungsgesellschaft und natürlich die Firmen für das Licht und den Ton. Da kann ich ja mal anrufen und fragen, wie viele Boxen wir mithaben. Dazu hätte ich jetzt wirklich Lust, denn ich habe als Kind nie Telefonstreiche gemacht, ganz einfach, weil wir kein Telefon hatten, und an den Telefonzellen war mir mein Geld dafür zu schade. Da war ich schon froh, wenn ich die Leute erreichte, die ich sprechen wollte. Meistens ging es darum, wann die nächste Probe oder wo die nächste Party war.

Auf der nächsten Seite kommen die Bandmitglieder. Ich suche meinen Namen. Aha, dahinter steht Keyboard bei mir, das ist alles soweit richtig. Und ich stehe an zweiter Stelle. Das ist richtig gut. Bei einem Voting im Internet, bei dem nach dem beliebtesten Rammstein-Mitglied gesucht wurde, kam ich erst an sechster Stelle. Das ist bei sechs Leuten nicht so gut, aber einer muss ja der Letzte sein. Und da ist es schon besser, wenn ich das bin, denn ich tue so, als wäre es mir egal.

Ich blättere noch eine Seite weiter. Da sind alle Crewmitglieder aufgeführt, sortiert nach ihren Aufgaben. Wahnsinn, was es alles gibt. Ich lese mir ihre Namen durch und versuche, mir die Gesichter dazu vorzustellen. Einige von ihnen kenne ich schon seit vielen Jahren, aber andere sind ganz neu dabei. Die Rigger kenne ich wohl noch nicht so gut, das sind die Leute, die als Erstes in die Hallen gehen und an der Decke die ganzen Haken für unsere Traversen und Motoren befestigen. Für mich wäre das nichts, weil ich unter Höhenangst leide.

Wenn ich als Kind meine Tante im Hochhaus auf der Fischerinsel besuchte, konnte ich, wenn ich aus dem Treppenhaus kam, auf einen kleinen Balkon heraustreten und dann an der Hauswand einmal hoch und runter kucken. Dabei wurde mir so schwindelig, dass ich mein Leben lang nicht mehr mit dem Karussell oder der Achterbahn fahren brauche. Als meine Eltern dann mit mir in der Sächsischen Schweiz klettern waren, band mich mein Vater mit einem Riemen an einer Kiefer fest, damit ich nicht herunterfiel. Davor habe ich aber auch in meiner Begeisterung eine Felsspalte übersehen und bin nur nicht abgestürzt, weil ich mich wie ein Äffchen mit einer Hand an einer Stange festgehalten habe. Also Rigger kann ich schon mal nicht werden. Vielleicht ein Lichttechniker. Von denen sind wohl auch einige zum ersten Mal dabei. Die kommen aus den Niederlanden, das sehe ich an den E-Mail-Adressen. Da steht nl hinten.

Ich blättere weiter in meinem Tourbuch. Jetzt kommen die Tontechniker, Systemassistenten, der Vorhangverantwortliche, die Setleute, der Accountmann, die Busfahrer, die Trucker und natürlich die Backliner. Mit denen haben wir jeden Tag direkt zu tun, weil sie unter anderem unsere Instrumente einstellen und uns während des Konzertes betreuen. Wir kennen sie dementsprechend gut. Wir haben mit ihnen zusammen schon vor der Tour alles vorbereitet. Man könnte sagen, wir sind mit ihnen richtig befreundet, aber das betrifft noch viel mehr Leute aus der Crew. Manche kenne ich schon seit ganz langer Zeit. Mit denen war ich schon vor der Gründung von Rammstein befreundet. Einige von ihnen haben früher selbst Musik gemacht. Mit manchen habe ich sogar zusammengespielt. Aber jetzt wirken sie irgendwie zufriedener. Es ist ja auch schwierig, sein ganzes Leben lang Punk zu spielen. Also ich meine die Musik und nicht zu spielen, Punk zu sein, obwohl das bestimmt auch schwierig ist. Für manche Musiker scheint es auch schwierig zu sein, ein Leben lang so viele Stunden keine Musik zu machen und in dieser Zeit kein Rockstar zu sein. Denn selbst, wenn man ein Konzert spielt, sind das nur zwei Stunden am Tag. Den Rest der Zeit verbringt man in Bedeutungslosigkeit. Damit kommen manche Musiker einfach nicht klar, sie betrinken sich dann oder begehen Selbstmord. Dabei bleibt am Tag gar nicht so viel Zeit zum Musikmachen.

Ich habe mal gelesen, dass man zwei Jahre seines Lebens auf dem Klo sitzt. Ein ganzes Drittel des Lebens verschläft man sogar. Da kann man höchstens noch von Musik träumen. In einigen meiner Träume nehme ich Musik auf einen Kassettenrecorder auf, weil ich so etwas früher in jeder freien Minute gemacht habe. Wenn ich es irgendwie geschafft hatte, mir ein neues Instrument oder noch besser ein Effektgerät zu borgen, nahm ich mir als Ziel, mindestens drei Lieder damit aufzunehmen. Da ich mir selber so einen Druck damit machte und ganz viele Lieder aufnehmen wollte, nahm ich mir nie die Zeit, die Lieder so ordentlich einzuspielen, dass sie gut klangen. Diese Aufnahmen habe ich aber trotzdem geliebt. Nach und nach habe ich diese Kassetten alle verloren. Ich habe sie in Autoradios vergessen oder Bekannten geborgt und nicht wiederbekommen. Und jetzt finde ich im Traum einige dieser Kassetten wieder. Ich höre sie mir an und bin ganz begeistert. Natürlich weiß ich sogar im Traum, dass alles nur ein Traum ist. Also versuche ich mir irgendeinen Trick einfallen zu lassen, um diese Aufnahmen in die echte Welt mitnehmen zu können. Ich selbst schaffe schließlich auch diesen Wechsel in die Realität. Was soll ich sagen, es hat noch nicht geklappt, und die alten Aufnahmen geraten immer mehr in Vergessenheit. Das Geld, das ich im Traum gefunden habe, liegt übrigens auch noch dort herum. Aber was soll ich auch mit dem Geld?

Ich sitze hier und kucke mir gemütlich mein Tourbuch

an. Auf den nächsten Seiten in meinem Heft kommen alle Konzerte, also zuerst die, die wir schon hinter uns haben. Bologna, London, Paris, Rom und Erkner. Erkner nicht, das ist so ein uralter Witz über einen Berliner, der Weltläufigkeit vortäuschen will und Paris, Rom und Erkner in einem Zuge erwähnt. Zwischen den Konzerten ist immer mal auch ein Tag frei. Das heißt dann Travel Day, dann reisen wir entspannt in die nächste Stadt. Wir haben einmal eine ganze Tour ohne einen einzigen freien Tag gemacht. Die haben wir die Ochsenknecht-Tour genannt, aber das lag daran, dass unser Busfahrer wie Ochsenknecht ausgesehen hat, womit wir den Vater meinten, denn die Söhne kannte da noch niemand. Ich weiß nicht, wann und warum die Konzertreisen einen Namen bekamen. Ich denke mal, sie hießen so wie die Platten, die die Bands gerade veröffentlicht hatten, damit die Fans wissen, welche Lieder hauptsächlich gespielt werden.

Ich sehe gerade, dass es bei uns genauso ist. Auf unserem Tourheft steht MIG 2013. Die MIG ist ein berühmtes sowjetisches Kampfflugzeug. Das heißt so, weil der Name seines Erfinders Michail Iossifowitsch Gurewitsch ist. Viele Erfindungen werden nach ihrem Schöpfer benannt, wie auch der Geigerzähler. Der zählt keine Geigen, sondern den hat ein Herr Geiger erfunden. Die MIG 21 hat mich als Kind sehr fasziniert. Im Urlaub habe ich mal in so eine Maschine reinklettern dürfen. Da saß ich direkt auf der Turbine. Das ganze Flugzeug war eine einzige Turbine. Mensch, so könnte man die Tour nennen, Tourbine. Die Bands kennen keinerlei Grenzen in der Namensfindung. Ich denke da an die Schädelfraktour oder einfach Tortour.

Es ist nur ein Zufall, dass die Tour so wie das Flugzeug heißt, denn bei uns ist das die Abkürzung für Made in Germany.

Das stand früher auf den Sachen, die in Deutschland gebaut wurden, denn das versprach eine gewisse Qualität. Und so hieß auch unsere letzte Platte, die genau genommen nur eine Zusammenstellung einiger alter Lieder ist. Die Plattenfirma hat sich in irgendeinem Vertrag zusichern lassen, dass sie eine so genannte Best-of-Platte veröffentlichen darf. Wir konnten wenigstens noch verhindern, dass die Platte *Best Of* genannt wurde, denn wer will sich schon anmaßen zu wissen, was das Beste ist. Außerdem sieht eine Veröffentlichung einer Best Of immer nach dem Ende der Band aus. Ein bisschen so wie eine Auszeichnung für das Lebenswerk. Meistens sterben die Geehrten dann bald danach. Wenn wir das *Made in Germany* nennen, erweckt das hoffentlich nicht den Eindruck, als wollten wir aufhören. Wollen wir ja auch nicht. Wir sind ja gerade unterwegs, um zu spielen.

Ah, hier ist das Konzert von heute. Budapest. Der Veranstalter mit Telefonnummer. Vielleicht rufe ich den mal an. Ich kann ihn ja fragen, was wirklich passiert, wenn ich hier beim Rauchen erwischt werde. Das traue ich mich jetzt doch nicht. Ich kucke mal auf die nächste Seite. Da steht, wo wir morgen spielen. In Zagreb. Till hat gesagt, da singt er einen Sack Rap. Da freue ich mich schon darauf. Und unser Hotel dort ist ganz alt und schön. Da waren wir letztes Jahr schon mal. Oder kommt es mir nur so vor und es ist noch länger her?

Wenn ich wieder in eine Stadt komme, fühle ich mich oft so, als wäre ich erst gestern da gewesen. Ich erkenne dann alles wieder, und oft sind die Hotelangestellten und die Verkäufer noch dieselben. Das Hotel in Zagreb könnte ich aus dem Kopf genau beschreiben. Man findet auch immer gut hin, weil es mit zum Bahnhof gehört. Und um zum Bahnhof zu kommen, muss man nur die Schienen suchen und an ihnen entlanggehen. Schlimmstenfalls kommt man zum nächsten Bahnhof. Dann kann man mit dem Zug wieder zurückfahren. Aber richtig verlaufen kann man sich nicht.

Da kann ich echt froh sein, dass wir jetzt nicht in Amerika sind. Da kamen wir manchmal schon morgens in den Arenen an. Um diese Zeit war noch nichts aufgebaut oder vorbereitet. Wenn ich dann versuchte, spazieren zu gehen, gelang es mir nicht einmal, das Grundstück zu verlassen, weil das ganze Gebiet umzäunt war. An den Toren standen grimmige Wärter, die mich nicht durchlassen wollten. Wenn ich doch rausdurfte, verstand ich, warum sie so ablehnend reagiert hatten. Es gab nur die eine Straße, die in eine Autobahn mündete. Einen Fußweg brauchte dort kein Mensch. Mir blieb nur die Möglichkeit, so lange zwischen einem Zaun und der Autobahn zu laufen, bis ich verhaftet wurde.

Einige seltene Male konnte ich in der Ferne die Hochhäuser der Städte sehen, in denen wir meiner Meinung nach spielen sollten. Wenn ich versuchte, in diese Richtung zu laufen, rückten die Häuser immer weiter weg. Das ist so ein optischer Effekt, ähnlich der Fata Morgana. Einmal gelang es mir aber doch, ins Stadtzentrum zu kommen. Obwohl ich mir da nicht so sicher bin. Das, was als Downtown bezeichnet wird, sind manchmal nur vier Hochhäuser ohne erkennbare Fenster, Geschäfte oder andere Zeichen menschlichen Lebens. Ich dachte wohl nur, ich bin in der Stadt. Das war so, als wäre ich durch Erkner spaziert und hätte herumerzählt, ich wäre in Berlin gewesen. Das Schwierigste aber war, wieder zurück zur Halle zu finden. Die war ganz flach und von der Stadt aus nicht zu erkennen.

Ich hängte mich an Leute, die wie Fans aussahen, und die führten mich dann durch hässliche Siedlungen mit Einfamilienhäusern. Irgendwann bogen die vermeintlichen Fans in eine Toreinfahrt ab, weil sie dort wohnten, und ich stellte fest, dass ich weit und breit der einzige Weiße war. Die Einwohner, die mich sahen, fingen laut zu lachen an, wenn ich an ihnen vorbeihastete. Ich hatte frisch rotgefärbte Haare und wusste nicht, dass dies wohl ein Zeichen dafür war, dass ich auf Jungs stehe. Vier Typen fuhren im Cabrio und mit lauter Musik neben mir her, bis es ihnen zu langweilig wurde. Ich habe nicht verstanden, was sie mir zuriefen. Aber schließlich saß ich doch wieder glücklich in der Garderobe und erzählte aufgeregt von meinem Abenteuer, obwohl sich niemand im Geringsten dafür interessierte.

Wieso bin ich Trottel heute eigentlich schon so früh in die Halle gefahren? Wir sind erst spät gelandet, und ich habe auf den Mittagsschlaf verzichtet, weil ich danach manchmal nicht richtig aufwache und dann noch müder bin als vorher und wie ein Zombie herumschleiche. Ich habe zwar den Trick, dass ich so tue, als wäre es früh am Morgen und ein neuer Tag würde beginnen, also ich dusche dann, putze mir die Zähne und ziehe mir etwas Frisches an, aber selbst das hilft nicht jedes Mal, denn ich bin immer noch müde. Ich will dann eigentlich nur weiterschlafen. Deshalb bin ich gleich hierhergefahren. Außerdem wollte ich ja heute meine Sachen mal wieder ein bisschen in Ordnung bringen, wie mir jetzt glücklicherweise einfällt. Vor allem meine Glitzerjacke.

Ich probiere noch einmal den Reißverschluss. Immer noch nichts. Ich könnte den Verschluss ganz herausschneiden und versuchen, die Jacke mit Druckknöpfen zuzumachen. Reißverschlüsse sind ziemlich gefährlich, wenn es schnell gehen muss. Mit meiner Bühnenhose sind mir da schon schlimme Sachen passiert, denn da habe ich keinen Schlüpfer drunter.

Wenn Till mich auf der Bühne poppen will, um es mal salopp auszudrücken, habe ich ja keine Zeit, noch meinen Schlüpfer auszuziehen. Am besten ist, ich frage mal Tom, ob der eine Idee hat. Also suche ich das Büro von Tom.

An seiner Tür steht Sackhäusler. Es gibt sonst keine richtige Bezeichnung für seinen Raum, und während des Konzertes steht Tom unter dem Schlagzeug im sogenannten Sackhaus. Paulo, der Assistent von Tom, ist auch ein Sackhäusler, obwohl er nicht im Sackhaus steht, er teilt sich nur den Raum mit Tom. Kompliziert das Ganze. Tom ist allerdings nicht da. Ich sehe mich etwas um, am frühen Nachmittag ist Tom oft als Einziger schon vor Ort und nimmt die Geschenke von den Veranstaltern, Fans oder Leuten, die uns sponsern wollen, entgegen und überlegt vielleicht erst mal, ob er sie uns gibt oder ob das Verschwendung wäre. Wir brauchen ja eigentlich nichts. Und wenn wir nicht nach den Sachen fragen, heißt das für ihn, dass wir sie auch nicht haben wollen. Ich sehe aber nichts Interessantes und gehe wieder.

Es kleben viele Schilder an den Wänden, aber kein einziges, auf dem steht, wie ich aus der Halle komme oder wo ich sonst eine Zigarette rauchen kann. Auf gut Glück gehe ich ein paar Gänge entlang. Da höre ich Geschrei. Ich folge den Geräuschen und lande in einer Halle, in der Frauen Eishockey spielen. Ich erkenne nicht, dass es Frauen sind, aber ich sehe es an den Blicken eines Bühnenarbeiters von uns, der an der Tür lehnt und seine Augen nicht abwenden kann. Ich frage ihn, was hier los ist, und erfahre, dass gerade die Europameisterschaft im Dameneishockey ausgetragen wird. Es spielen die Slowakinnen gegen die Schwedinnen. Oder Tschechinnen gegen Kroatinnen, ich verstehe ihn nicht ganz. Es ist richtig voll auf den Rängen. Von den Frauen sieht man nicht viel, weil sie dick eingepackt sind. Ich wundere mich nicht so sehr darüber, dass hier eine Sportveranstaltung stattfindet, wie man jetzt denken könnte, denn wir spielen oft in Hallen, in denen zeitgleich noch andere Veranstaltungen stattfinden.

Besonders abwechslungsreich ist es, wenn wir auf einem Messegelände spielen. So konnte ich mir in Erfurt vor unserem Konzert Hunderte von Zuchtkaninchen ansehen. Fast hätte ich mir eines gekauft, denn ich hatte Langeweile und genug Geld bei mir. Die Kaninchen oder Hasen, die es da gab, keine Ahnung, was da der Unterschied ist, waren so groß wie Schäferhunde. Das passiert ja öfter, dass man aus Langweile etwas kauft. Da war es im Osten einfacher, da gab es einfach nichts, und wenn man doch mal zufällig die Gelegenheit hatte, dann kaufte man sich irgendwelche Sachen, weil sich irgendjemand mit Sicherheit darüber freute. Zum Glück habe ich mich bei den Hasen bremsen können.

Nicht so beim nächsten Mal in Dortmund. In der Nachbarhalle war eine Jagdmesse, da bin ich mit Till natürlich hingegangen. Wir standen völlig fasziniert vor sonderbaren Gerätschaften, deren Sinn ich nicht entschlüsseln konnte. Ich war irritiert von der gewaltigen Menge der Jäger oder Jagdbegeisterten. Aber das kam mir bei den Kaninchenzüchtern auch schon komisch vor, dass das so viele waren. Es gibt viele Parallelwelten, von denen wir nicht die geringste Ahnung haben. Wir kauften uns zwei frisch ausgestopfte Goldfasane, die angeblich sensationell preiswert waren. Die lagen ab da die ganze Tour über in unseren Betten im Bus, damit sie nicht kaputtgingen. Ich schlief dann mit angezogenen Beinen oder im Hotel.

Ein anderes Mal haben wir in einer Halle gespielt, in der in einem Seitenschiff eine Waffenmesse abgehalten wurde. Nach dem Konzert liefen wir zwischen Tausenden Maschinengewehren herum und kuckten uns die utopischsten Raketenwerfer an. Mit den Waffen, die dort herumlagen, konnte man locker einen Krieg führen. Und so viel, besser gesagt, viel, viel mehr an Waffen gibt es in Amerikas Haushalten. An der Tür stand ein gelangweilter Sicherheitsmann herum, ansonsten kümmerte sich niemand um uns und die Waffen.

Und in Oklahoma City haben wir auf einer Pferderennbahn gespielt. Die Garderobe war in einer Pferdebox aufgebaut. Auf dem Boden lag frisches Stroh für uns. Oder für die Pferde, die da am nächsten Tag wieder gelaufen sind. Einige Musiker denken ja manchmal, dass sich die ganze Welt nur um sie dreht, aber in den Hallen ist oft jeden Tag eine andere Veranstaltung, und die sind manchmal sogar besser besucht als das Konzert. Ich fand es jedenfalls im Pferdestall sehr gemütlich, auch wenn wir da nicht rauchen durften.

Wir haben auch schon ab und an in Stadien gespielt, in denen mal ein olympischer Wettkampf stattgefunden hat. In Moskau hängen immer noch die riesigen olympischen Ringe an der Decke. Damit sie die Sicht nicht beeinträchtigen, wurden sie waagerecht an die Decke gezogen. Wenn ich zu ihnen hochsah, hatte ich etwas Angst, dass sie herunterfallen würden. Es sah nicht so aus, als ob nach den Olympischen Spielen auch nur ein Handschlag in der Halle gemacht worden war. Aber wir haben auch schon in nagelneuen Sporthallen gespielt. Und so können wir uns ab und an noch einen Wettkampf ansehen.

Ich habe aber jetzt nicht die Ruhe, das Spiel zu verfolgen. Außerdem ist mir egal, wer gewinnt. Meistens bin ich für den Verlierer, weil die Mannschaft, die am Gewinnen ist, meine Unterstützung nicht mehr braucht und manchmal gleich so ein arrogantes Verhalten zeigt. Eine schwächere Mannschaft, die sich so durchkämpft, ist mir da viel lieber. Und wenn die dann führen, freue ich mich für sie und finde sie nicht arrogant. Aber hier kann ich nicht im mindesten erkennen, welche Mannschaft führt und die bessere ist. Ich kriege nicht mal mit, ob ein Tor fällt.

Ich taste mich weiter durch die Halle. In einem Seitengang fragt mich ein Sicherheitsmann nach meinem Pass. Ich habe ihn nicht mit, wahrscheinlich liegt er im Hotel. Ich habe doch extra in meiner Tüte danach gesucht, muss es dann aber vergessen haben. Ich weiß auch nicht, ob er den Pass für das Konzert oder für das Eishockeyspiel sehen will, das ist aber egal, denn für das Spiel habe ich auch keinen. Der Mann hat auch keinen Grund mir zu glauben, dass ich von der Band bin, und weiß nicht so richtig, was er mit mir machen soll. Ich frage ihn, wie ich hier herauskomme, und da gibt er mir bereitwillig Auskunft. Normalerweise wollen die Leute, mit denen er zu tun bekommt, rein und nicht raus.

*

Anscheinend waren wir jetzt eine richtige Band. Wir konnten in etwa sieben fertige Lieder spielen und arbeiteten fröhlich an einigen weiteren Fragmenten. Langsam fingen wir an, uns endlich wieder nur noch um Musik zu kümmern, anstatt um irgendwelche Spielmobile einer ABM-Maßnahme. Irgendwie mussten wir ja schließlich unser Geld verdienen, und das ging nun mal am besten mit selbst ausgedachten ABM-Stellen.

In der DDR haben die meisten Musiker auch in irgendwelchen Schummeljobs gearbeitet. Weniger weil sie das Geld brauchten, sondern weil man als Amateurmusiker einen Beruf nachweisen musste, sonst bekam man Ärger, der mit dem Gefängnis enden konnte. Oder mit dem Entzug der Spielerlaubnis, und dann machten sich auch die Veranstalter strafbar, wenn sie einen spielen ließen.

Ein Freund von mir arbeitete deshalb in der Garderobe der Staatsbibliothek, und da ging ich gerne mit ihm hin, denn zu zweit macht so etwas einfach mehr Spaß. Wir nahmen uns einen Kassettenrecorder mit. Damit hörten wir unsere selbstgemachten Aufnahmen. Immer wieder sprachen uns die Leute wegen der Musik an, und es machte mich sehr stolz, dass so gebildete Leute davon beeindruckt zu sein schienen. Dazu rauchten wir ununterbrochen. Die ganzen Jacken, die die Leute abgegeben hatten, müssen schrecklich nach Rauch gerochen haben, aber niemand hat sich deswegen beschwert. Doch dort war ich nur zum Spaß, Geld verdiente ich genug mit Feeling B, und meinen Beruf als Sekretär gab es nur auf dem Papier.

Aber zur Anfangszeit von Rammstein lief es nicht mehr gut mit Feeling B, und ich hatte eine ABM-Stelle, aus der ich früher oder später sowieso rausfliegen würde, weil ich mich nicht mal bemühte, so zu tun, als ob mich die Sache interessierte. Umso mehr freute ich mich über die neue Band, und obwohl wir erst ein paar kleine Konzerte im Osten gespielt hatten, auf die die Leute mit den Namen unserer ehemaligen Bands gelockt worden waren, kamen wir uns auf einmal wieder ganz wichtig vor.

Schon bevor ich in die Band kam, hatten die anderen eine Kassette mit vier Liedern irgendwo eingeschickt, um an einem Senatsrockwettbewerb teilzunehmen. Da die Band zu den Siegern erklärt wurde, warum, weiß kein Mensch, vielleicht war es die einzige eingeschickte Kassette, durfte sie einen Tag lang in ein richtiges Studio, um diese Lieder noch einmal professionell aufzunehmen. Der Toningenieur war derselbe, der auch die erste Platte von Ideal aufgenommen hatte. Wir waren alle voller Hochachtung und kamen nicht auf die Idee, ihm zu widersprechen. Das wurden die ersten Aufnahmen mit dieser Band, auf denen ich mitspielte. Es kann aber auch sein, dass wir davor bei Till waren und in der Garage geprobt und da die Lieder schon aufgenommen haben.

Jetzt erzählten wir unseren alten Freunden und Kneipenbekanntschaften von unseren neuen Ideen und unserer neuen Band, um zu sehen, wie diese darauf reagieren würden. Innerhalb der Band gab es ja keine objektive Meinung mehr, weil wir alles gnadenlos gut fanden, was wir selber machten. Natürlich versuchten wir auch, in den Kneipen und Bars, die wir besuchten, unsere Musik vorzuspielen. Deshalb hat sich jeder von uns immer eine Kassette eingesteckt, wenn er das Haus verließ. Wichtig war, dass wir uns mit den Kellnern und den Barleuten gut verstanden, denn wir waren nicht die Einzigen, die ihre Musik vorspielen wollten. Es gab zu der Zeit eine Menge Leute in unserem Umfeld, die Musik machten. Eigentlich fast alle. Die trafen wir dann im Proberaum wieder, denn kaum eine Band konnte sich einen eigenen leisten. Also probten alle zeitlich versetzt in den Kellern vom Prenzlauer Berg.

Wir sind dann auch in ein altes Getränkelager in der Greifswalder Straße gezogen, weil wir da richtig Krach machen konnten. In diesem Haus wohnte niemand mehr, und die Firmen, die sich dort eingenistet hatten, störte unser Krach nicht. Unter den Stahlplatten im Fußboden floss die Kanalisation, und besonders wenn es geregnet hatte, stank es fürchterlich nach Kacke. Es dürfte eigentlich keine Kacke gewesen sein, weil die ihre Extraleitungen hat, das habe ich gelernt, als ich versucht habe, meiner Tochter bei den Hausaufgaben zu helfen, aber das Regenwasser vom Hof oder das Wasser aus den Dachrinnen roch genauso verfault. Oder es war eben doch Kacke, die sich da mit eingemischt hatte. Wir bauten dann einen Ventilator ein, der summte nervtötend, zeigte aber ansonsten keine Wirkung.

Doch der Raum hatte auch einen Vorteil. Es standen nämlich noch ganz viele volle Bierkästen darin, die der Besitzer nicht mehr abgeholt hatte. Das Haltbarkeitsdatum war zwar überschritten, aber ich habe kürzlich erfahren, dass dieses Datum nur die beste Qualität garantiert und dass nicht damit gemeint ist, dass man die Sachen dann nicht mehr verzehren kann. Also das ist mehr so ein Richtwert.

Jedenfalls konnten wir das Bier noch trinken, und es schmeckte gar nicht so schlecht. Ich hatte die ganze Zeit ziemlich starken Durchfall, aber das hätte an allem Möglichen liegen können. Durch dieses kostenlose Bier bin ich auch auf die gute Idee gekommen, schon früh am Tag Alkohol zu trinken. Es ist ja eine geradezu sträfliche Verschwendung, wenn man erst abends Alkohol trinkt und dann ins Bett geht. Da hat man ja gar nichts davon. Aus den vielen Kästen bauten wir uns noch Wände in den Raum, damit es etwas gemütlicher wurde. An eine der Bierkastenwände hängten wir dann ein Bild aus dem Schweriner Theater. Darauf war eine kleine Gasse gemalt. Der Raumklang hat sich dadurch nicht so verbessert, wie wir gehofft hatten, aber es sah wenigstens etwas künstlerisch anspruchsvoll aus. Dann opferte Till noch die schönen Ledersofas aus seiner Wohnung und brachte sie mit in den Proberaum. Wir gingen zu Recht davon aus, dass wir nun die nächsten Wochen oder Jahre in diesem Raum verbringen würden. Und es wurde wirklich schön.

Wir gingen oft in der Mittagspause nicht mehr nach draußen, sondern blieben auf den Sofas sitzen, um unser Essen in uns hineinzuschlingen. Derjenige, der am wenigsten Lust zum Proben hatte, rannte zum Inder und brachte für alle etwas mit. Es war wirklich nicht alles schlecht im Westen. Wir konnten uns jetzt fast rund um die Uhr etwas ganz Leckeres zu essen kaufen.

Als Erstes kamen die Chinaimbisse nach der Wende zu uns. Wir verschlangen mit stumpfem Blick die riesigen Nudelportionen, bis uns von dem Glutamat die Gesichter einschliefen. Dann kamen die Griechen, die Mexikaner und die vietnamesischen Restaurants.

Ich war sogar mal afrikanisch essen. Da waren noch die Knochen im Fleisch. Ach, beim Australier war ich auch. Das Essen war nicht schlecht, aber neben dem Tisch hockte ein junger Mann mit Rastalocken und blies unermüdlich in ein Didgeridoo. Als ich einige abwertende Bemerkungen fallen ließ, stellte sich heraus, dass am Nachbartisch seine Freundin saß. Aber besonders das indische Essen war eine gewaltige Bereicherung für unser Leben. So einfach und gut. Es kam vor, dass wir wirklich wochenlang hintereinander das gleiche Gericht zum Mittag aßen. Für uns Ostler gab es ja sogar Kochbananen. Ich aß das gerne, obwohl ich nach der Wende ziemlich aufpasste, nicht so oft mit einer Banane gesehen zu werden. Das Bananengericht war die Nummer 23. Verblüffenderweise war es das auch in anderen indischen Restaurants. Ob es in der ganzen Welt so ist? Dann wäre das Bestellen für uns Musiker so schön einfach. Einfach immer die 23. In Amerika fiel mir nämlich schon auf, dass die indischen Gerichte da dieselben Namen wie in Berlin hatten. Ich dachte erst, die Kellner hätten mir die deutsche Karte gegeben. Dabei ist Chicken ja nicht mal deutsch. Also Chicken Tikka ist immer Chicken Tikka. In Berlin, in Stockholm und in New York. Oder ist das Quatsch? Ich war immerhin schon älter als 40, als mir auffiel, dass eine Pizza Napoli auch immer dasselbe bedeutet. Irgendwas mit Oliven und Tomatensoße. Ich hatte gedacht, das ist einfach so ein Phantasiename. Ich wusste ja nicht einmal, dass Napoli Neapel heißt. Und Pizza Funghi ist etwas mit Pilzen, das kommt aus dem Lateinischen. Auf der Pilzcreme, die man vom Arzt kriegt, steht auch was mit Fungi drauf.

Es ist doch wirklich gut, wenn man mit der Band so weit in der Welt herumkommt. Schon das Essen ist ein Grund, in anderen Ländern zu spielen. Aber auch bei uns in Berlin bekamen wir, wie gesagt, viele gute Sachen zu essen.

Direkt neben uns gab es für eine kurze Zeit eine russische Frau, die Gulasch und andere Fleischgerichte anbot. »Der Mann braucht das Fleisch!«, erklärte sie uns. Seitdem hieß sie bei uns die Fleischfrau. Nach ihrem Essen wollten wir nicht mehr vom Sofa aufstehen. Denn auch, wenn der Mann das Fleisch braucht, wird er nach dem Genuss müde. Wie nach dem Sex, da schlafen die Männer ja auch am liebsten ein, und die Frauen kucken dann ganz enttäuscht.

Auf der anderen Seite unserer Haustür hatten Zwillinge, die zufällig mit Schneider als Lehrlinge in einer Klasse gewesen waren, eine Dönerbude eröffnet. Die Döner waren offenbar nicht sehr beliebt, so dass an diesem Dönerspieß manchmal nur ein paar ganz trockene verkrustete Fleischbatzen hingen. Die wollten wir auf keinen Fall essen, fanden aber einen guten Weg, sie uns nutzbar zu machen. Wir hatten in jener Zeit Schwierigkeiten, pünktlich mit den Proben zu beginnen, weil einer oder mehrere von uns oft zu spät kamen. Wir machten dann aus, dass der Letzte eine Flasche Wein mitbringen muss, was aber überhaupt nicht funktionierte. Denn wie sollte der Zuspätkommende wissen, ob er der Letzte ist? Es kann ja jemand noch später kommen. Außerdem tat es niemandem weh, eine Flasche Wein zu kaufen, dann war wenigstens eine da, die man trinken konnte. Da kam man doch eher gerne zu spät.

Also dachten wir uns eine neue Strafe für die Zuspätkommer aus. Der Letzte sollte vor den Augen der anderen einen Döner aus der Bude der Zwillinge essen. Das wollte nun wirklich keiner von uns. Und schon die Androhung dieser Strafe reichte aus, damit wir fortan wieder relativ pünktlich in unseren Keller krochen. So schlimm war es da ja wirklich nicht. Wie gesagt, es stank etwas faulig, im Winter war es ziemlich kalt, und manchmal klemmte das Schloss der schweren Eisentür, so dass wir nach der Probe eine halbe Stunde daran herumzerren mussten, bis wir wieder an die frische Luft kamen.

Der Raum nebenan war wohl noch schlimmer. Er hieß die Tropfsteinhöhle, was sicherlich nicht bedeutete, dass der Raum schön hell und trocken war. Wenn wir daran vorbeigingen, dröhnte es da auch so undefiniert heraus. Da probten die Inchtabokatables. Die Band, die Olli verlassen hatte, um bei uns Bass zu spielen. Die Inchtis, wie wir sie nannten, da niemand Lust hatte, ihren vollen Namen auszusprechen, waren schon viel erfolgreicher als wir. Sie spielten keine einzelnen Konzerte mehr, sondern fuhren auf zusammenhängende Tourneen. Dafür wurden sie mit einem Nightliner abgeholt, einem riesigen Bus, in den viele Betten eingebaut waren. Wir hatten mal kurz in den Bus kucken dürfen, als er vor dem Proberaum auf dem Hof gestanden hatte, und fanden alles sehr luxuriös. Wir konnten es nicht fassen, dass eine Rockband, die wir kannten, in so einem tollen Bus fahren durfte. Wir dachten, so etwas gibt es nur für die Stones oder so. Schon der Gedanke, nachts nach einem Konzert zum nächsten Auftrittsort gefahren zu werden, erschien uns großartig.

Wir fuhren in dieser Zeit dann in dem kleinen Bus der Inchtis zu unseren Konzerten, da sie ihn ja nicht mehr brauchten. Einmal, in Rostock, schafften wir es, ihren Zündschlüssel zu verlieren, und standen nach dem Konzert dumm vor dem Bus herum. Da fuhren die Inchtis gerade mit ihrem Nightliner an uns vorbei, ohne von unserem Dilemma zu ahnen. Es gab noch keine Handys, sonst hätten sie uns einfach einen Ersatzschlüssel geben können. Irgendwann kam dann der ADAC und lud uns auf, während wir ganz stumpf in unserem Bus beziehungsweise dem der Inchtis sitzen blieben.

Bei einigen anderen Konzerten borgten wir uns einen Bus bei Robben & Wientjes. Da mussten wir uns am Sonnabendmorgen immer ewig anstellen, bis die ganzen Studenten, die umziehen wollten, abgefertigt waren, und noch unerfreulicher war das Zurückgeben der Autos, bei dem am späten Sonntagabend aufs Genaueste nach irgendwelchen Mängeln und Schäden gesucht wurde. Wir standen verkatert daneben und wollten ganz schnell nach Hause und aufs Klo.

Aber was sollten wir machen, ohne Tournee gab es keinen Nightliner, und ohne Plattenvertrag gab es keine Tournee, und ohne gute Konzerte und ein gutes Demotape, das sich wirklich von der großen Masse der eingereichten Tapes abhebt, gab es keinen Plattenvertrag. Also blieb uns nur übrig zu üben. Und das an jedem Tag in der Woche. Und am Wochenende auch.

Wir verbrachten unsere Tage im Proberaum. Wir gingen

da automatisch hin, ohne auch nur einen Moment darüber nachzudenken, warum wir das taten. Man könnte sagen, dass wir unsere gesamte Freizeit über probten. Ich saß hinten an der Wand neben dem Schlagzeug. Schneiders Becken, also damit meine ich jetzt ein Becken seines Schlagzeugs und nicht seinen Körperteil, war etwa zehn Zentimeter von meinem rechten Ohr entfernt. Immer, wenn er daraufdrosch, knackte es bei mir im Kopf, und ich hörte einige Sekunden lang nichts mehr. Es war überhaupt sehr, sehr laut bei uns. Die Boxen, die wir zum Proben benutzten, hatten wir vom Theater im Palast der Republik geschenkt bekommen, weil wir nach der Wende mitgeholfen hatten, den riesigen Fundus des Theaters auszuräumen. Diese Boxen waren also dazu gedacht, ein ganzes Theater ausreichend zu beschallen.

Als unser Produzent zum ersten Mal in den Proberaum kam, um sich unsere Lieder anzuhören, steckte er sich sofort Stöpsel in die Ohren und hat sie seitdem nicht wieder herausgenommen, wenn er bei uns ist. Ich habe das nicht verstanden, ich dachte, er kommt doch extra, um uns zu hören, warum macht er dann so etwas. Seit einigen Jahren trage ich aber selber Ohrenstöpsel im Proberaum und ärgere mich ein bisschen, dass ich damit nicht viel früher angefangen habe. Die Ohren regenerieren sich nicht mehr, wenn sie einmal kaputt sind. Aber in der Jugend denkt man an so etwas nicht. Man geht ja extra in den Proberaum, um mal so richtig Krach zu machen. Keinem von uns wäre in den Sinn gekommen, das als Arbeit zu bezeichnen. Es war ja unsere freie Entscheidung, immer wieder in den Proberaum zu gehen, und wir bekamen keinen Pfennig dafür. Unter Arbeit stelle ich mir etwas vor, das ich tun muss. Oder etwas, womit ich meinen Lebensunterhalt bestreiten kann. Wir konnten aber noch lange nicht wissen, ob wir je Geld mit der Musik verdienen würden. Aber schon der Umstand, jeden Tag zusammen ohne jede Einschränkung Musik zu machen, genügte uns völlig, um glücklich zu sein. Dafür hätte ich sogar noch Geld bezahlt. Das ist jetzt übertrieben, fast schon gelogen, und wer weiß, wie lange wir so fröhlich im Proberaum zusammengehockt hätten, wäre da nicht das Gefühl gewesen, dass da wirklich etwas Großes entsteht, das Bestand haben und uns vielleicht später mal ernähren könnte. Ich glaube, keiner von uns wollte je wieder irgendwelche Jobs annehmen, um über die Runden zu kommen. Aber wir hatten immer weniger Angst, dass wir auf dem Arbeitsamt sitzen müssten. Dieses Gefühl schöpften wir direkt aus den Proben, vor allem, wenn wir merkten, wie aus kleinen Ideen richtige Lieder wurden. Und natürlich aus den anfänglichen Konzerten, die wir manchmal an den Wochenenden gaben.

Wir versuchten, so oft zu spielen, wie es nur ging. Dabei gaben wir uns immer extrem viel Mühe, denn wir wollten die Leute ja für uns gewinnen. Wir achteten bei bestimmten Stellen sehr sorgfältig auf ihre Reaktionen. Wir mussten uns jedes Mal neu beweisen, denn wenn wir den Leuten nicht gefallen hätten, würde das nächste Mal niemand mehr zu unseren Konzerten kommen. Am Anfang sind sie meistens nur gekommen, weil sie an jedem Wochenende in ihr Kulturhaus gingen, ganz egal, welche Band dort spielte, Hauptsache, es war überhaupt irgendetwas los. Oft wird die Musik auch überbewertet, die meisten jungen Leute wollten einfach nur eine Frau kennenlernen, und das ging dann eben nur am Sonnabendabend zum Dorfbums. Das soll jetzt nicht abwertend klingen, denn gerade dort erlebten wir einige unserer schönsten Konzerte. Die Leute freuten sich, weil endlich mal andere Musik gespielt wurde. Und natürlich kamen auch einige Leute, weil etwas von Feeling B, der Firma oder den Inchtabokatables auf den Plakaten stand. Diese Bands waren im Osten relativ beliebt, besonders bei den Jugendlichen. Dafür verloren die etablierten DDR-Bands immer mehr an Bedeutung. Aber bei denen hat zum Glück keiner von uns je mitgespielt, schon weil wir musikalisch dazu gar nicht in der Lage waren. Wir spielten mit Rammstein anfangs ausschließlich im Osten und dort in den Clubs, in denen wir schon des Öfteren mit Feeling B oder der Firma aufgetreten waren.

Unser Feeling-B-Manager kümmerte sich ohne große Umschweife um die Konzerte unseres neuen Projektes. Er kannte die meisten Veranstalter noch persönlich. Und so konnten wir uns langsam daran gewöhnen, vor Menschen aufzutreten. Denn obwohl wir mit unseren alten Bands schon sehr viele Konzerte gespielt hatten, packte mich jetzt immer wieder die Aufregung. Es war ein Gefühl, das ich bei den vorherigen Punkbands nie verspürt hatte, da im Punk das Versagen ja eigentlich schon drinsteckt.

Am schwierigsten war es wahrscheinlich für Till, weil er sich hinter keinem Instrument verstecken konnte und mit seiner richtigen Stimme singen musste, was ja auch etwas sehr Persönliches ist. Zum Glück beherrschte er ziemlich perfekt die Kunst, sich die Aufregung nicht anmerken zu lassen. Damit man nicht in seine Augen sehen konnte, hatte er sich eine Schweißerbrille zugelegt, und so sah er dann durch die schmalen Schlitze ins Publikum. Niemand hat Till gesagt, dass er mit der Brille einem freundlichen großen Insekt ähnelte, und so setzte er sie bei allen Konzerten auf. Und wahrscheinlich hätte er sie auch aufbehalten, wenn er es gewusst hätte, denn sie schützte ihn wirklich gut. Zumindest am Anfang.

Irgendwann war die Brille dann einfach weg. Es war fast unmöglich, an alles zu denken, wenn man nach dem Konzert restlos betrunken sein Zeug zusammensuchte. Wir hatten dann andere Sorgen, als uns um irgendwelche Klamotten zu kümmern, und so blieb immer etwas liegen. Ich war ein bisschen traurig, als ich meinen Hut verlor, den ich mir 1993 für sagenhafte 50 Dollar in Tallahassee gekauft hatte, weil es da so stark geregnet hatte, dass mir das Wasser in den Kragen gelaufen war. Da war es mir egal, wie viel der Hut kostete. Und dann war er weg. Eine gute Kopfbedeckung zu finden ist schwer. Ich habe mal im Park so eine peruanische folkloristische Strickmütze mit zwei Zöpfen gefunden, die war richtig praktisch, denn wenn es kalt wurde, konnte ich die beiden Zöpfe unter dem Kinn zusammenknoten. Die Band fand das nicht so lustig. Eines Abends flog die Mütze vor dem Konzert brennend aus dem Fenster der Garderobe.

Nach den Auftritten waren wir schon froh, wenn wir alle unsere Bandmitglieder einsammeln konnten, wobei ich selbst manchmal derjenige war, der gesucht werden musste. Wenn ich schlechte Laune hatte, und da reichten mir die kleinsten Auslöser wie ein Skinhead im Publikum oder ein Vertipper auf dem Keyboard, wollte ich immer sofort nach Hause. Es war mir dann egal, wie weit weg das war.

In Dresden stieg ich mal nachts in den Zug nach Berlin und wartete auf den Schaffner. Als der in den Wagen kam, sprangen alle Leute in meinem Abteil auf und krochen unter die Bänke. Ich überlegte, ob ich hinterherkriechen sollte, um das Fahrgeld zu sparen, aber da war der Schaffner schon im Abteil. Die Leute blieben den Rest der Fahrt unter der Bank liegen. Aus Rostock bin ich auch mal nachts zurückgefahren. Dadurch habe ich verpasst, wie die Band das Zimmer in der

Seemannsunterkunft verwüstet hat. Am nächsten Morgen musste da ein großer Müllcontainer bestellt werden. Auch eine Art sein Geld zu investieren. Eine sehr lustige Art.

Wenn ich so im Zug saß und langsam die Wirkung des nachlassenden Rausches und des eintretenden Katers spürte, bereute ich jedes Mal meine Voreiligkeit und wünschte mir, ich wäre bei der Band geblieben. Keine Ahnung, woher bei mir dieser kindische Trotz kommt. Ich kann dann nicht mehr einlenken. Aber ich war zu stolz und zu blöd, um einzusteigen.

Einmal bin ich auch nach dem Abschlusskonzert einer Tour zum Bahnhof gelaufen, weil der Busfahrer etwas Doofes zu mir gesagt hatte. Der Tourleiter kam im Auto hinter mir her und fuhr dann neben mir, um mich umzustimmen, aber ich war zu stolz und zu blöd, um einzusteigen. Als ich dann bei dem Bahnhof ankam, war dieser abgeschlossen, und ich musste mit den Obdachlosen des Ortes auf der Straße warten, bis er wieder aufgemacht wurde. Das hieß nicht, dass dann auch mein Zug kam. Da hörte ich mir stundenlang Geschichten an, wobei ich zu vermeiden versuchte, ständig angefasst zu werden.

Ein anderes Mal legte ich mich bei einem Fan drei Stunden lang in meinen Sachen auf den Fußboden und stellte mich anschließend an die Straße, um von Dresden nach Berlin zu trampen. Ich hatte einen zu kleinen braunen Anzug an, den ich mal nach einem Konzert in der Wohnung, in der wir schlafen sollten, gefunden hatte. Der Besitzer der Wohnung war kurz zuvor gestorben. Auf diesen Anzug hatte ich am Abend eine Menge Senf und Bier verkleckert. Selbst in meinem Zustand merkte ich, was für eine mörderische Fahne ich hatte. Der freundliche Fahrer, der mich trotzdem mitnahm, war überdies noch Lehrer, und er verbesserte mich nach jedem Satz, den ich sagte. Von mir kam allerdings auch nur Unfug. Es war mir alles sehr peinlich, aber ich wollte nun mal nach Hause.

Also, jedenfalls war der Anfang unserer Bandgeschichte die Zeit der spannendsten Konzerte. Wenn wir nach Westdeutschland fuhren, war es für uns immer noch wie eine Reise ins Ausland. Es war zwar nicht so, dass die Leute uns nicht gut aufnahmen, aber es kam einfach fast niemand, da wir noch so unbekannt waren. In Hamburg, wo wir im Logo spielten, zählten wir acht zahlende Gäste. Aber die wollten wir für uns gewinnen, und gerade das machte uns Spaß. Vielleicht sind wir deshalb nach den ersten Erfolgen in Deutschland so gerne ins Ausland gefahren. Einfach, um wieder vor fremden Leuten spielen zu können.

Die Fahrten zu unseren frühen Konzerten waren aber die reinste Freude. Wir stiegen am Vormittag in irgendein Auto ein und fuhren mit unseren paar Habseligkeiten los. Ich hatte noch keinen Koffer für meinen Sampler, also stellte ich ihn im Bus hochkant zwischen die vorderen Sitze und setzte mich darauf. So hatte ich schon mal einen Sitzplatz. Wir hielten an allen Raststätten an, obwohl das Essen dort in den frühen neunziger Jahren unwahrscheinlich schlecht war, eigentlich unzumutbar, und das fiel sogar uns auf, die wir aus dem Osten in dieser Beziehung Kummer gewohnt waren. Weiß noch jemand, wie heiße Hexe geschmeckt hat? Außerdem wurde das Essen auf einmal absurd teuer. Wir waren fassungslos, wir fanden das unverschämt und waren natürlich nicht bereit, die neuen Preise zu bezahlen. Also klauten wir auf den Raststätten, was wir kriegen konnten. Sonnenbrillen, Zeitungen, Schuhe, Benzinkanister, Kekse und Schokolade, Schnapsflaschen usw., eben Reisebedarf. Nur Bier lohnte sich nicht. Und beim Losfahren hielten wir in Berlin noch mal kurz am Musikladen an. Ich könnte jetzt sagen, das war unsere Antwort auf den Einzug des Westens, aber in Wirklichkeit hatten wir noch nicht genug Geld für die teuren Westinstrumente. Außerdem liebten wir das Abenteuer, wenn man Klauen so bezeichnen möchte. Und die Schweriner konnten noch in die Berliner Musikläden gehen, weil sie dort unbekannt waren. Ich stand ja stundenlang in den Geschäften vor den Instrumenten und wartete darauf, dass einer der verhinderten Musiker, die dort arbeiteten, sich dazu herabließ, mir etwas zu erklären. Till machte das etwas anders. Er nahm sich einfach das Teil, das wir benötigten, unter den Arm und rannte zu unserem wartenden Bus. In dieser Zeit wurde aus den Geschäften im Osten sehr viel gestohlen. Nach und nach wurden Sicherheitskräfte eingestellt, die das unterbinden sollten. Die versuchten dann, sich uns in den Weg zu stellen, aber es fehlte ihnen an der nötigen Entschlossenheit. Ich war bei diesen Aktionen wahrscheinlich aufgeregter als alle anderen.

Unser ganzes Leben erschien mir in dieser Zeit ungeheuer abenteuerlich. Am meisten natürlich die Konzerte. Das fing schon bei den Vorbereitungen an. Welche Lieder wollten wir spielen? Vielleicht sogar schon eines von den neuen, bei denen eigentlich noch keiner wusste, wie es nach dem zweiten Refrain weitergehen sollte, das aber ein wunderbar brutales Riff hatte? Und wollten wir die Gemüsekiste wieder mitnehmen, in die ich beim ersten Lied eingesperrt werden sollte? Weil ich so gefährlich war, dass ich hinter Gitter musste? Das glaubte ja nun wirklich keiner. Als Überraschung deckten wir die Kiste mit Papier ab und zündeten das dann einfach an. Das sah ganz gut aus und stank auch ordentlich, denn das Papier brannte auf der Bühne weiter, wenn es vom Käfig gerutscht war. Und dann konnte man mich sehen. Dabei fing auch manchmal der Vorhang Feuer. In einem Lied sollte Till eine Gasmaske aufsetzen, einfach aus dem Grund, weil wir sie dabeihatten.

Schön war es auch, wenn wir uns darüber stritten, was wir anziehen wollten. Ganz am Anfang zog jeder auf der Bühne an, was er gut fand, aber eigentlich wollten wir uns doch uniformieren, um noch etwas böser zu wirken. Es sollte auf den ersten Blick zu erkennen sein, dass wir zusammengehören. Wir machten dafür mehrere lustige Experimente. Sogar diese gerippten weißen Unterhemden kamen dabei mal ins Spiel. Ich hasse die seit meiner Kindheit, weil ich sie da immer anziehen musste und damit so kläglich aussah. Solche Hemden trugen böse Hausmeister, gärtnernde Rentner und mein Vater. Jetzt war ich froh, dass ich endlich erwachsen war und selber entscheiden konnte, was ich anziehe und was nicht. Man soll nie nie sagen. Zum Konzert zog ich also wieder ein weißes Ripphemd an. Aber nur für das erste Lied, dann spielte ich den Rest mit freiem Oberkörper. Das machten wir alle so, und das sah auch gut aus. Nachdem die Band jedoch gesehen hatte, dass Metallica ebenfalls auf die Idee mit den Ripphemden gekommen war, hatte sich das Thema für uns endlich erledigt.

Dann zogen wir einmal NVA-Schwarzkombis an, das waren schwarze Overalls, die ursprünglich für den Häuserkampf gedacht waren. Kaum hatten wir alle das Gleiche an, merkten wir, dass die Sachen nicht bei allen gleich gut aussahen. Ich würde sagen, dass es bei zwei Leuten ganz gut aussah. Also begannen die Ersten von uns schon wieder eine individuelle Note reinzubringen, indem sie die Uniformen abschnitten oder umkrempelten, wodurch das alles noch alberner aussah.

Viel Zeit blieb uns dafür nicht, denn wir mussten gleich in den Bus steigen, um nach Freiberg zum Konzert zu fahren.

Als wir in unseren Sachen in der uns fremden Stadt ausstiegen, fühlten wir uns schon nicht mehr so gut angezogen, und die Leute auf der Straße kuckten uns auch ratlos an. Nicht so, wie man Rockstars ansieht. Das störte uns nicht, da wir uns überhaupt nicht wie Rockstars fühlten, sondern eher wie eine Bande, die gleich richtig Ärger macht. In dem Kulturhaus, in dem wir spielen sollten, probte an diesem Nachmittag noch eine ernsthafte Jugendtanzgruppe. Till machte sich einen Spaß daraus, die jungen Mädchen mit unflätigen Bemerkungen zu erschrecken.

Zum Essen bekamen wir dann kalte Bockwürste. Ich muss wohl nicht extra sagen, woran uns diese Würste erinnerten. Also steckte Till sich eine in den Hosenschlitz. Während des Konzertes holte er sie wieder heraus, so als ob es sein Penis wäre. Ich weiß nicht, ob das abgesprochen war, aber Olli nahm die Wurst dann in den Mund. Niemand außer uns sah, dass es sich nur um eine Bockwurst handelte. Nicht einmal ich konnte es genau erkennen und sah lieber weg. Aus purem Übermut zerschlug Till dann noch einen Scheinwerfer, der direkt vor seinem Gesicht hing.

Darüber regte sich der Veranstalter fürchterlich auf und wollte uns die Gage nicht zahlen. Das nahmen wir mit Gleichmut hin. Ich jedenfalls. Der Rest der Band packte dafür einen Teppich, der schon zusammengerollt im Treppenhaus stand, in den Bus. Als das erledigt war, rannten wir wieder in den Saal, stellten uns als Gruppe zusammen und hofften, dass uns eine der anwesenden Frauen ansprechen würde. Die Chance, in einer Männergruppe angesprochen zu werden, liegt etwa bei null. Dann ging es ab ins Studentenwohnheim. Wer dachte da schon ans Schlafen? Oft lagen wir alle in einem Zimmer. Hatte es doch jemand geschafft, eine Frau mitzunehmen, durften die anderen an seinem Vergnügen teilhaben, zumindest akustisch. Oder auch richtig. Wir haben schon alle unsere Kollegen beim Sex erlebt.

Sah es vor oder nach einem Konzert auch nur im Geringsten nach Party aus, standen wir wie eine Eins da und machten Faxen. Wir jonglierten mit vollen Biergläsern. Wir tanzten zu jeder Musik, egal, wer dabei war oder ob uns überhaupt jemand sah oder mit uns tanzte. Wir standen zu dritt oder zu viert um ein schönes Mädchen herum und versuchten sie begeistert, aber vergeblich herumzukriegen. Wir luden tagsüber Leute, die wir auf der Straße trafen, zu unseren Konzerten ein. Wenn sie Mädchen waren. Oder welche kannten. Wir veranstalteten in den Dorfgaststätten die reinsten Wettessen, wir wollten sehen, wer die meisten Klöße schafft. Über unsere dicken Bäuche konnten wir uns hinterher immer noch ärgern. Machten wir natürlich nicht, wir tranken einfach Unmengen Schnaps hinterher. Wir rutschten bei Glatteis mit unserem Mietbus von der Straße und überlebten nur dank Schneiders Geistesgegenwart. Wir übten hinter der Bühne, uns mit einem Gewehr gefüllt mit Gotchakugeln auf drei Meter Entfernung auf den nackten Rücken zu schießen. Das tat weh und war dann für das Publikum überhaupt nicht zu erkennen. Wir probierten alles selbst aus. Wir hatten keine Angestellten. Wir zahlten keine Versicherungen. Wir hatten keine Hotels, keine Limousinen oder Shuttlebusse. Wir brauchten keinen Tourmanager. Wir gaben keine Interviews und gingen nicht zu Fototerminen. Wir hielten keine Meetings ab, keine Treffen mit dem Steuerberater, dem Manager oder einer Promotionabteilung. Kurz, wir machten einfach nichts Unangenehmes.

Wir waren exakt so, wie wir sein wollten. Wir waren die ideale Band. Wir zogen wie im Märchen zusammen in die Welt hinaus. Alles, was wir danach mit der Band machten, konnte uns nicht mehr in diese rasende Begeisterung der Anfangszeit versetzen. Da halfen auch keine ausverkauften Stadien und kein Privatjet. Diese frühe Form der Energie kann man sich nicht kaufen und leider auch nicht aufheben.

Den geklauten Teppich verkauften wir dann übrigens in Berlin, und von dem Erlös zahlten wir unseren damaligen Manager aus. Er konnte mit der Geschwindigkeit, in der wir uns entwickelten, kaum mithalten. Das konnten wir ja selbst kaum. Da wollten wir uns von ihm trennen. Rein menschlich gesehen war das nicht in Ordnung. Wer sagt denn auch, dass Musiker gute Menschen sein müssen? Für die Entwicklung unserer Band war es sicherlich die richtige Entscheidung. Falls es da überhaupt ein Richtig oder Falsch gibt. Außerdem kann niemand sagen, wie es gekommen wäre, wenn wir ihn behalten hätten. Inzwischen sind wir wieder gute Freunde. Das blieben wir eigentlich die ganze Zeit, nur manchmal ist es eben schwierig, Privates von Beruflichem zu trennen.

*

Endlich erblicke ich das Tageslicht. Mann, ist das schön draußen. Und so warm. Ich zünde mir eine Zigarette an und schlendere hinter der Halle herum. Eigentlich will ich nicht mehr rauchen, aber ich muss immer wieder feststellen, wie schwer es ist aufzuhören. Vor zwanzig Jahren habe ich mal aus Versehen aufgehört. Eine Bekannte schenkte mir aus Verlegenheit zu Weihnachten das Buch *Endlich Nichtraucher* von Allen Carr. Einige Wochen später habe ich mir das Buch mal durchgelesen und am nächsten Tag aufgehört zu rauchen. Darin stand, wenn der Mensch rauchen sollte, hätte er ja einen Schornstein. Das klang so bekloppt, dass es mir sofort einleuchtete. Danach habe ich fast zehn Jahre nicht mehr geraucht. Leider wirkt das Buch bei mir nur einmal. Jetzt rauche ich wenigstens nur noch wenig. Das rede ich mir zumindest ein. Es ist immer wieder erstaunlich, wie sehr man sich selbst belügen kann, wenn es um eine Sucht geht. Man glaubt sich dann auch zu gerne. Wer will schon die Wahrheit wissen? Ich zumindest nicht. Also ich rauche ganz, ganz wenig, eigentlich bin ich Nichtraucher, wenn man von der einen Schachtel absieht, die dann doch am nächsten Morgen wieder leer ist.

Da hinten stehen auch unsere Trucks. Sie sind in einem hässlichen Braungrün lackiert, denn wir haben sie bei irgendeiner Speditionsfirma gemietet, und da sehen die Autos eben so aus. Fast so wie die Lkws in der DDR. Da kannte ich nur zwei Aufschriften: DEUTRANS und AUTOTRANS. Es gab noch Pkws, auf denen Service stand. Kein Mensch wusste, was das bedeuten sollte. Ansonsten stand auf keinem Auto irgendetwas drauf. Dazu waren den Ostlern die Autos viel zu schade. Deshalb staunten wir so, als wir 1989 das erste Mal durch Westdeutschland fuhren. Da stand auf jedem Lkw etwas anderes. Unser Favorit war ein kackbrauner Truck, auf dem in orangefarbener Schrift Braunschädel GmbH stand. Dieses Wort nahmen wir sofort in unseren Wortschatz auf. Wir bezeichneten damit braunen Schnaps wie Weinbrand und Whisky. Auch Anton Aschenbrenner gefiel uns gut. Mordhorst war auch nicht schlecht oder GLUNZ. Man hätte diese Wörter wunderbar als Bandnamen verwenden können, aber es waren ja schon die Namen der Transportfirmen, und die hätten das bestimmt nicht so lustig gefunden.

Auf unseren Bandtrucks stand vor ein paar Jahren noch Rock 'n' Roll Trucking, da habe ich mich immer gefreut, wenn ich die in der Stadt, in der wir gerade spielten, herumfahren sah. Das sah dann so aus, wie ich mir das bei einer richtigen Band vorgestellt habe. Mir hat mal jemand erzählt, dass Emerson, Lake and Palmer drei Trucks hatten, auf denen jeweils einer dieser Namen stand. Ich habe mich gefragt, ob sie immer in der richtigen Reihenfolge gefahren sind. Mich hat das unheimlich beeindruckt. Anfänglich hatten wir nur einen kleinen Lkw, und da wären wir nie auf die Idee gekommen, unseren Namen draufzuschreiben. Da saßen dann vorne die von uns so genannten Digedags drin, der Tonmann, der Lichtmann und der dritte für die Bühne und die Effekte, ausgestattet mit den Fähigkeiten eines MacGyvers.

Als wir uns zwanzig Jahre später ein Flugzeug für die ganze Sommersaison mieteten, um auf all den Festivals zu spielen, haben wir uns doch mal unseren Bandnamen auf das Mietflugzeug kleben lassen. Das haben außer uns vielleicht noch vier Piloten gesehen, denn in 11 000 Metern Höhe laufen nicht so viele Leute herum, und auf dem Flugplatz stand das Flugzeug irgendwo hinter den Tankwagen. Der Spaß hat uns 1500 Euro gekostet, und wir haben es danach natürlich nie wieder gemacht. Vielleicht meine ich das, wenn ich sage, dass es mit dem Rock 'n' Roll bergab geht. Niemand hat mehr Lust auf diese herrlichen, sinnlosen Verschwendungen. Kein Bentley wird mehr in den Pool gefahren. Schon weil kein Pool zum Reinfahren mehr da ist. Jedenfalls denkt man nicht als Erstes an Rock 'n' Roll, wenn man unsere Trucks sieht.

Ich schaue sie mir etwas genauer an. Sie sind ausgeladen, nur der Stromtruck nicht, denn da ist das Dieselaggregat fest draufgebaut. Es läuft schon, und der Strom fließt durch ein armdickes Kabel in die Halle. Wir bringen uns sozusagen unseren eigenen Strom mit. Früher ist manchmal im gesamten Stadtteil das Licht ausgegangen, wenn wir angefangen haben zu spielen. Bei uns auf der Bühne natürlich auch. Jetzt passiert so etwas nicht mehr, dafür stinkt es hinter der Halle nach Dieselabgasen. Dieselabgase stinken schlimmer als die von Benzinmotoren, finde ich. Ich habe dann wieder diese DDR-Busbahnhöfe vor Augen, oder vielmehr vor der inneren Nase. Oder die Lkws, die vor unserem Haus das Gemüse ausgeladen haben und die aus irgendeinem Grund den Motor nicht ausmachten. Ich gehe lieber ein paar Schritte weiter. Da stinkt es gleich noch schlimmer. Es ist nämlich nicht der Stromtruck, der so stinkt, sondern es sind die Abgase von dem Truck mit dem, Achtung, jetzt kommt ein ganz langes Wort: Merchandisingverkaufsstand. Da kann man unsere T-Shirts und sozusagen das ganze Bandzubehör kaufen. Zubehör heißt auf Schwedisch übrigens Tillbehör, was wir wegen Till sehr lustig fanden, und das Handy wird in Schweden als Ficktelefon bezeichnet, was wir wegen Till noch viel lustiger fanden. Willkommen heißt Tillkomma, und da kennt die Heiterkeit dann überhaupt keine Grenzen mehr.

Jedenfalls nehmen wir auf Tour eine Unzahl an Klamotten mit, auf denen irgendetwas mit Rammstein steht, um sie zu verkaufen. 1983 habe ich so etwas zum ersten Mal gesehen. Unser damaliger Sänger hatte ein T-Shirt mit dieser Stones-Zunge an, das er angeblich bei einem Konzert in Amerika einfach von einem Verkaufsstand geklaut hatte. Dann ist er damit weggerannt. Wegen eines T-Shirts lohnte es sich anscheinend nicht, ihm hinterherzurennen. Das war für mich nicht nachvollziehbar, denn ich hätte mir so ein Shirt nie wegnehmen lassen. Natürlich hatten die an dem Stand ganz viele T-Shirts, da war ihnen eines nicht so wichtig. Für mich wäre so ein T-Shirt ganz viel wert gewesen. Das war für mich schon ein Stück von den Rolling Stones. Da war ich völlig geschockt, als unser Sänger von dieser Reliquie ungerührt die Ärmel abschnitt.

Ich selber war aber auch nicht besser. Ich hatte in der sechsten Klasse eine Schallplatte der Gruppe Prinzip gegen eine ABBA-Plastetüte mit einem Foto der Band drauf eingetauscht und diese dann als Turnbeutel benutzt. Natürlich hatte eine Schallplatte bei mir einen viel höheren Stellenwert als eine Tüte, aber mit der Band Prinzip konnte ich im Prinzip als Bluesfan wirklich nichts anfangen. Ein Lied hieß die *Supernummer*, und ich erwartete dann auch eine Supernummer, aber es war nur ein Lied über die Telefonnummer der Freundin, die dann nicht mal ranging, wenn ich mich recht erinnere. Also trug ich mein dreckiges Sportzeug in der ABBA-Tüte spazieren. Obwohl Reklame und westliche Begriffe in unserer Schule verboten waren, sagte niemand etwas dagegen. ABBA stand außerhalb jeglicher Wertung. Viel zu schnell riss mir leider der Henkel ab. Und da zeigte sich, dass ich kein echter Fan war, denn ich warf die Tüte weg.

Wie bin ich da jetzt drauf gekommen? Ach so, die T-Shirts. Inzwischen gibt es auch auf unseren Konzerten T-Shirts zu kaufen. Ganz viele verschiedene.

Von unserem ersten T-Shirt gab es insgesamt nur zehn Exemplare. Die bastelte unser späterer Lichttechniker, ich glaube, er machte einen Entwurf, mit dem er in den Copy Shop an der Ecke ging. Der Entwurf bestand aus einem großen R. Damit es richtig gut und unverwechselbar aussehen würde, wählte er eine altgermanische Rune, die das R darstellen sollte. Dummerweise sah das dann ein bisschen wie ein Hakenkreuz aus und wurde daher wieder verworfen. Unser nächstes R war den Oststreichholzschachteln entliehen, weil die aus Riesa kamen, was ja auch mit R anfängt, aber das sah auch nicht so gut aus. Wir suchten weiter. Wir brauchten einfach ein gutes Zeichen, auch für unsere Aufkleber.

Zu DDR-Zeiten hatten alle Bands einen Koffer mit Aufklebern bei ihren Konzerten dabei. Die Aufkleberkasse galt als eiserne Reserve. Manchmal griff im Notfall jemand in die Geldkassette, denn in guten Zeiten waren da über zweitausend Mark drin. Bei jedem Konzert sprachen uns die Fans an: »Habt ihr Kläbo?« Da damals unser Sänger in den Westen fahren konnte, druckte er dort zehntausend Aufkleber für uns. Die sind bis jetzt nicht aufgebraucht. Ich habe nach und nach alle Möbel und Gegenstände in meiner jeweiligen Wohnung damit beklebt, und es sind immer noch welche übrig. Dabei gibt es die Band schon seit über zwanzig Jahren nicht mehr.

Die Ramones gibt es auch nicht mehr, aber ich sehe jeden Tag neue Menschen, die ihre T-Shirts tragen. Wer ein Ramones-Shirt trägt, gilt als absolut cool. Also ziehen das all die Immobilienmakler, Webdesigner, Anwälte und Banker an, die jung und locker wirken wollen. Sogar Brad Pitt hatte mal eins an. Der Bassist der Ramones hatte wiederum ein Rammstein-Shirt an. Das machte uns natürlich richtig stolz. Er war auch stolz, weil er in dieser Zeit so ziemlich der Einzige war, der unsere Musik zu kennen schien und somit als Vorreiter bezeichnet werden konnte. Sozusagen eine Win-win-Situation. Dass ich diesen Begriff mal benutze, erschreckt mich selber.

Jedenfalls fingen wir ziemlich schnell an, T-Shirts mit unserem Namen zu bedrucken und dann auch mit Wörtern oder Zeilen aus unseren Texten. Das kam gut an, weil manche Zeilen so für sich stehen können wie zum Beispiel: »Du riechst so gut.« Das können auch Leute tragen, die nichts mit der Band zu tun haben. Am beliebtesten war angeblich das T-Shirt, auf dem »Ich will ficken« stand, was auch eine Liedzeile von uns ist, aber natürlich universal einsetzbar. Zumindest wenn man den nötigen Mut dazu aufbringt, ich jedenfalls habe mich nicht getraut, dieses Hemd in der Öffentlichkeit anzuziehen. Anfangs nahmen wir die T-Shirts noch selber zu den Konzerten mit, um sie zu verkaufen, aber irgendwann kam dann eine Extraperson mit, die sich darum kümmerte. So wurden wir langsam immer mehr Leute.

Die Zigarette schmeckt mir überhaupt nicht. Wahrscheinlich bin ich krank. Man sagt ja, die Zigarette ist das Fieberthermometer der Raucher. Solange die Zigarette schmeckt, ist alles nicht so schlimm. Krank zu sein passt mir jetzt gar nicht. Wir sind ja mitten in einer Tournee. Ich werfe schnell die Zigarette weg. Da liegt sie nun und brennt immer noch. Das ist mir jetzt peinlich, dass ich sie so auf den Boden geworfen habe, und ich hebe sie wieder auf. Ich bin ja im Ausland, da muss ich mich extra gut benehmen, sonst fällt das auf alle Deutschen zurück. Sie so wegzuwerfen erscheint mir jetzt auch verschwenderisch, und so ziehe ich noch mal dran. Der Geschmack wird nicht besser. Ich drücke sie auf einer Palette aus. Soll ich die Kippe jetzt einstecken? Dann stinken meine Sachen danach. Ich stecke sie schließlich in einen offenen Zaunpfahl. Hoffentlich wohnen da keine Insekten drin.

Ganz langsam nähere ich mich unseren Trucks. Je langsamer ich mich bewege, desto schneller müsste die Zeit vergehen. Testweise bleibe ich stehen und lasse nur die Zeit weiterlaufen. Das ist jetzt auch nicht so spannend, und ich gehe langsam weiter. Die Trucker haben sich ihre Klappstühle vor die Autos gestellt und trinken Red Bull. Es sieht sehr gemütlich aus. Sie unterhalten sich über enge Einfahrten, Wartezeiten an der Grenze, Bestechungen der Grenzer, vereiste Straßen und unfähige Produktionsleiter. Unseren meinen sie nicht, sie sprechen gerade von vergangenen Touren. Hoffe ich mal. Ich will immer gerne wissen, was bei den anderen Bands so los ist, und stelle mich unauffällig daneben, um zuzuhören. Die Leute vom Wu-Tang Clan nehmen also ihre Pistolen mit auf Tour. Und die Techniker der amerikanischen Bands stapeln ihre Kisten nicht im Truck übereinander, weil ihnen das zu umständlich ist, sie nehmen dafür einfach die doppelte Anzahl Trucks mit. Das bezahlen ja die Bands. Interessant.

Ich kann es immer noch nicht fassen, dass wir jetzt selber mit so vielen Trucks unterwegs sind. Es ist ja noch gar nicht so lange her, dass wir alle zusammen mit meinem Kombi zum Konzert gefahren sind. Das war ein AMC Matador Kombi mit acht Sitzplätzen. Die letzte Sitzbank war umgekehrt eingebaut, so dass man nach hinten herauskucken konnte. Oft saß Till da, weil ihm als Einzigem beim Rückwärtsfahren nicht schlecht wurde. Er schlief die meiste Zeit. Neben ihm auf dem Sitz stand der Flammenwerfer.

Wir hatten noch keinen eigenen Tonmann mit und verließen uns darauf, dass der Tontechniker, der zur Anlage gehörte, die im Saal aufgebaut war, uns einen guten Sound bastelte. Man konnte vor dem Konzert mit einigen Schmeicheleien und natürlich einem Versprechen auf gute Extrabezahlung die Chancen vergrößern, einigermaßen gut zu klingen. Eine Garantie dafür gab es nicht. Wir versuchten höchstens noch, dem Techniker zu erklären, dass ein schlechter Sound eher auf ihn als auf uns zurückfallen würde, was natürlich nicht stimmte. Wenn eine Band schlecht klingt, dann klingt sie schlecht, und die Leute wollen diese Band dann eben nicht wiedersehen.

Die meisten Säle, in denen wir auftraten, ähnelten sich sehr, und es kam uns so vor, als ob wir sie schon alle kannten. Manche dieser Orte stanken richtig nach Bier, Asche und Verzweiflung, wenn wir aus dem Auto krochen. Im Winter wurde manchmal von einer Oma erst noch ein großer Kachelofen geheizt. Wenn das Konzert dann losging, wurde es so heiß im Raum, dass wir wie die Schweine schwitzten. Das kann aber auch an der Luftfeuchtigkeit gelegen haben. Manchmal tropfte das Kondenswasser von der Decke und lief an der Wand herunter. Meinen Sampler mussten wir erst mal trockenföhnen, damit er überhaupt anging. Um den Föhn zu holen, ging der Wirt schräg über die Straße in seine Wohnung. Diese Dorfsäle funktionierten meistens als Familienbetrieb. Die Tochter des Wirtes stand dann hinter dem Tresen und lächelte Till schüchtern an. Der Sohn des Hauses war leider ein Skinhead und flehte uns an, bitte ganz oft wiederzukommen. Was soll man da sagen? Die Konzerte machten ja riesigen Spaß. Einmal in Schinne gossen die Fans aus Begeisterung oder aus Versehen unserem Tonmann mitten im Lied ein großes Glas Bier in den Nacken. Er konnte das nicht fassen und stand einfach auf, um sich in die Garderobe zurückzuziehen. Dazu musste er allerdings mitten über die Bühne gehen, denn das war der einzige Weg nach hinten. Wir waren etwas verwundert, als er an uns vorbeilief, wir waren ja gerade mitten in einem Lied. Hinter der Bühne rutschte er anscheinend auf einer der ungenießbaren Brötchenhälften aus, die unser Essen darstellen sollten, und fiel auf den Rücken. Dann hörten wir trotz unserer lauten Musik ein gewaltiges Klirren.

Nach dem Konzert erklärten wir dem Veranstalter, dass in

unserer Garderobe ein Skinheadüberfall stattgefunden haben muss, aber der Schlaumeier zeigte uns, dass die Scherben draußen und nicht drinnen lagen, und so mussten wir die Fenster bezahlen. So gefiel uns das Leben. Oder um es mit den Rolling Stones zu sagen: Wir pinkelten überallhin.

Jetzt ist es langsam Zeit für das Abendbrot, und die Trucker stehen gemütlich auf, um essen zu gehen. Zwischen ihnen versteckt, komme ich wieder in die Halle. Ich fühle mich wie Terence Hill, der sich in einer Schafherde durch die feindliche Sperre schleicht. Für mich ist alles ein Abenteuer. Ich stelle mir einfach eine spannende Welt um mich herum vor. Dann kann nichts Gefährliches passieren, und trotzdem ist alles aufregend.

Vor dem Garderobenbereich klebt ein laminiertes Foto, auf dem die Pässe abgedruckt sind, mit denen man hineinkommt. Dazu sind noch die sechs Gesichter der Bandmitglieder wie auf einem Steckbrief abgebildet. Ich zeige dem Securitymann mein Gesicht auf dem Foto und versuche dem Bild ähnlich zu sehen. Die Aufnahmen wurden ja gleich am Anfang der Tour gemacht, als wir alle noch frisch waren. Inzwischen habe ich einen Schnurrbart, den außer mir niemand so lustig findet. Der Mann erkennt mich aber trotzdem, und ich bin wieder auf dem Flur. Also gehe ich erst mal in meine Garderobe, die ich mir mit Till teile. Er ist immer noch nicht da. Ein schlauer Fuchs. Er liegt jetzt bestimmt gemütlich im Hotel und schläft. Er geht ja auch erst später ins Bett als ich. Vielleicht hat er wieder die ganze Nacht Gedichte geschrieben. Das glaube ich jetzt zwar selber nicht, aber es könnte ja sein. Auf jeden Fall hat er so viel Red Bull getrunken, dass er mit Sicherheit nicht schlafen konnte. Obwohl, dazu ist ja der Wodka drin. Diese Energiegetränke sollen fünfmal stärker als Kaffee sein. Ich sollte Red Bull auf den Reißverschluss kippen.

Ich wühle in der Eiskiste. Ich muss viel mehr trinken, ich bin völlig ausgetrocknet und habe dafür nur noch eine Stunde Zeit, denn wenn ich kurz vor dem Konzert etwas trinke, muss ich während des Konzertes dringend pinkeln. Da sind mir schon die unangenehmsten Sachen passiert.

Ich kann ja beim Konzert nicht weg, und zwischen den Liedern sind auch nur ganz kurze Pausen. Nachdem ich einmal ein halbes Lied weg gewesen war und die Band sich aufgeregt hatte, habe ich mir das nächste Mal einfach in die Hosen gepinkelt. Das erzähle ich nur sehr ungern. Aber so schlimm war es dann gar nicht. Man hat ja meistens mehr Angst vor unbekannten Sachen, weil man nicht weiß, wie es sein wird. Es ist wie mit den Krankheiten. Die Ungewissheit ist das Schlimmste. Na ja, so eine Diagnose ist auch nicht besser. Ich darf gar nicht daran denken. Trotzdem bin ich natürlich nicht wild darauf, jeden Abend einzupinkeln, und trinke lieber in gebührendem Abstand vor dem Konzert mein Wasser. Und dieser Abstand ist jetzt.

Richtig aufgewärmt hat sich das Wasser, das ich herausgestellt habe, noch nicht, aber ich trinke schnell die erste Flasche aus. 0,5 Liter, das ist schon mal ein Anfang. Sofort schraube ich die nächste auf. Die schaffe ich nur noch halb, also setze ich mich aufs Sofa und starre die Flasche an. Das wird langweilig, und wieder ist niemand da, mit dem ich reden kann. Mein Blick wandert zur Wand. Die Wand besteht aus grauen Betonsteinen. Wirklich nichts weist darauf hin, dass sich in diesem Raum Musiker aufhalten. Das ist der Preis für den Erfolg.

Vor noch nicht allzu langer Zeit saßen wir dichtgedrängt in einem vollgequalmten Raum und schrien uns fröhlich an. Unsere Füße standen in Bierpfützen. An den Wänden war kaum noch Platz für eine kleine Inschrift. Wenn eine Band keine Aufkleber dabeihatte, wurde wenigstens etwas Lustiges an die Wand geschrieben oder gemalt. Besonders bei sexuellen Themen entfaltete sich eine enorme Kreativität. Die Clubbesitzer sind selten so herzlos, das zu überstreichen. In einem kleinen Club in Oklahoma City zeigte uns ein Angestellter ein Autogramm von Sid Vicious. Also da stand Sid, und im Grunde genommen hätte jeder das da hinschreiben können. Aber es ist schöner, wenn man glaubt, dass es echt ist. Waren die Sex Pistols je in Oklahoma? Dann wird Sid Vicious auch so rumgesessen haben, und dann hat er aus Langeweile seinen Namen an die Wand geschrieben. Musiker haben im Gegensatz zu Rentnern ziemlich viel Zeit. Sie warten, bis sie in den Club können, sie warten auf den Soundcheck, auf das Essen, den Einlass, das Konzert und dann darauf, dass sie alles wieder abbauen können. Und schließlich, dass der Bus endlich abfährt. Zwischendurch auf das Bier. So viele Witze, um diese Zeit zu überbrücken, gibt es gar nicht. Da ist es kein Wunder, dass einige Bands sich einen Tätowierer mitnehmen, der ihnen im Laufe der Tour den ganzen Körper bunt anmalt. Den Bands sieht man dann auch an, wie lange sie schon unterwegs sind. Die Musiker brauchen sich mit diesem Aussehen nicht mehr für eine ordentliche Arbeit zu bewerben. Manche wissen das sogar und machen trotzdem weiter. Sie wollen zeigen, dass sie alles auf die Musik setzen und dass es kein Zurück mehr gibt.

Ich selbst habe mich auch im Backstage tätowieren lassen. Meine Kollegen haben nur mit dem Kopf geschüttelt, als sie das Ergebnis sahen. Ich wollte, dass es so aussieht, als wäre es im DDR-Knast gestochen worden, aber das hat der Tätowierer nicht verstanden. Er sprach kein Deutsch und wusste nicht, was eine DDR sein soll. Dort waren ja nur Leute tätowiert, die im Gefängnis saßen, und insofern wirkten die dann zu Recht gefährlich. Gefährlich wirkte ich nicht. Als ich das Bild auf meinem Arm sah, musste ich lachen. Das geht mir immer noch so, wenn ich an einem Spiegel vorbeikomme.

Jetzt knallt die Tür gegen die Wand, und Till steht im Raum. Er schmeißt seine Tasche aufs Sofa und schreit: »TOM!!« Gewusel im Flur. »TOOOOM!«

Tom kommt hereingestürmt und begrüßt Till hocherfreut. Dann beginnt er eifrig, die Namen der Gäste, die Till von diversen Zettelchen abliest, aufzuschreiben. Das will gar kein Ende nehmen.

Tom blüht richtig auf. »Kein Problem«, sagt er, »die holen wir alle rein.« Manche der Namen sind nicht mehr richtig zu entziffern, aber es wird schon klappen.

Till kuckt zur Uhr. »Scheiße, schon so spät«. Er beginnt sich blitzschnell auszuziehen. Dann streift er sich sein Sporthemd über, auf dem der Name von einer Band steht, die ihm das Hemd in der Hoffnung geschenkt hat, dass er es in der Öffentlichkeit trägt. Der so ziemlich Einzige, der den Namen liest, bin ich.

Schon verschwindet Till im Bad, um Sport zu machen. Da steht so ein Oberkörper mit Kopf, den man verprügeln kann. Damit er nicht umfällt, wird sein Fuß jeden Tag mit Wasser gefüllt. Till hat den Mann schon so verdroschen, dass der Hals gebrochen ist. Bricht ein echter Hals genauso schnell?

Ich habe in unserer Zeit mit Feeling B Schlägereien erlebt, bei denen ich nie gedacht hätte, dass die Leute das überleben. Aber die sind einfach wieder aufgestanden und haben sich noch ein Bier geholt. Manchmal muss man aber nur ungünstig hinfallen und ist tot. Da kommt der andere dann ins Gefängnis, obwohl er ihn gar nicht umbringen wollte. Das weiß ich aus dem *Tatort*. Am besten ist wohl, Schlägereien aus dem Weg zu gehen. Leider klappt das nicht immer so einfach, zumal ich nicht schnell rennen kann.

Ich höre es klatschen und schnaufen. Zwischendurch kommt Till heraus, schnappt sich sein Handy und rennt vor die Halle, um zu telefonieren. Schnell ist er wieder da und drischt weiter auf die Puppe ein.

Ich beschließe, ihn nicht zu stören, und kucke mal wieder ins Nachbarzimmer, um zu sehen, was die anderen so machen. Olli schießt mit einem Fußball immer wieder gegen die Wand. Ich hatte das Geräusch schon länger gehört, aber gedacht, der Soundcheck würde noch laufen. Die Hiphop-Bands erzeugen ja auch den tiefen Klang einer Basstrommel, indem sie mit einem Ball gegen das Studiofenster schießen. Habe ich jedenfalls mal gehört.

Paul liegt auf einer Art Bank und hebt Gewichte hoch. Immer noch läuft angenehme Musik. Auf dem Tisch liegen Postkarten aus Budapest für ihre Familien. Mann, sind die ordentlich. Sogar Briefmarken sind drauf. Ich entspanne mich ein bisschen, wenn man mein stumpfes Nichtstun so bezeichnen kann, und gehe wieder zu uns rüber.

*

Als ich erneut an dem Bild mit unseren Fotos vorbeilaufe, fällt mir ein, wie wir unser erstes Bandfoto gemacht haben.

Wir hatten schon ein paar Auftritte hinter uns, aber noch nie bei einem richtig angekündigten Konzert, sondern immer als Überraschungsgast bei befreundeten Bands. Das sollte sich jetzt ändern. Ein alter Bekannter hatte wie so viele von uns nach der Wende versucht, sich eine gesicherte Existenz aufzubauen und sich ein neues Wirkungsfeld zu schaffen. So versuchte er sich als Konzertveranstalter und organisierte Rockkonzerte in und um Berlin.

Dieses Mal mal wollte er ein richtiges kleines Rockfestival mitten auf einer Wiese am Rand von Potsdam etablieren. Da wir als Band noch unbekannt waren, buchte er als Zugpferd die Inchtabokatables. Mittelaltermusik, besonders von dieser Band gespielt, war zu dieser Zeit sehr beliebt.

Aber damit noch ein paar mehr Leute kamen, wollte er eine Annonce im *Tip* platzieren, das war eine Zeitung für Berliner Veranstaltungshinweise, und früher waren da auch noch ganz viele Sexanzeigen drin, deren Begriffe wir nicht im geringsten deuten konnten. Oder wollte sich da wirklich jemand anpinkeln lassen? Wurde da jemand mit stinkenden Füßen gesucht? Suchten da in echt Leute jemanden, der ihnen beim Sex zusieht? Und was sollte eine harte Welle sein? Ich kannte nur die Neue Deutsche Welle. Und im Gegensatz zu den ganzen Punks, die die Neue Deutsche Welle und besonders Frl. Menke verabscheuten und ihr vorwarfen, die ganze Musikrichtung kaputtgemacht zu haben, fand ich das alles richtig gut. Sogar Markus.

Ich weiß nicht, wieso ich jetzt darauf komme, ach so wegen der harten Welle im *Tip*. Dort sollte nun ein Foto von uns rein. Wenn auch nicht bei den Sexanzeigen. Wir hatten keine Idee, wie das Foto aussehen und wer es machen sollte. Uns fiel nur auf, dass alle Bands, deren Fotos wir uns in einer älteren Ausgabe der Zeitung ansahen, fast identisch aussahen. Wir wollten uns irgendwie von denen abheben.

Da fiel mir ein, dass ich im Trödelladen in den S-Bahn-Bögen ein kleines Atelier gesehen hatte, in dem man sich in historischen Kostümen fotografieren lassen konnte. Das sah dann aus wie ein altes Foto. Da alle die Idee gut fanden, gingen wir nach der Probe zusammen in diesen Laden. Die Frau, die dort arbeitete, war etwas überrascht, dass wir so viele waren. Normalerweise kamen da sonst nur einzelne Personen oder Pärchen zum Fotografieren vorbei. Wir mussten sie auch überreden, uns das Negativ mitzugeben, da wir sonst nur einen Abzug bekommen hätten. Oder war es ein Polaroidfoto?

Beim Anprobieren der Kostüme stellten wir fest, dass wir sie gar nicht richtig anziehen konnten, da sie nur aus den Vorderseiten bestanden und hinten mit Gummibändern zusammengehalten wurden. Deshalb passten sie jedem, was sehr günstig war.

Wir stellten uns genauso hin, wie die Frau es vorschlug, und sie machte das Foto. So einfach wurde es mit uns nie wieder, da wir später anfingen mitzudenken und manchmal der Meinung waren, alles besser zu wissen als die Fotografen. Jedenfalls brachten wir stolz das Foto unserem Manager. Der gab es an die Zeitung weiter. Anhand dieses Fotos konnte aber niemand Rückschlüsse darauf ziehen, welche Art von Musik wir machen würden. Es sah ein bisschen so aus, als würden wir beliebte Schlager aus den dreißiger Jahren singen. So a cappella wie die Comedian Harmonists. Der Text unter dem Foto versprach vollmundig, dass wir eine großartige Band seien. Da steht ja auch selten, dass eine ganz schlechte und langweilige Band kommt, selbst wenn das wirklich mal der Fall sein sollte.

Aber weder das Foto noch der Text sprach überhaupt irgendwelche Leute an. Das Interesse an Ostbands war in dieser Zeit nach der Wende generell nicht so groß. Das stellten wir fest, als wir in Potsdam einfuhren.

Normalerweise kennt der Veranstalter den Weg, den die Band zu den Veranstaltungsorten nimmt, und klebt genau auf diese Straße einige Plakate für das Konzert, damit die Band sich freut und sieht, wie gut der Veranstalter arbeitet. Wir kamen aber von einem anderen Konzert in Dresden, wo wir überraschenderweise als Vorband bei unseren Freunden von DEKAdance spielten.

Der Abend mit dieser Band in Dresden war unheimlich lustig, und so waren wir etwas müde und verkatert und kamen eben von einer anderen Autobahnabfahrt, als sich der Veranstalter gedacht hatte, und so sahen wir nicht ein einziges Plakat von uns, sondern nur ein riesiges Transparent, auf dem stand: Sagst Du Opel – denkst Du Piegorsch! Und was passiert, wenn ich Piegorsch denke? Ich bin dann zu dem Ergebnis gekommen, dass Piegorsch wohl der Name von einem Mann ist, der etwas mit Autos der Marke Opel zu tun hat. Ob wegen dieses Transparentes je ein Kunde Piegorsch gedacht hat und auch dort hingegangen ist?

Ich denke eher nicht, zu uns ist schließlich trotz des Artikels und des Fotos in der Zeitung auch niemand gekommen. Fast niemand, vor der Bühne stand nur eine dünne Reihe von Leuten, die sich ausschließlich aus unseren Bekannten und Verwandten zusammensetzte. Und vor diesen Leuten war es uns natürlich noch peinlicher, dass niemand sonst kam.

Von einem Bandmitglied kamen sogar die Eltern mit fröhlich erwartungsvollen Gesichtern. Sie wollten ihren Sohn endlich einmal in dieser tollen Band spielen sehen, von der so viel erzählt wurde. Der Sohn erstarrte geradezu, als er seine Eltern erblickte. Zu allem Pech hatten wir noch einen Freund von einer anderen Band mit, der, um der sich ausbreitenden depressiven Stimmung zu entkommen, oder auch einfach aus Gewohnheit, ganz viele Drogen schluckte. Vielleicht auch aus noch anderen Gründen, aber das war für die Wirkung unerheblich. Er kam mitten im Konzert von hinten auf die Bühne und drehte erst mal an allen Verstärkern, um den Klang so einzustellen, dass er ihm gefiel. Die Sicherheitsleute trauten sich nicht zu ihm, da wir ja dort spielten und er uns nicht zu stören schien. Wir wirkten wahrscheinlich alle wie unter Drogen, niemand konnte da genau wissen, wer dazugehört und wer nicht. Das war unserem Freund auch nicht ganz klar, und so griff er sich ein Mikrophon und fing an zu singen. Da er unsere Lieder nicht kannte, sang er die Texte seiner Band, um uns dann einfach lauthals zu beschimpfen. Wir standen wie die Trottel auf der Bühne und versuchten vergeblich, ihn zu beruhigen. Wir waren auf solche Ereignisse nicht vorbereitet. Schließlich unterbrachen wir unser Konzert, fingen ihn ein und sperrten ihn in unseren Bus, schon damit er nicht von den Ordnern verprügelt wurde.

Wir kamen aber danach nicht mehr so richtig in Stimmung und hofften nur, dass das Konzert schnell vorbeigehen würde. Ich traute mich nicht, zu unseren Freunden im Publikum zu kucken, und blickte lieber zu unserem Bus, der die ganze Zeit gewaltig wackelte. Inzwischen hatte unser Kumpel mitbekommen, dass er eingesperrt war. Als es endlich überstanden war, fuhren wir ganz schnell zurück nach Berlin. Wir parkten vor dem besetzten Haus, in dem auch die Inchtis wohnten. Unter ihrer Wohnung befand sich ein Ausschank, der von den Hausbewohnern und ihren Freunden unterhalten wurde.

Dort konnte man so lange etwas trinken, wie man wollte, und solange man jemanden überzeugen konnte, nicht abzuschließen. Genau so eine Kneipe brauchten wir jetzt.

Wir waren nach diesem schlechten Konzert am Boden zerstört. Unseren Freund ließen wir im Bus, damit nichts passierte. Er hatte uns gleich beim Einsteigen fröhlich darüber informiert, dass er noch einiges unternehmen würde. Wir versuchten, uns dann so doll zu betrinken, dass wir das Konzert vergessen konnten. An unserem Foto hat es wohl nicht gelegen, dass der Abend so einen traurigen Verlauf nahm.

Trotzdem nahmen wir schnell das nächste Foto auf. Wir hatten schon bei dem ersten Foto festgestellt, wie schwierig es ist, sechs Personen auf ein Bild zu bekommen. Die einzelnen Leute sind dann nur noch sehr klein, und unten, wo die Oberkörper sind, ist alles eine schwarze Masse. Schließlich wollten alle etwas Schwarzes anziehen. So beschlossen wir, dass nur Till auf dem nächsten Foto zu sehen sein sollte, und zwar mit langem Mantel und Fontänen in den Händen. Leider lässt sich Feuer nicht gut fotografieren.

Wir stellten Till abends in einen Hof, und auf ein Kommando des Fotografen musste er die Silber- oder Goldregen zünden, die er noch von Silvester übrig hatte. Da er seine Insektenbrille aufhatte, erkannte man ihn nicht. Das war zum Glück egal, da sowieso niemand wusste, wie er aussah. Wir brauchten dann aber doch noch Fotos mit der ganzen Band drauf, und da uns unser erstes Foto eigentlich ganz gut gefiel, weil es so einen Ernst ausstrahlte und wir darauf wirklich nicht wie eine übliche Rockband aussahen, beschlossen wir, dieses Foto bei einer Freundin noch mal aufzunehmen. Diesmal brachten wir unsere eigenen Sachen mit. Die neuen Fotos waren dann qualitativ viel besser als das Foto aus dem Laden.

Das war eigentlich gar nicht zu verwenden. Es war an den Rändern auch angeschnitten. Daran kann man jetzt immer noch das Original erkennen.

*

Auf dem Flur höre ich das Klackern von Schneider. Der spielt sich auf einem elektrischen Schlagzeug warm. Es ist natürlich ein elektronisches Schlagzeug, aber ich finde elektrisch klingt besser, nach *Metropolis* oder dem *elektrischen Reiter*. Dieses Instrument klingt nur unter seinen Kopfhörern wie ein Schlagzeug, für mich ist das eben nur ein Klappern auf Papptellern.

Ich öffne die Tür zu seiner Garderobe und trete leise ein. Er hört und sieht mich nicht. Da er auch nichts sagt, erinnert er mich an die drei Affen, die bei meiner Oma standen. Leider konnte ich nicht mit ihnen spielen, da sie zu einer Figur zusammengeschmolzen waren und über keine nützlichen Fähigkeiten verfügten. Ich sehe Schneider ein bisschen zu, ohne dass er mich bemerkt, und gehe leise weiter.

Dabei denke ich darüber nach, dass Schneider echt der ordentlichste von uns ist. Nicht nur, weil er sich vor jedem Konzert so gewissenhaft warm spielt, sondern weil er vom ganzen Wesen her so klar und gerade ist. Er setzt sich ein Ziel und kümmert sich dann darum, dass er es auch erreicht. Wieder eine Eigenschaft, die mir völlig fehlt. Wenn ich mal etwas erreiche, dann ist das meistens eine Sache, von der ich am Anfang nicht einmal wusste, dass es so etwas gibt. Von den meisten Musikpreisen habe ich zum Beispiel erst gehört, als wir selbst dafür nominiert waren. Schneider hingegen hat in meinen Augen ganz klare Vorstellungen davon, was er machen oder werden will. Als ich in unsere Garderobe komme, läuft da auch Musik. Natürlich viel lauter als im Nachbarraum.

Huch, das ist ja schon die Umziehmusik. Eine Stunde vor dem Konzert startet Till immer dieselbe Liste mit Liedern, zu denen er sich beim Umziehen auch warm singen kann. So weiß er bei jedem Lied, wie viel Zeit er noch hat. Eine Art akustische Uhr. Ist es schon so spät? Ja, ist es. Ich muss irgendwie die Stunden verwechselt haben. Auf unserer Uhr sind nur Striche und keine Zahlen. Da verrutscht man schnell um eine Stunde. Erst recht, wenn die Uhr schief hängt. Jetzt aber los. Ich trinke noch eine Flasche Wasser aus. Das ist die letzte vor dem Konzert. Dann gehe ich pinkeln.

Als ich wiederkomme, ist Till schon dabei, sich in seine Stiefel zu zwängen. Ich renne zu unserem Garderobenschrank und zerre meine Sachen heraus. Mein Gott, die stinken aber. Das ist ja schlimm. Das ist unmenschlich. Die sind auch noch ein bisschen feucht. Und das soll ich jetzt anziehen? Ein Glück, dass ich nichts gegessen habe, denn ich kann den Brechreiz kaum unterdrücken. Ich zögere den Vorgang des Anziehens noch etwas heraus, indem ich die Sachen auf einen Stuhl lege und wieder zum Schrank gehe, um mir saubere Zivilsachen herauszusuchen. Die will ich mir nach dem Konzert anziehen.

Die Garderobenschränke haben wir von der Kelly Family geerbt. Das war eine Band, die nur aus Familienmitgliedern bestand. Die haben in den neunziger Jahren Millionen von Platten verkauft und weltweit riesige Konzerte gegeben. Wenn wir stolz darauf sind, in einer Stadt das Stadion für unser Konzert ausverkauft zu haben, erzählen uns die Veranstalter, wenn sie uns am Vorabend des Konzertes zum Essen einladen, dass die Kelly Family dort eine Woche lang zweimal am Tag gespielt hat. Erst als Vater Kelly gestorben ist, fiel die Band auseinander, sie gingen nicht mehr auf Tour, und so brauchten sie die vielen Garderobenschränke nicht mehr. Da haben wir sie geschenkt bekommen.

Ich ziehe das Fach mit meinen sauberen Sachen und Büchern auf. Ein paar Geschenke sind auch schon drin. Also nicht für mich. Ich versuche immer, etwas Landestypisches für die Kinder mitzubringen, muss aber oft feststellen, dass es die Sachen, die ich in weit entfernten Ländern kaufe, in Berlin viel billiger gibt. In New York habe ich mal für meine Tochter eine Indianerpuppe gekauft, die sich dann als Barbie entpuppte und von der Mutter aussortiert wurde. Woher soll ich bitte schön wissen, wie eine Barbie aussieht? Und auch die originalen indianischen Wundersteine, die ich in der Wüste von angeblichen Medizinmännern gekauft habe, gibt es auf jedem zweiten Trödelmarkt in Berlin für die Hälfte des Geldes.

Noch schwieriger wird es, wenn ich zum wiederholten Mal nach Paris oder London fahre. Die ganze Wohnung steht schon voller Eiffeltürme und roter Busse. Ich habe nach der ersten Tour durch Australien auch schon alle Bekannten und Verwandten mit Bumerangs und Kängurus versorgt. Für meine Tochter sogar Känguru in der Büchse. Das war dann aber doch ein Kuscheltier und kein Fleisch. Da war ich selber überrascht. Ein Kuscheltier in einer Blechbüchse.

Es wird immer schwieriger, etwas zu finden, und oft hilft nur der Trödelmarkt. Weil ich mich so schlecht verständigen kann, zahle ich da aber immer viel zu viel. Oder weil ich den Umrechnungskurs völlig falsch einschätze. Dafür nehme ich jetzt aus den Hotelzimmern die Notizblöcke und die Kugelschreiber mit, denn da steht manchmal der Name der Stadt, in der wir gerade sind, drauf. Da habe ich dann später eine schöne Erinnerung an die Zeit mit der Band.

Gut, ein sauberes T-Shirt und ein Hemd habe ich noch gefunden. Ich nenne ein Hemd Hemd, wenn es langärmlig und zum Aufknöpfen ist. Keine Ahnung, wie das richtig heißt. Ich lege die Sachen auf die Sofalehne, damit ich sie nach dem Konzert schnell finde. Jetzt ziehe ich mich erst Mal aus. Wenn es nur nicht so kalt wäre, ich bekomme sofort eine Gänsehaut. Vielleicht bin ich ja wirklich krank. Darauf kann ich aber jetzt nicht achten, denn ich muss mich konzentrieren, um genau die richtige Reihenfolge einzuhalten. Als Erstes die sogenannten Fickhosen. Das sind kurze Lederhosen, die hinten nur mit Klettverschlüssen geschlossen werden, so dass Till sie mit einem Ruck aufreißen kann, und mein Po dann sozusagen freiliegt. Hier gilt es, äußerste Vorsicht mit dem Reißverschluss vorne walten zu lassen, weil ich keinen Schlüpfer drunter habe. Heute wäre ein guter Tag für die Enthaarungscreme gewesen, aber das habe ich wieder mal verpasst. Ich kann ja morgen ein bisschen früher vor dem Konzert in die Halle kommen.

Jetzt die Knieschützer. Die gibt es in der Berufsbekleidung zu kaufen, denn die Leute, die die Pflastersteine auf dem Gehweg verlegen, brauchen so etwas. Ich sehe denen gerne und voller Bewunderung zu, wenn sie diese kleinen Pflastersteine verlegen. Bei uns haben sie die ganze Straße aufgerissen, weil sie irgendein neues Kabel verlegen wollten. Dann haben sie den Bürgersteig wieder gepflastert. Kurz danach haben sie an den Straßenecken diese sinnlosen Parktaschen gebaut und zum Schluss alles wieder zugemacht.

Wir verlegen zwar keine Pflastersteine, aber wir spielen auf einer Gitterbühne, damit das Licht von unten durchscheinen kann, und wenn ich da drauffalle oder Till mich herumschleift, wird mir sonst die Haut vom Knie gefetzt, denn das

Gitter ist extra aufgeraut, damit wir darauf nicht ausrutschen. Ich knie mich schon mal testweise hin. Super, es tut kein bisschen weh. Kein Wunder, ich knie ja auch auf dem weichen Teppich. Es schnürt nur ein wenig die Adern ab.

Ich greife zu den langen Hosen von meinem Glitzeranzug. Die Beine sind längs aufgeschnitten, so dass ich die Hosen während des Konzertes blitzschnell ausziehen kann. Ich ziehe sie über die Fickhose und drücke die Magnetbänder zusammen, um die Schlitze an den Beinen wieder zu schließen. Da die Magnetbänder unter der Beanspruchung beim Konzert nicht halten, mussten wir zusätzlich noch Druckknöpfe annähen. Die Magnetbänder sind somit völlig sinnlos. Aber theoretisch gut.

Nun zu den Schuhen. Das sind meine Hochzeitsschuhe. Ich dachte, es wäre Verschwendung, wenn ich diese Schuhe ausschließlich zur Hochzeit anziehen würde, und trage sie deshalb seit der Tour, die kurz nach der Hochzeitsfeier losging, auf der Bühne. Inzwischen haben wir schon so oft gespielt, dass die Schuhe richtig abgenutzt sind.

Zeitgleich zu meiner Hochzeit hat auch Dieter Bohlen Gefallen an den silbernen Schuhen gefunden und ist mit ihnen auf einem riesigen Werbeplakat zu sehen gewesen. Ich fand es sehr lustig, dass wir beide denselben Geschmack haben, und dass Dieter Bohlen diese Schuhe jetzt öffentlich trug, war für mich kein Grund, sie nicht auch anzuziehen. Ich hatte auch keine Lust, mir wegen Dieter Bohlen neue Schuhe zu kaufen.

Ich ziehe die Schleifen mit ganzer Kraft zu, denn sie dürfen mir auf der Bühne auf keinen Fall aufgehen. Einen Doppelknoten darf ich aber auch nicht machen, weil ich sie während des Konzerts schnell ausziehen will. Doppelknoten können so fest sein, dass sie gar nicht mehr aufgehen.

Dann die Jacke. Halt, erst schminken. Ich sause ins Bad,

trete vor den Spiegel und suche eine Haarbürste. Inzwischen ist auch der Rest der Band im Bad, und die Bürste ist in Benutzung.

»Na, spät dran heute?«, fragt mich Schneider, während er sich die Augen anmalt. Das Schminken macht uns allen Spaß, weil wir jeden Tag etwas Neues ausprobieren können. Oder wenigstens eine kleine Variation unserer Maskerade. Ich sprühe mich erst mal gründlich mit Deo ein, während ich auf die Bürste warte. Gegen den bestialischen Geruch meiner Sachen kann ich jedoch nicht viel ausrichten, und das starke Deo macht das Atmen auch nicht leichter. Die ganze Band stöhnt auf. Alle wedeln mit Handtüchern, und einige verlassen ostentativ den Schminkraum. Ich habe wohl etwas übertrieben, aber ich finde es beruhigend, wenn es jeden Abend nach meinem Lieblingsdeo riecht. Dann schnappe ich mir die Bürste, die jetzt endlich frei geworden ist, und scheitele mein Haar. Die meisten Haare bleiben in ihr hängen. Das ist ja schon nicht mehr normal. Ich habe richtigen Haarausfall. Habe ich Krebs, oder was? Nein, da verliert man ja die Haare erst durch die Chemotherapie. Ich blicke in den Spiegel. Die Geheimratsecken werden immer tiefer. Es sind schon keine Ecken mehr. Eher Appellplätze. Überall kuckt die Kopfhaut durch. Scheiße, ich werde alt. Das ist ja an sich schon blöd, aber dass es so schnell geht und für jedermann so offensichtlich zu verfolgen ist, schockiert mich völlig. Ich sollte mir schwarze Schuhcreme auf die Kopfhaut schmieren, dann sieht man das wenigstens aus der Entfernung nicht so doll. Stattdessen mache ich mir ordentlich viel Gel auf die Hand und verteile es auf meinem Kopf. Und jetzt schön glattziehen. Wenn es mehr Haare wären, würde es gut aussehen. Ich müsste es höchstens noch färben. Gegen das Grau hilft das

Gel nicht. Zum Glück stehe ich hinten auf der Bühne, da bin ich nicht so gut zu erkennen.

Schnell zum Schminken. Mit einem Schwamm tupfe ich Milchpulver in mein Gesicht. Damit das nicht gleich herunterstaubt, hat Tom es mit Kautschuk verrührt. Ich habe aber mit dem Haargel zu viel rumgeschmiert, und auf diesen Stellen deckt das Weiß nicht. Es ergibt da so komische Flecken und sieht aus, als hätte ich zudem Neurodermitis. Das nächste Mal fange ich früher mit dem Schminken an.

Dabei geht das mit dem Weißschminken besser als früher, als ich mich noch mit Kaffee geschminkt habe. Ich weiß nicht mehr, wer von uns das mit dem Kaffee entdeckt hat. Wenn ich die Band das fragen würde, würden bestimmt alle die Hand heben. Ich war es jedenfalls nicht. Aber irgendwann fingen wir an, uns mit ganz dickflüssigem Kaffee zu beschmieren. Wir nehmen dafür löslichen Kaffee, der mit wenig Wasser verflüssigt wird. Das sieht absolut stark aus. Ein bisschen wie geronnenes Blut und ein bisschen wie Dreck, Schlamm oder Rost. Und man kann ganz feine Abstufungen erreichen, je nachdem, wie man den Kaffee mixt und aufträgt.

Ich habe im Gesicht und auf den Armen immer eine festere Mischung gehabt, und obendrauf habe ich mir etwas flüssigeren Kaffee gekippt und am Körper herunterlaufen lassen. Danach durfte ich mich nicht mehr hinsetzen und auch sonst nichts berühren. Der Kaffee fühlte sich wie Klebstoff an. Bei den Konzerten war ich dann immer auf hundertachtzig, wie man so schön sagt, also ich war völlig aufgedreht und zappelig. Rasendes Herzklopfen hatte ich auch. Ich konnte nicht richtig spielen und schlief nachts nicht mehr. Ich klagte über Übelkeit und krankhafte Nervosität, und die Band riet mir, weniger Alkohol zu trinken, was an sich ein guter Ratschlag war, mir aber in dem Moment nicht recht weiterhalf. Ich dachte, ich werde verrückt. Und dann kam ich drauf, dass ich Unmengen von Kaffee auf der Haut hatte, und da wird es ja auch vom Körper aufgenommen. Bestimmt hatte ich jeden Abend die Dosis von zwanzig Tassen Kaffee im Körper, und das wochenlang.

Also besorgte ich mir koffeinfreien Kaffee. Der klebte aber aus unerfindlichen Gründen nicht mehr so gut auf der Haut. Ich bereitete mir dann einen Kaffeemix aus beiden Sorten zu. Das gab es in der DDR auch schon. Ich erinnere mich noch an den Reim: Hast du 'ne Frau, die nicht gleich will – Nimm Kaffee Mix, dann liegt sie still. Damit war wohl gemeint, dass in diesem Mix so wenig Koffein drin war, dass man danach problemlos einschlafen konnte. Das ist ja für mich genau das Richtige. Mein Kaffeegemisch klebte immerhin noch genug am Körper. Wenn ich anfing zu schwitzen, liefen allerdings klebrige Bäche an meinem Körper hinunter, die beim Trocknen spannten und juckten. Sobald ich irgendetwas anfasste, klebte das logischerweise auch. Ich konnte nicht mehr richtig Keyboard spielen, denn auf den Tasten war die reinste Kaffeeschmiere, und meine Finger rutschten immer wieder aus und blieben später richtiggehend kleben. Immerhin roch es gut nach Kaffee. Ich finde ja, wenn man sich einen Kaffee aufbrüht, riecht es besser, als es dann schmeckt.

Auf so einer Tour riechen wir alle die ganze Zeit ganz lecker nach Kaffee, denn wenn sich das mit dem Schweiß verbindet, geht das aus den Klamotten nicht mehr heraus. Wenn wir im Flugzeug sitzen oder im Bus, überall riecht es nach Kaffee. Wenn ich jetzt irgendwo im Alltag Kaffee rieche, setzt gleich der Pawlow'sche Reflex ein, und ich werde ganz aufgeregt und fange an zu schwitzen. Ich denke dann, das Konzert fängt gleich an. Die restliche Band benutzt schließlich noch Kaffee. Im Bad höre ich immer jemanden rufen: Hat schon jemand Kaffee gemacht? Und dann unterhalten sich alle lang und breit über die Qualität der aktuellen Kaffeemischung. Ich kann nicht mehr mitreden, denn ich bin jetzt weiß wie ein Clown. Ich finde Clowns abscheulich, schminke mich aber trotzdem so. Immerhin benutze ich dazu Milchpulver. Wieder einmal habe ich vergessen, mich zu rasieren. Jetzt piksen die Bartstoppeln durch die Schminke. Das sieht nicht schön aus, aber beim Konzert stehen die Leute mindestens zehn Meter von mir entfernt und können das nicht sehen.

Nun suche ich mir einen Kajalstift aus dem Schminkkoffer. Die Mine ist wieder mal abgebrochen. Da liegt auch schon der Anspitzer, so ein Bleistiftanspitzer, wie ich ihn in der Schule hatte. Ich spitze den Stift also an und schminke mir damit die Lippen schwarz. Ich reibe die Lippen fest aufeinander, damit sich das Schwarz verteilt, und schaue in den Spiegel. Sieht gar nicht so schlecht aus. Dann ziehe ich noch sorgfältig die Kanten der Lippen nach. Als Frau wüsste ich auch, wie das richtig heißt. Klasse! Mit einem Lippenstift hätte ich das nicht so gut hingekriegt.

Jetzt kommt die Showbrille. Schon bei unseren ersten Konzerten habe ich mir eine Sonnenbrille aufgesetzt, weil ich fand, dass ich mit einer normalen Brille so normal aussah wie ein Versicherungsvertreter oder ein Elektrikerlehrling. Bevor ich bei Rammstein war, habe ich mich für ein Konzert überhaupt nicht umgezogen. Ich ging einfach so auf die Bühne, wie ich die ganzen letzten Tage herumgelaufen war, wenn ich nicht sogar in diesen Sachen geschlafen hatte. Wenn ich jetzt mal ein Foto von einem Konzert aus dieser Zeit sehe, ist darauf durch nichts zu erkennen, warum ich da mit auf der Bühne stehe, denn ich sehe nicht im Geringsten so aus, als hätte ich etwas mit der Band oder generell mit Musik zu tun. Setzte ich mir aber eine Sonnenbrille auf, sah ich schon etwas besser aus, konnte aber dafür nicht mehr scharf sehen, denn mir fehlten ja die Dioptrien. Ich rannte gegen irgendwelche Pfeiler und stolperte auf den Treppenstufen. Da klaute Till für mich an einer Tankstelle einen Sonnenbrillenaufsatz, den ich über meine normale Brille klemmen konnte. Da es aber auf der Bühne recht dunkel war, sah ich damit auch fast nichts. Das aber schön scharf. Zufällig erzählte mir ein Freund, der auch Brillenträger ist, dass man Sonnenbrillen mit Stärke herstellen kann. Da ließ ich mir beim Optiker meine erste Showbrille bauen, die ich nun bei unseren Konzerten trug. Sonst aber nicht, da ich Sonnenbrillen nicht leiden kann. Ich konnte weiterhin in dunklen Räumen nicht viel erkennen. Und die Konzerte und Garderoben sind meistens in geschlossenen Räumen, wo es nicht so hell ist. So wie jetzt in diesem Moment.

Ich taste mich in den Duschraum, um meine NVA-Übungen zu machen. So hat es mal jemand genannt, der mich dabei beobachtet hat, ich selber war nicht bei der NVA und erst recht nicht bei der Bundeswehr. Dafür war ich dann viel zu alt und außerdem hätte ich ja im Prinzip mich selbst bekämpfen müssen, denn die Bundeswehr war jahrelang unser größter Feind. Ein aggressives Söldnerheer, das die Interessen der imperialistischen Großmächte mit Gewalt durchsetzen sollte, wie man uns eintrichterte.

Ich beginne damit, die Arme kreisen zu lassen. Ich muss mich nämlich aufwärmen. Voller Energie reiße ich sie hoch. Dabei knalle ich mit der linken Hand an den Duschkopf.

Es ist einfach zu eng hier. Mann, tut mir die Hand weh! Bestimmt habe ich mir einen Knochen gebrochen, ich kann die Finger gar nicht mehr bewegen. Zum Glück spiele ich mit links nicht so viel. Ich schüttele die Hand vorsichtig aus und trete einen Schritt zurück. Und weiter geht's mit den Übungen. Erst zwanzigmal vorwärts kreisen, dann rückwärts, dann gegenläufig und dann andersrum gegenläufig. Ich fange an zu schwitzen. Die Schminke im Gesicht wird schon weich. Habe ich denn gar keine Kondition mehr? Das kommt wohl auch vom Rauchen. Jetzt kreise ich lieber nur mit dem Kopf. Auf der Bühne fange ich manchmal unbewusst an, mit dem Kopf im Takt zu wippen, und wenn ich dann nicht locker bin, verkrampft sich alles. In der Band nennen wir das Bangschmerzen, das ist von dem Begriff Headbanging hergeleitet. Das macht man eigentlich mit langen Haaren, aber ich habe mir meine Haare ganz schnell kurz geschnitten, nachdem ich in einem Konzertmitschnitt gesehen habe, wie ich mit langen Haaren aussehe. Wie Gerhard Gundermann, falls das noch jemandem etwas sagt. Der singende Baggerfahrer.

Nach dem zehnten Mal Kopfkreisen wird mir schwindelig, und ich drehe den Kopf andersherum. Mir wird richtig schwarz vor Augen, und ich muss mich festhalten, um nicht auf die Fliesen zu klatschen. Da ich nichts mehr so richtig erkennen kann, erwische ich die heiße Duschleitung und verbrenne mir die Finger der anderen Hand. Ich lasse schnell etwas kaltes Wasser darüberfließen, damit ich keine Brandblase bekomme. Es kommt aber zunächst nur heißes Wasser aus der Leitung. Das tut viehisch weh, aber ich glaube, das ist gar nicht so schlecht, denn bei Erfrierungen soll man ja auch erst kaltes Wasser nehmen, also sozusagen Gleiches mit

Gleichem bekämpfen. Trotzdem wächst mir an zwei Fingern eine Brandblase.

Ich denke, ich habe jetzt genug Sport gemacht, und wanke zurück in die Garderobe. Ich würde mich gerne kurz auf das Sofa setzen und mich ausruhen, aber da ist auf einmal alles voller Menschen. Keine Ahnung, wo die jetzt hergekommen sind. Till hat es irgendwie geschafft, sich fertig umzuziehen. Gerade verteilt er großzügig Sekt und Wodka. Auf dem Sofa sitzen aufgeregt schreiende Frauen, die ihre Zigaretten herausholen und ungeniert anfangen zu rauchen.

»Hello, let's fuck!«, rufe ich als Begrüßung und um die Stimmung noch etwas mehr aufzulockern. Niemand nimmt Notiz von mir. Sie halten mich wahrscheinlich für einen minderbemittelten Hilfsarbeiter, der sich nicht mal in der Landessprache verständigen kann. In dem Punkt haben sie ja auch recht. Natürlich haben die Gäste nichts gegen mich, sie konzentrieren sich eben auf Till. Ich suche meine Glitzerjacke. Vorhin hing sie noch über meinem Stuhl. Aber da sitzt jemand, und er hat sie hinter den Schrank geschmissen. Ich versuche, sie mir wiederzuholen. Dabei schlängele ich mich zwischen den Leuten durch, kann mich aber schlecht verständlich machen, weil Till die Musik jetzt richtig laut aufgedreht hat. Dann fängt er zu tanzen an. Ab und zu geht die Tür auf, denn die Crewmitglieder wollen sehen, was für Frauen bei uns sitzen.

Ich habe meine Jacke fast erreicht, als ein riesiger Mann, der mindestens wie ein Türsteher aussieht, mich aus Versehen umschubst, weil er Till gestenreich eine offensichtlich sehr lustige Geschichte in gebrochenem Englisch erzählt. Till lacht laut auf und schenkt ununterbrochen Wodka aus. Ich erwische meine Jacke und beschließe, zu Tom ins Sackhausbüro zu gehen. Ich will dort versuchen, den Reißverschluss mit Öl wieder gängig zu machen. Langsam läuft mir die Zeit davon.

Zum Glück ist Tom gerade da. Ich zeige ihm den Reißverschluss. Er nimmt mir die Jacke aus der Hand und macht ihn auf. Das habe ich doch stundenlang probiert. Ich scheine überhaupt keine Kraft mehr zu haben. Wir träufeln noch etwas Babyöl auf die Jacke, und ich ziehe sie an.

»Denk dran«, sagt Tom. »20.40 Uhr ist Meet and Greet.« Ach ja, das stand ja auf dem Day Sheet, das in unserer Garderobe neben die Tür geklebt worden war. Da steht jeden Tag der Ablaufplan der Veranstaltung drauf. Also wann welche Band spielt. Als erste Band spielen anscheinend jeden Abend die Doors. Das habe ich jedenfalls so lange gedacht, bis mir jemand erklärte, dass das bedeutet, dass dann der Einlass beginnt. Also ist Curfew auch nicht die letzte Band. Sondern das heißt, dass die Leute den Saal verlassen müssen. Jetzt, wo ich dahintergekommen bin, würde ich meine Band gleich Curfew nennen, denn dann würde quasi jeden Abend Reklame für uns gemacht werden. Zumindest auf den Day Sheets. Unter dem Gesichtspunkt könnten wir uns natürlich auch *Tagesschau* nennen. Das kommt ja jeden Abend im Fernsehen. Dann stehen wir sogar in der *Hörzu*, falls es die noch gibt. Jetzt ist die *Tagesschau* allerdings schon vorbei, denn es ist bereits 20.30 Uhr.

Ich sause zurück in unsere Garderobe. Dort ist inzwischen die Stimmung richtig ausgelassen. Die Frauen lachen und kreischen, ohne dass ich einen Grund dafür erkennen kann. Alle versuchen anscheinend erfolgreich in der kurzen Zeit, die ihnen noch bis zum Konzert bleibt, so viel Sekt und Schnaps zu trinken, wie sie können. Till erklärt ihnen, dass sie sich den Wodka in Wasserflaschen umfüllen sollen, weil sie diese mit ins Konzert nehmen können. Also werden meine Wasserflaschen, die ich mir liebevoll warmgestellt habe, kurzerhand in die Wasserschüssel mit dem Eis entleert. Das macht nichts, denn ich will ja vor dem Konzert nichts mehr trinken. Durst habe ich allerdings. Ich gehe lieber noch mal pinkeln, damit das Wasser wirklich meinen Körper verlässt. Das Klo ist aber besetzt, und ein paar Grazien stehen davor, weil sie sich schminken wollen oder was weiß ich noch alles. Jedenfalls sind die Türen verriegelt, und ich höre nur Kichern und Schniefen.

Zurück in die Garderobe. Jetzt machen alle ein beziehungsweise ganz viele Fotos mit Till. Damit jeder mit drauf ist, soll ich die Fotos machen. Selfiestangen müsste man haben. Dummerweise kenne ich mich mit den modernen Handys nicht aus und kriege es nicht einmal hin, ein normales Foto zu machen. Also noch mal. Und noch mal. Was passiert mit all den Fotos? Wer will sich die ansehen? Oder soll ich besser fragen, wer muss sich die ansehen? Liegen die jetzt jahrhundertelang in einer Cloud herum? Auf einem Server in der amerikanischen Wüste? Werden die nicht schlecht? Und verschwindet nicht die Seele, wenn man so oft fotografiert wird? Zum Glück bin ich nicht mit drauf. Da kommt Tom mit unserem Sicherheitsmann in die Garderobe, um die Leute auf ihre Plätze in der Halle zu bringen. Ein unheimliches Gewusel entsteht. Die Gäste lassen ihre Jacken und Taschen bei uns liegen, so dass es aussieht wie in einer Garderobe. Na ja, es ist ja auch eine. Dann sind alle weg. Till trinkt versonnen einen Schluck Sekt, und wir schweigen einträchtig.

*

Jetzt spielten wir also ab und zu in einem kleinen Dorfsaal, und ganz langsam gewannen wir so die ersten Fans, die manchmal wissen wollten, wann wir das nächste Mal spielen würden. Das war ganz erfreulich, aber wenn wir bekannter werden wollten, mussten wir endlich mal eine Platte veröffentlichen.

Die einzige Plattenfirma, die wir kannten, war die staatliche Plattenfirma der DDR namens Amiga. Dort war 1989 unsere Platte von Feeling B erschienen. Fünf Jahre nach der Wende war diese Firma, wie fast alle DDR-Firmen, verschwunden. Zwei Musiker von der ziemlich erfolgreichen DDR-Gruppe City hatten eine eigene Plattenfirma gegründet, und da wir die Leute von einigen gemeinsamen Konzerten und Partys kannten, rückten wir mit unserer Kassette oder CD, in dieser Zeit fand gerade der Wechsel zwischen den Medien statt, in ihrem kleinen Büro in Treptow ein. Nachdem wir alle mehr oder weniger einen Sitzplatz gefunden hatten, hörten sich die beiden kurz durch unsere Lieder. Das sei nicht die Musik, für die sie als Firma stehen würden, erklärten sie uns. Wir sollten vielleicht noch ein bis zwei Jahre üben, bevor wir uns noch mal zu ihnen bemühen. Wahrscheinlich lag ihnen mehr an der Erhaltung der DDR-Bands oder des Ostrocks, was ja auch eine ehrenwerte Motivation war, uns aber in dem Moment nicht viel nützte.

Eine andere Firma brachte uns mehr Interesse entgegen, bot aber insgesamt nur 15000 D-Mark Vorschuss, was nicht ausreichte, um in Ruhe eine Platte aufzunehmen. Da gingen wir zum Arbeitsamt und meldeten uns als selbständige Künstler an. Wir bekamen ein kleines Startkapital, aber verloren auch unseren Anspruch auf das Arbeitslosengeld. Und zwar endgültig. Das hieß, ab jetzt blieb uns wirklich nichts anderes übrig, als von der Musik zu leben.

Kurz danach sollten wir wieder in einem Dorfsaal spielen. Als wir dort ankamen, war alles noch abgeschlossen. Nachdem wir eine halbe Stunde vor verschlossenen Türen gewartet hatten, kam der Veranstalter gemütlich aus der Badewanne und ließ uns barfuß in den Saal. Dort waren am Bühnenrand einige Heimboxen für uns hingestellt worden, die höchstens für das Konzert eines Liedermachers gereicht hätten. Das war für uns wirklich ärgerlich, da kamen wir extra her und wollten ein gutes Konzert spielen, und dann war das so schlecht vorbereitet, dass es gar nicht gut klingen konnte. Der Veranstalter hat sich wohl gedacht, es wird sowieso voll, und da kann er das Geld für vernünftige Boxen sparen. Eine Band, die schon mal da ist, wird sich ja wohl das Konzert nicht wegen ein paar Boxen entgehen lassen.

Wir beschlossen trotzdem, einfach wieder nach Hause zu fahren, aber weil es so ein blödes Gefühl ist, ein Konzert ausfallen zu lassen, fragten wir unseren Tonmann, der gleichzeitig Clubchef war, ob wir nicht im Knaack-Klub kostenlos als Vorband spielen dürften. Das ließ sich problemlos arrangieren. Dieser Auftritt machte uns gewaltigen Spaß und wohl einen ganz guten Eindruck auf den Manager einer befreundeten Sängerin. Er hatte über dem Club sein Büro aufgeschlagen und war zufällig zu unserem Konzert heruntergekommen. So langsam wollten wir auch dieses offensichtlich sinnlose Tingeln über die Ostdörfer hinter uns lassen und eine ernsthafte Band werden.

Bei Feeling B war der Manager in unseren Augen nur dazu da gewesen, möglichst viele Konzerte zu organisieren. Wo und wann und für wen wir spielten, war uns da eigentlich völlig egal. Uns interessierte nicht einmal, wie viel Geld wir bekommen würden, da uns die Gage sowieso als nicht verhandelbar und daher sozusagen als gottgegeben erschien. Es waren meist hundert Mark, und da im Osten alles so billig war, konnten wir damit einen ganzen Monat gemütlich leben. Um alles andere als die Konzerte kümmerten wir uns als Band selber. Unser Sänger suchte das Studio aus, und am Plattencover bastelten wir alle gemeinsam. Mehr konnten wir in der DDR als Band nicht tun.

Also wussten wir, oder zumindest ich nicht, wozu ein Manager eigentlich da war, abgesehen davon, möglichst viele Konzerte für die Band zu organisieren. Und jetzt standen wir aufgeregt vor diesem Menschen, der ein richtiger Manager für Bands war. Er strahlte eine spürbare Autorität aus, dabei war er gerade mal so alt wie wir. Aber wahrscheinlich war es das, was wir brauchten. Und er ließ keinen Zweifel daran, dass er genau wusste, was mit uns zu geschehen hatte. Ob der Schritt, den wir damit machten, richtig oder falsch war, wird nie geklärt werden können, denn keiner kann sagen, wie es sonst gekommen wäre, und wir sind unbestreitbar eine relativ erfolgreiche Band geworden. Zu sagen, wer welchen Anteil daran hat, liegt einzig im Auge des Betrachters. Dass ich nicht immer glücklich mit der Entwicklung war, liegt ja auch am meisten an mir selbst. Aber diesen Zwiespalt kennt wahrscheinlich jede Band. Entweder man kümmert sich als Musiker um die langweiligen geschäftlichen Belange, sitzt ewig in nervtötenden Meetings herum und liest sich dann noch alle Schriftstücke so gründlich durch, bis man sie verstanden hat, oder man macht einfach Musik und muss damit leben, dass geschäftlich einiges anders läuft, als man sich das vorgestellt hat. Beides geht nicht. Oder doch, man versucht geschäftlich mitzureden, und es klappt trotzdem nichts. Das ist dann noch frustrierender. Dann lieber gar nicht ins Büro gehen. Da hat man als Musiker sowieso nichts zu suchen. Hat unser Manager jedenfalls gesagt. Von dem haben wir uns später auch wieder getrennt. Vielleicht hat das alles auch nichts mit dem Erfolg zu tun, egal ob geschäftlich oder sonst wie.

Wenn ich darüber nachdenke, warum wir so ein Glück hatten, denke ich manchmal, es liegt einfach daran, dass es uns überhaupt noch gibt und dass wir noch zusammen sind. Die meisten Bands, die es so lange wie uns gibt, sind erfolgreich. Viele der Bands, die auf großen Festivals spielen, kannte ich schon als Kind. Die hören manchmal nicht einmal auf, wenn ein Bandmitglied stirbt. Manche Bands geistern auch nur noch mit einem oder ganz ohne ein Gründungsmitglied durch die Welt. Da kann ich dann allerdings auch zum Karaoke gehen. Wenn ich witzig sein will, raune ich den Leuten zu: Fangt besser keinen Streit mit mir an, ich bin Karaoke-Kämpfer. In Amerika sage ich Karaoki Fighter. Oder ich stelle mich als Mussja-Kämpfer vor. Als solcher lässt man sich ohne Gegenwehr verprügeln und sagt: Muss ja. Muss ja auch irgendwie weitergehen, sagen sich auch die Bands, bei denen jemand gestorben ist. Aber eine Bandkarriere endet nicht immer mit dem Tod, sondern eher, wenn die Differenzen unter den Musikern so groß werden, dass die Band auseinandergeht. Anders als seine Verwandten kann man sich die Bandkollegen aussuchen. Aber auch nur einmal. Es ist wie in einer Ehe. Man kann an der Beziehung arbeiten, und man kann versuchen, sich zu ändern, aber die Frau sollte dieselbe bleiben.

Als ich in die Band kam, war es mir erst mal egal, ob ich mich mit allen gut verstehen würde, ich ging einfach davon aus, dass man sich automatisch gut versteht, wenn man zusammen Musik macht. Ehrlich gesagt wäre ich auch dabeigeblieben, wenn die anderen stinkende, gewalttätige Soziopathen gewesen wären. Ich bemerkte erst viel später, wie gut wir wirklich zusammenpassten. Wir versuchten von Anfang an, ernsthaft die Ursachen von Verstimmungen in der Band aus der Welt zu schaffen. Das fing mit dem Essen an. Am Anfang stürzte sich jeder auf den Teller, der gerade auf den Tisch gestellt wurde. Wer das Essen bestellt hatte und eigentlich essen wollte, war uns dabei völlig egal. War derjenige gerade unaufmerksam oder kurz nicht da, konnte es passieren, dass er von seinem Essen nichts mehr abbekam. Da einigten wir uns darauf, dass jedem der erste Bissen seines Essens zustand, bevor der Teller freigegeben wurde. So hatte der Besitzer der Mahlzeit noch eine kleine Chance, die Bandmitglieder darum zu bitten, sein Essen zu verschonen. Inzwischen ist diese Regelung hinfällig, da wir eher abnehmen wollen und es sowieso kaum noch schaffen, unsere eigenen Teller leer zu essen.

Auch Frauen sind nicht so ein problematisches Thema. Erst recht nicht bei uns, da unsere Geschmäcker, was Frauen angeht, ziemlich weit auseinanderliegen. Und je größer die Auswahl ist, desto geringer ist die Gefahr einer Überschneidung. Und selbst dann wird sich ein Musiker aus Rücksicht auf die Gefühle seiner Kollegen eher zurückhalten, denn die Band ist vielen wichtiger als eine Affäre oder die momentane Geilheit. Schon weil Musiker mit der Band viel länger zusammen sind als mit einer Frau. Eigentlich sogar länger als mit jeder Frau. Sogar ihre Mütter sehen Musiker nicht mal annähernd so oft wie ihre Band. Die meiste Zeit im Leben verbringt man schlichtweg mit den Kollegen. Außerdem verdienen Musiker mit den Bands auch ihr Geld zum Leben, und das ist ja nun nicht ganz unwichtig. Das setzt man nicht aufs Spiel, nur weil einem mal die Freundin eines Kollegen gefällt.

Im Geld liegt überhaupt das größte Streitpotential. Ich glaube, dass der Streit um die Verteilung des Geldes zu den meisten Bandauflösungen geführt hat. Normalerweise ist es so, dass der Komponist eines Liedes prozentual an den Verkäufen des Liedes beteiligt wird. Mit dem Wissen, dass manche Lieder sich millionenfach verkaufen und einem ein sorgloses Leben bereiten können, ich denke da nur an *Last Christmas* von George Michael, versucht jeder Musiker, auch der Komponist zu sein. Wenn man aber in einer Band zusammen musiziert, lässt sich im Nachhinein nicht mehr sicher feststellen, wer nun die ausschlaggebende Essenz beigefügt hat, damit das Lied so ist, wie es ist. Und wenn nur ein selbsternannter Komponist dafür bezahlt wird, finden die anderen das ungerecht, schon weil es für einen Gitarristen leichter als für einen Trommler ist, sich Harmoniefolgen auszudenken. Natürlich ist ein Trommler genauso wichtig für das Lied, entscheidend ist für mich mehr, ob jemand zur Band gehört.

Wir haben uns von Anfang an dazu entschlossen, alle als gleichberechtigte Komponisten anzugeben, und werden dementsprechend auch gleich bezahlt. Ansonsten würden vielleicht keine neuen Lieder mehr entstehen, denn wer hat schon Lust, ewig an einer Idee zu arbeiten, um dann nicht dafür bezahlt zu werden. Da sucht man sich lieber schnell eine neue Band. Ich finde es respektvoller, einfach jedem das Gleiche zu geben. Bei sechs Leuten besteht auch nicht die Gefahr, dass zu wenig Energie in die Band gesteckt wird, eher im Gegenteil. Wie hieß es in der DDR so schön? Jeder nach seinen Fähigkeiten, jedem nach seinen Bedürfnissen. Wir sind einfach mal davon ausgegangen, dass wir alle dieselben Bedürfnisse haben. Vielleicht herrscht innerhalb unserer Band noch eine Form von Sozialismus. Die Diktatur der Musiker. Wenn ich früher betrunken war und aufgeregt etwas erzählen wollte oder geschimpft habe, überschlug sich meine Stimme. Ich klang wie Erich Honecker. Hör auf zu honeckern, wies mich dann die Band zurecht. Aber das war alles lustig gemeint, und es gab nie ein ernstes Zerwürfnis zwischen uns. Über so etwas dachten wir in der Anfangszeit keine Sekunde nach. Wir freuten uns alle einfach nur, dass es endlich losgehen sollte.

Nachdem wir uns irgendwie geeinigt hatten, es mit dem neuen Manager zu versuchen, startete dieser sofort mit seinen Bemühungen, uns bei der Plattenfirma unterzubringen, bei der auch die Sängerin unter Vertrag war, deren Manager er ja schon war. Die Firma hieß Motor. Wir schickten ihnen eine Kassette mit unseren Liedern. Schnell kam die Absage zurück. Für diese Art von Musik bestehe in Deutschland zurzeit kein Interesse. Diese Plattenfirma unterstütze eher innovative und progressive Musik. Der Verfasser dieses Briefes wurde noch lange Zeit auf seine Absage angesprochen.

Unser Manager ließ sich davon aber nicht entmutigen und organisierte es, irgendwie mit dem Chef der Plattenfirma zusammen in einem Auto zu fahren. Wie durch Zufall war unsere Kassette im Autoradio. Nachdem der Motorchef zwei Lieder gehört hatte, fragte er, wer die Band sei. Unser Manager tat ganz ahnungslos, und der Plattenchef biss an.

In dieser Zeit ertranken die Plattenfirmen geradezu in ihrem Reichtum. Viele sehr erfolgreiche Künstler kamen auf einmal aus Deutschland, wie z. B. Dune, Snap, Loona, Marusha und auch solche Gestalten wie DJ Ötzi oder Captain Jack. Das lockte dann viele junge und abenteuerlustige Leute in die Plattenfirmen, die oft keine entsprechende Ausbildung hatten, dafür aber unorthodoxe Ideen und großen Enthusiasmus an den Tag legten. Wir bekamen es jetzt mit Paradiesvögeln wie Andreas Dorau oder Benjamin von Stuckrad-, Mann o Mann, hat der einen langen Namen, Barre zu tun. Da das nicht gerade die übermächtigen, unfehlbaren, trockenen Plattenfirmenleute waren, fiel uns der Einstieg in das Musikgeschäft nicht schwer. Das Chefehepaar war eigentlich verrückter als wir Musiker. Für eine neue Band waren wir ja auch schon ganz schön alt. Eigentlich bekamen wir unseren ersten Plattenvertrag erst in einem Alter, in dem sich andere Bands schon wieder aufgelöst hatten beziehungsweise einige Musiker schon gestorben waren. Und wir bekamen ganz viel Geld. Wir bekamen bestimmt das Hundertfache von dem, was uns die erste Firma geboten hatte. Da unterschrieben wir den Plattenvertrag, ohne auch nur einen Blick auf die vielen DIN-A4-Seiten zu werfen. Wir kuckten nur, wo unser Name stand, und krakelten ihn noch mal von Hand dahinter. Da hätte sonst was drinstehen können. Letztendlich war es uns völlig egal, was genau in dem Plattenvertrag stand, Hauptsache, wir hatten überhaupt einen. Viele Sachen würden sich damit für uns verändern.

Wir gingen davon aus, dass wir jetzt nie wieder arbeiten gehen müssten. Dass wir eine oder mehrere Platten aufnehmen sollten, war uns schon klar, aber wir hatten nicht daran gedacht, dass die Firma die Platte auch verkaufen und dazu die Aufmerksamkeit der Leute erregen wollte. Dazu sollten wir Videos aufnehmen und auf eine Promotiontour gehen, bei der das Album, beziehungsweise das Produkt, wie es ab jetzt nur noch genannt wurde, den werten Journalisten vorgestellt werden sollte. Dann wurden uns von den Journalisten Fragen gestellt, auf die wir nicht antworten konnten, weil wir über einige Sachen noch nie nachgedacht hatten, und auch noch nie geübt hatten, uns richtig zu artikulieren. Wir sind davon ausgegangen, dass wir unsere Gefühle und Meinungen in der Musik ausdrücken und das nicht in Worte formen müssten, aber die Leute hörten die Musik anscheinend anders als wir. Oder sie hörten sich die Musik erst gar nicht an.

So weit war es aber noch nicht, als wir den Vertrag unterschrieben, ohne ihn zu lesen. Ich weiß auch nicht, was da dringestanden haben müsste, damit wir ihn nicht unterschrieben hätten. Es soll ja Plattenverträge geben, in denen sich die Mitarbeiter der Plattenfirma verpflichten müssen, immer eine Clownsnase aufzusetzen, wenn sie mit der Band sprechen. Oder umgekehrt. Aber wie es aussah, stand überhaupt nichts Fieses in unserem Vertrag.

Daraufhin passierte erst mal gar nichts. Dann wurden wir plötzlich nach einem Wunschproduzenten gefragt. Diese Frage überforderte uns völlig, ich wusste nicht einmal, was ein Produzent eigentlich macht. Bei Feeling B war der sogenannte Produzent ein Mitarbeiter der Stasi, der aufpasste, wer uns im Studio besuchte und was wir für Texte sangen. Richard allerdings wusste, was ein Produzent war, und er kannte auch einige Namen, deren Nennung aber bei der Plattenfirma nichts als Heiterkeit hervorrief. Diese berühmten Leute, ja geradezu Legenden, würden nie für so eine unbekannte Band wie uns arbeiten. Eigentlich hat kein Produzent der Welt große Lust, seine Energie in das Debütalbum einer Band zu stecken. Aber unsere Plattenfirma bot dafür ja Geld an. Und das brauchen auch Produzenten.

Wir wurden dann dahingehend aufgeklärt, dass auf jeder CD der Produzent der Platte namentlich aufgeführt wird. Also wurden wir in den Plattenladen geschickt, um uns ein paar Namen herauszuschreiben. Wir waren damit auch recht erfolgreich, aber wohl doch zu aufgeregt, den wirklichen Produzenten der Platte unter den vielen Namen, die auf der CD-Hülle standen, zu finden. So wählten wir einen gewissen Greg Hunter aus. Seinen Namen haben wir auf einer Killing-Joke-CD gefunden. Diese zählten ja wie Ministry, The Prodigy, Pantera, The Cult und The Cure zu den Bands, die wir schon früher nächtelang gehört hatten. Die Angestellten der Plattenfirma freuten sich, dass wir nichts mehr von Rick Rubin oder Bob Rock faselten, und kümmerten sich darum, den Kontakt zu dem Produzenten herzustellen. Er sollte uns im Proberaum besuchen, um uns und unsere Musik kennenzulernen.

Die Person, die wir abholten, entsprach mehr dem Bild eines Obdachlosen. Er hörte sich freundlich, aber etwas teilnahmslos unsere Bemühungen im Proberaum an, sagte wohl auch etwas dazu, womit wir aber nicht viel anfangen konnten. Abends gingen wir alle mit ihm aus und versuchten, ihm Berlin von der interessantesten Seite zu präsentieren. An diesem einen Abend nahmen wir an mehr Veranstaltungen teil als sonst in einem ganzen Monat. Sogar einen türkischen Hiphop-Ausscheid besuchten wir. Der Alkohol muss in England schwerer als in Berlin zu bekommen sein, denn Greg nutzte die Situation weidlich aus. In der Nacht erbrach er sich auf Tills Teppich, und den nächsten Tag verbrachte er schlafend auf dem Sofa im Proberaum. Am Nachmittag konnte er schon wieder eine Banane essen. Wir brachten ihn dann wieder zum Flughafen und wissen bis heute nicht, wer er war und was er gedacht haben mag, denn wir haben nie wieder etwas von ihm gehört.

In dieser Zeit war auch eine Band namens Clawfinger aus Schweden recht populär, und die Person, die auf der CD als Produzent aufgeführt wurde, schien diesmal auch wirklich ein Produzent zu sein. So luden wir Jacob Hellner zu unserem Konzert in Hamburg ein, ohne zu bedenken, dass wir in Hamburg völlig unbekannt waren und dass Hamburg im Westen Deutschlands liegt, wo nicht zwangsläufig ein Club gefüllt ist, nur weil eine Veranstaltung stattfindet. Welchen Eindruck wird das wohl auf Jacob gemacht haben, uns in einem kleinen Club zu sehen, der zudem noch leer war? Wir wiederum fanden ihn sehr sympathisch. Er sah keineswegs so aus wie ein Mensch, der etwas mit Rockmusik zu tun hat, eher wie ein freundlicher Berufsschullehrer. Mein Weltbild kam ins Wanken. Ich dachte ja, alle Leute, die erfolgreich Musik machen, haben ein zerfurchtes Gesicht und rauchen Kette. Und unser neuer Produzent betrachtete uns jetzt so freundlich, wie ein Arzt seine Patienten ankuckt. Und wie zuvor Greg Hunter besuchte er uns im Proberaum und setzte sich auf dasselbe Sofa, aber im Unterschied zu seinem Vorgänger brachte er einen Mitarbeiter namens Carl mit, hörte sich die Titel an, schnitt sie sofort mit einem Walkman mit und machte uns völlig neue Vorschläge. Er griff richtig in die Musik ein, lockte das Beste und wohl auch die Bestie in uns hervor und half uns so, unsere Ideen und unser Gefühl in die Lieder zu transportieren. Jetzt merkten wir zum ersten Mal, was ein guter Produzent zu leisten vermag.

Er entschied auch, die Platte in Schweden aufzunehmen, was wir natürlich sehr spannend und bedeutend fanden. Wahrscheinlich hatte er einfach nur keine Lust, wegen einer kleinen Band von zu Hause wegzufahren. Er wohnte ja in Stockholm. Da ich damals noch Flugangst hatte, fuhr ich mit dem Auto nach Schweden und behauptete, dass ich persönlich unsere Instrumente mitbringen wollte. Schon von der Überfahrt mit der Fähre war ich völlig begeistert. Danach tat sich eine wundervolle Landschaft vor mir auf. Auch Stockholm selbst gefiel mir sehr. Hier konnte ich mal sehen, wie eine Stadt aussieht, die nicht im Zweiten Weltkrieg zerbombt worden war.

Jacob führte uns in das Polarstudio, das angeblich von der Gruppe ABBA aufgebaut worden war. Dort sah alles wunderbar aus, so siebziger-Jahre-mäßig. Am meisten beeindruckte uns, dass da ein Kühlschrank war, aus dem man sich so viele Coca-Cola- oder Mineralwasserflaschen herausnehmen durfte, wie man wollte. Gleich am zweiten Tag ging ich wieder in den Studioraum, bereit, endlich die Platte aufzunehmen. Dort herrschte ein geschäftiges Treiben. Kabel wurden zusammengesteckt, Mikrophone aufgestellt und Verstärker herumgetragen. Es gab gar keinen Platz für mich, wo ich mich in Ruhe hätte hinsetzen können. Alle sprachen auf einmal nur noch Englisch.

Als mir die Zeit zu lang wurde, fragte ich schließlich Jacob, was ich tun soll. Er sagte freundlich: »Flake, please don't do anything!« Da setzte ich mich aufs Sofa im Aufenthaltsraum und trank Cola und Mineralwasser. Hätte ich gewusst, dass wir das alles selbst bezahlen mussten, hätte ich mich etwas zurückgehalten, aber wir dachten ja sehr lange, dass alles, was wir so machen, die Plattenfirma bezahlt. Das macht sie auch erst mal, aber sie zieht es uns natürlich später wieder ab. Dann erfuhr ich zu meiner Enttäuschung, dass in der ersten Zeit nur das Schlagzeug aufgenommen werden sollte, für mich gab es also nichts zu tun.

Ich ging daher spazieren und war fasziniert von dem vielen Wasser in der Stadt. Richtige Ozeandampfer, das Wort ist jetzt völlig veraltet, aber ich weiß nicht, wie man die Schiffe sonst nennen soll, fuhren mitten durch die Stadt, die zum

Teil aus Inseln besteht. Und das Wasser war ganz sauber und verlockend. Es war der Wahnsinn. Ich konnte nicht aufhören, die Boote, die an den Ufern lagen, anzustarren. Jeden Tag fand ich neue, noch beeindruckendere Wege und Landschaften. Ich gewöhnte mich auch daran, den langen Weg von unserem Quartier am Stadtrand bis zum Studio zu Fuß zu gehen.

Erst Wochen später spielte ich selbst in einem winzigen Kellerstudio meine Orgeln und Samples ein. Um die Keyboards aufzunehmen, braucht man kein teures ABBA-Studio, da reicht ein billiger Keller. Denn für solche Sounds ist der Raumklang völlig egal. Die Melodien werden ja durch ein Kabel direkt aufs Band gespielt, in meinem Fall auf eine ADAT-Kassette, eine Erfindung, die jetzt niemand mehr kennt. Alle meine selbstgemachten Samples wurden neu gestimmt, damit sie richtig zum Lied passten. Beim Aufnehmen merkte ich auch, wie unsauber ich meine Teile bis dahin gespielt hatte. Ich gab mir jetzt richtig Mühe, und so brauchten wir über eine Woche, nur um meinen Anteil einzuspielen. Meistens war ich mit Jacob oder seinem Mitproduzenten Carl alleine im Studio. Wenn wir zusammen in die Mittagspause gingen, versuchten sie mir etwas Gutes zu bieten, und wir besuchten die verschiedensten Lokale.

Einmal nahm mich Jacob sogar zum Sushi-Essen mit. Einmal ist immer das erste Mal. Ich nippte an einem braunen Tee, der nach geräuchertem Schinken schmeckte, kaute verständnislos auf den Algen und dem gummiartigen Fisch herum und wartete auf das richtige Essen. Wir schwiegen uns lange an, denn ich wusste nicht im Geringsten, was ich mit ihm reden könnte, da ich von Musik oder neuen Instrumenten keine Ahnung hatte. Ich kannte nicht einmal die Bands, von denen er erzählte. Ob unsere Aufnahmen nun gelungen waren oder nicht, konnte ich auch nicht beurteilen. Ich fand, alles klang toll, aber die Band war immer irgendwie unzufrieden. Es schien wohl doch ein Problem zu sein, dass der Produzent kein Deutsch verstand. Er beurteilte dadurch den Gesang nur nach dem Klang und nicht nach dem Inhalt. Ich fand das eigentlich ganz gut, denn ich liebte auch die englischen Bands, ohne dass ich eine Ahnung davon hatte, worum es in den Texten ging.

Abends in unserem Quartier an der Endhaltestelle der U-Bahn stritten wir uns dann über Tills Gesang und die Gitarrensounds. Für mich klangen unsere Gitarren immer gleich, ich verstand überhaupt nicht, was die Gitarristen meinten, und ging dann lieber noch mal spazieren. Viel mehr Möglichkeiten zur Freizeitgestaltung standen uns auch nicht zur Verfügung. Wir schafften es zwar, uns aus einer Videothek im Viertel einige schlechte englischsprachige Filme auszuleihen, aber in die Clubs der Stadt kamen wir nicht hinein. Davor gab es längere Schlangen als früher bei uns im Osten, und dann wurden alle möglichen Leute vorgelassen, und wir rutschten immer weiter nach hinten. Entweder waren wir nicht richtig angezogen. Oder wir verletzten unbewusst irgendeinen hier geltenden Verhaltenscode.

Das einzige Mal, dass wir doch in einen Club hineinkamen, war bei der Record-Release-Party von Clawfingers zweiter Platte. Wir teilten uns ja jetzt denselben Produzenten. In Schweden schien es üblich zu sein, solche Feiern sehr unglamourös zu gestalten. Von Feiern kann eigentlich gar keine Rede sein. Eigentlich war es nur ein Konzert in einem kleinen Club. Es war aber sehr heiß da drin. Da das Bier für uns unerschwinglich teuer war und die Leute auch dafür in einer langen Schlange anstanden, hatte ich mit rasendem Durst zu kämpfen. Da bot mir ein Mädchen ihre Bierflasche an. Gierig nahm ich einen großen Schluck. Es blieb bei dem einen, da es sich um selbstgebrannten Schnaps handelte. Mir blieb richtig lange die Luft weg. Ich ging dann vor die Tür und spazierte nach Hause.

Dort schliefen wir auf Matratzen, wenn wir nicht vor einem alten Fernseher hockten und Paul dabei zusahen, wie er Meteorit 3 spielte. Neu war für uns auch die Methode, Alkohol zu kaufen. Ich hatte mir meistens auf dem Rückweg vom Studio in der Kaufhalle ein paar Bierbüchsen gekauft, die ich abends auf dem Sofa trank. Aus Langeweile las ich mir einmal durch, was auf der Büchse stand. Da wurde ordentlich der Alkoholgehalt aufgeführt. Also nur zwei Prozent? In dem Bier war fast kein Alkohol drin. Das hatte ich vorher nicht gemerkt, aber da ich es jetzt wusste, schmeckte mir das Bier überhaupt nicht mehr. Ich wollte nicht mal mehr die Büchse austrinken. Also versuchte ich, richtiges Bier zu bekommen.

Dazu musste ich in ein spezielles Geschäft namens Systembolaget gehen und dort eine Wartenummer wie auf dem Arbeitsamt ziehen. Anhand der Auslage konnte man nicht auf ein Genussmittelgeschäft schließen, es sah eher wie eine Art Büro oder eine Arztpraxis aus, was ja auch schon wieder passend ist. Die Fenster waren vergittert. Nach etwa 45 Minuten wurde ich aufgerufen und konnte nach Vorlage meines Ausweises Bier kaufen. Die Sorte musste ich mir aus einem Katalog raussuchen, es waren im Laden überhaupt keine Flaschen zu sehen. Da das so aufwendig war, kauften wir dann immer gleich ganz viel Schnaps mit ein, obwohl das wirklich sehr teuer war.

Wahrscheinlich machten es die Schweden genauso wie wir,

denn an den Wochenenden säumten unheimlich viele Betrunkene die Straßen. Und sie waren noch viel betrunkener, als ich es kannte. Sie bewegten sich vorwiegend in Dreiergruppen, da die Person in der Mitte gehalten werden musste. Sie erbrachen sich überall und ständig, und manche beobachtete ich dabei, wie sie versuchten, an einer Steinmauer in die U-Bahn einzusteigen. Damit sie beim stundenlangen Anstehen vor den Clubs nicht erfroren, waren an den Hauswänden Heizspiralen angebracht.

In meiner freien Zeit durchquerte ich immer wieder die Stadt, um festzustellen, wie schnell ich an den Rand und in relativ unberührte Natur kam. Wenn ich dann mal ins Studio ging und von meinen Spaziergängen berichtete, entlud sich auf mir der ganze angestaute Ärger.

Die Stimmung war angespannt, und wir beschlossen, die Platte nicht wie geplant in Schweden fertig abzumischen, sondern in Hamburg.

Dort herrschte eine ganz andere Stimmung. Der Sommer hatte inzwischen Einzug gehalten. In Stockholm galt es ja schon als warm, wenn es nicht kälter als vier Grad war. Da rannten die Mädchen schon mit nackten Beinen herum. Die Temperaturen in Hamburg kamen uns wie die reinste Hitzewelle vor. Einige unserer alten Freunde waren zudem von Schwerin nach Hamburg gezogen und konnten uns herumführen. Für uns Ostler war die Stadt unheimlich spannend. So etwas Wildes wie die Hamburger Clubs hatte ich noch nie erlebt. Dagegen kam mir Berlin wie ein Dorf vor.

Wir gingen jeden Abend richtig groß aus. Ob ins Purgatory, ins Hans-Albers-Eck, den Mojo Club, ins Tiefenrausch, ins Grünspan, die Prinzenbar oder sogar zum Konzert in die Docks oder in den Star Club. Da sollen ja sogar die Beatles früher wochenlang hintereinander gespielt haben. So viel unterwegs war ich davor in meinem ganzen Leben noch nie.

Dementsprechend war mit mir tagsüber auch nicht viel anzufangen. Wenn ich aufwachte, schleppte ich mich zum Einkaufsladen, um mir Joghurt und Johannisbeeren zu kaufen. Dann schlenderte ich den ganzen Weg ins Studio und kam langsam wieder zu Bewusstsein. Im Studio aß ich meinen Joghurt. Manchmal waren die Beeren schon verschimmelt, aber nicht, weil ich so lange gelaufen war, sondern weil ich beim Einkaufen nicht darauf geachtet hatte. Da hatte ich mit mir selbst genug zu tun. Dann gingen wir zusammen mittagessen. Da konnte ich unauffällig ein paar Biere trinken und mich daran freuen, dass es mir langsam wieder besserging. Obwohl natürlich niemand unsere Band kannte, da wir noch nichts veröffentlicht hatten, war unser Selbstbewusstsein sehr groß. Großspurig saßen wir nachts auf den Stufen vor dem Golden Pudel Club und warteten darauf, dass uns eine nette Frau ansprach. Diese sollte dann besser schon so betrunken sein, dass sie unser Äußeres nicht störte. Und so betrunken, dass sie auch nicht störte, dass wir schon völlig hinüber waren. So viele, so stark betrunkene Frauen gab es anscheinend selbst dort nicht, denn wir blieben meistens alleine. Wir hätten jahrelang so rumsitzen können und wären nicht angesprochen worden.

Wir lebten in einer Wohnung von Leuten, die wohl gerade im Urlaub waren, und als ich meine stinkenden Sachen waschen wollte, packte ich sie mit dem Waschmittel in die Maschine und ging ins Studio. Ich wusste nicht, dass die Waschmaschine mit ausgeht, wenn man das Licht ausschaltete, das war wohl eine Maßnahme, um Strom zu sparen, also zog ich die nassen und immer noch stinkenden Sachen am Abend einfach wieder an. Ich bin ja davon ausgegangen, dass sie gewaschen waren. So große Erfahrungen hatte ich noch nicht mit dem Wäschewaschen. Ich wunderte mich zwar, warum es um mich herum so stank, kam aber nicht auf die Idee, dass das etwas mit mir zu tun haben könnte. Nachdem wir uns in all den Clubs so richtig betrunken hatten, zogen wir bei Tageslicht weiter ins Erika, das ist eine Frühstückskneipe, wo Bauarbeiter, Punks und Zuhälter einträchtig zusammen Hackfleischbrötchen aßen. Obwohl einer von uns sehr anhaltend rülpsen musste, wurden wir freundlich bedient. Am nächsten Abend war der Pudel Club zu. Wahrscheinlich war es eher morgens. Wir hatten etwas unser Zeitgefühl verloren, aber unseren unwahrscheinlich großen Durst nicht. Da die Besitzer des Clubs angeblich Punks waren, dachten wir, dass sie es in Ordnung finden würden, wenn wir uns eine Flasche Eierlikör und ein paar Biere rausnähmen. Eine Jalousie konnte man relativ einfach hochschieben, und dann saßen wir glücklich am Elbufer und blickten auf die ersten Schlepper und Fähren des neuen Tages. Die leeren Bierflaschen warfen wir auf an uns vorbeitreibende Styroporbrocken. Mit der Eierlikörflasche spielten wir Fangeball, jeder, der die Flasche fing, durfte einen Schluck daraus trinken. Das spielten wir noch, als wir langsam durch das morgendliche Hamburg nach Hause gingen. Diese schönen Nächte vergesse ich bestimmt nicht so schnell.

Im Studio konnten wir dann die Vorhänge zuziehen und Videofilme kucken. Da sah ich *Die Götter müssen verrückt sein*, und schon war auch dieser Tag schön. Bestimmt bin ich auch mal in den Abhörraum gegangen, aber da habe ich nichts Nützliches tun können. Über den Klang zu schimpfen wäre genauso sinnlos gewesen, wie ihn zu loben, denn dann wäre ich der Band in den Rücken gefallen, die wieder mit irgendetwas unzufrieden war.

Nachdem wir in Hamburg schließlich die Platte fertiggestellt hatten, erklärte uns die Plattenfirma, dass man als Erstes eine Single herausbringen müsste, um auf die erscheinende Platte aufmerksam zu machen, und dazu gehörte auch ein Video. Wir sollten wirklich ein Video machen!

Da die Plattenfirma Angst vor ihrer eigenen Courage bekam, wählten sie dazu *Seemann* aus, weil das unser sanftestes Lied war. Die Grundidee zu diesem Lied kam von unserem Bassisten Oliver, der sich dieses schöne, auf dem Bass gezupfte Thema ausgedacht hatte. Wenn wir dieses Lied bei einem Konzert spielten, musste er sich immer ganz doll konzentrieren, um sich nicht zu verspielen, und da gefiel ihm das Lied schon nicht mehr so sehr. Aber jetzt sollte er das Lied ja nicht spielen, sondern nur zur Musik acten, wie das genannt wurde.

Als Regisseur wurde László Kadar bestimmt, das ist der, der diese Jever-Werbung gemacht hat, bei der der Mann so komisch in den Dünen umfällt. Und dann füllt sich der Leuchtturm mit Bier. Wir dachten, den genialsten Schachzug gemacht zu haben, indem wir einen Werbefilmer für unser Musikvideo ausprobierten, da das Video letztendlich Werbung für uns machen sollte. Vor lauter Begeisterung vergaßen wir, uns das Drehbuch durchzulesen. Wir wussten nur, dass es etwas mit Schiffen zu tun haben würde, und das fanden wir ja alle gut.

Also fuhren wir in ein Filmstudio, das in der Nähe von Hamburg lag. In etwa da, wo Dieter Bohlen wohnt. Ich lief da erst mal ein bisschen durch die Gegend, um zu sehen, wie der Dieter so wohnt. Wenn es wirklich sein Grundstück war, was ich mir ansah, war es angenehm zurückhaltend. Aber ich hätte mich in der Zeit mal lieber mehr um das Video kümmern sollen.

In einer Halle wurden Wellen aus Sand auf dem Boden verteilt, und darin stand ein auf primitivste Weise zusammengeschustertes Pappschiff. Und wir wurden erst mal in die Maske geschickt. Dort warteten zwei englischsprechende Gestalten auf uns. Deren Hosen hingen so tief, dass man die Schlüpfer komplett sehen konnte. Später wurde das wirklich zu einer richtigen Mode, was wir nicht wissen konnten, und so erwogen wir, die Leute darauf hinzuweisen, dass ihre Hosen rutschten. Diese zauderten nicht und schnitten uns, ohne zu fragen, alle Haare ab. Bei mir ließen sie einen kleinen Balken übrig, den sie dann hochgelten, so dass es aussah, als hätte ich ein Brikett auf dem Kopf. Da ich so abstehende Ohren habe, sah das nicht gut aus, und ich wunderte mich über ihre Entscheidung. Aber Richard war regelrecht am Boden zerstört. Und er konnte überhaupt nichts mehr dagegen tun. Dann wurde gefilmt, wie wir das Boot durch die Wüste oder was auch immer ziehen. Der Hintergrund wurde extra gedreht, man nennt das Blue-Box-Verfahren. Dazu hatten sie vorher Aufnahmen vom Hamburger Hafen gemacht. Um den erotischen Faktor zu erhöhen, wurde noch eine Frau eingestellt, die eindrucksvoll kucken und durch einen U-Bahn-Tunnel laufen sollte. MTV lehnte das Video ab, und ich glaube, Viva gab es noch nicht. Oder die lehnten es auch ab. Fast niemand auf der Welt kennt dieses Video, und das ist gar nicht so schlimm.

*

Till beginnt wieder ganz hektisch Gewichte zu stemmen. Gesund ist das bestimmt nicht. Wobei das wahrscheinlich auch nichts mehr ausmacht, denn in einer Rockband zu spielen ist so ziemlich das Ungesündeste, was ich mir vorstellen kann. Dieser Krach, wenig Schlaf, viele Busfahrten und lange Flüge, verrauchte Clubs, verrauchte Proberäume, vollgerauchte Autos, verqualmte Garderoben, generell wenig Sauerstoff, das Lampenfieber, das nicht umsonst so heißt, sondern wirklich den ganzen Körper in Mitleidenschaft zieht, das schlechte, hastig heruntergeschlungene Essen und natürlich die Unmengen Alkohol. Da ist Sport an sich eine feine Sache.

Ich habe ja noch nie Sport gemacht. In der Schule war das bei mir derart mit Quälerei verbunden, dass ich nie auf die Idee gekommen bin, dass Sport auch etwas Gutes sein könnte. Nach meinen Erfahrungen tat Sport einfach weh und sollte tunlichst vermieden werden. Damit das in dieser sportlichen Band nicht so auffällt, habe ich mir mit Till einen Trick einfallen lassen. Vor etwa 25 Jahren habe ich mir angewöhnt, erst exakt eine Stunde vor dem Konzert mit dem Alkohol anzufangen. Trank ich schon vorher etwas, riskierte ich, den Konzertbeginn nicht mehr bewusst zu erleben, oder mir war dann völlig schlecht. Ich kann mich an frühe Konzerte erinnern, bei denen ich mich die ganze Zeit über voll darauf konzentrieren musste, nicht umzufallen. Wenn ich hingegen erst eine Stunde vorher etwas trank, waren die Folgen noch absehbar. Dumm war dann nur, wenn sich das Konzert verschob, was auf den kleineren Festivals durchaus mal vorkommen konnte. Es kam auch mal vor, dass wir während einer Tour so in Schwung waren, dass wir von einem Konzert zum nächsten durchtranken, ohne zwischendurch nüchtern zu werden, da gab es dann eben ein großes Weizenbier zum Frühstück, das ist ja auch sehr nahrhaft, aber im Großen und Ganzen habe ich das mit der einen Stunde gut durchgehalten.

Ich musste mir nur überlegen, was ich in dieser Stunde trinken wollte, um gut in Form zu kommen. Bier war ungünstig, erstens war da einfach zu wenig Alkohol drin, und zweitens musste ich dann während des Konzertes, es fällt mir immer noch schwer, Show dazu zu sagen, ganz dringend pinkeln. Vor dem Konzert mochte ich auch keinen Schnaps, außerdem wurde ich davon zu schnell betrunken, oder ich fing an zu dehydrieren. Kaffeelikör oder so etwas schmeckte mir zwar total gut, war aber zu süß und zu klebrig, und wer davon schon mal brechen musste, wird gut verstehen, dass man das dann nie wieder in großen Mengen trinken kann. Sekt war ganz okay, aber der schmeckte mir auch nicht so gut. Außerdem nervten mich diese Blasen. Ich war mir auch nicht sicher, ob der Alkoholgehalt ausreichend für mich war. Ich entschied mich dann für Rotwein. Ich war erstaunt, welche großen Unterschiede zwischen den Sorten existieren, ich dachte früher, Wein ist Wein, aber ich wurde eines Besseren belehrt. Einige Rotweine schmeckten richtig schlecht.

Bei einem Konzert in Portugal wurde uns allerdings als landestypische Aufmerksamkeit Portwein auf den Tisch gestellt. Ich war völlig überrascht, wie gut das schmeckte, ganz weich und etwas süß, aber nicht zu viel. Ich trank ein großes Glas und fühlte mich gut in Form. Niemand hat uns gesagt, dass man Portwein eigentlich in kleineren Dosen genießt. Portweingläser sind ja eher so groß wie Fingerhüte. Aber Till und ich glaubten, unser ideales Getränk gefunden zu haben, und bestellten ab dann immer eine Flasche Portwein.

Im Zustand gesteigerter Lebensfreude bat ich Till um einen

Schluck Portwein, aber da meine Sprache schon etwas verwaschen war, verstand er Sportwein, was er unwahrscheinlich lustig fand. Ich dann auch. Manche lustigen Haschischfreunde erzählen ja auch gerne, dass sie sich gemütlich eine Sportzigarette drehen. Ab da malten wir uns immer mit dem Edding ein S vor das Port auf der Flasche und verkündeten jedem, dass wir jetzt Sport machen würden. Und dann tranken wir einen Schluck.

Später fragten wir uns ganz selbstverständlich: »Na, wollen wir mit Sport anfangen?« Oder es hieß bei uns einfach: »Zeit für Sport.« War ich dann bei den anderen in der Garderobe, sagte ich ganz nebenbei, dass ich jetzt wieder rübermuss, um Sport zu machen, und alle nahmen das als selbstverständlich hin. Dann setzte ich mich auf unser Sofa, trank mein großes Glas Portwein mit wenigen Schlucken aus und bewegte mich erst einmal nicht mehr. Um mich doch gebührend auf das Konzert vorzubereiten, bin ich irgendwann unverhofft aufgesprungen und habe wie wild zu zappeln angefangen, so wie ich es im Konzert manchmal mache. Sofort war ich völlig außer Atem. Und dann hatte ich auch schon eine Zerrung, noch bevor das Konzert überhaupt angefangen hatte. Aber das war früher, jetzt mache ich ordentlich meine Übungen.

Tom kommt wieder herein. »Meet and Greet!«, ruft er, und wir springen auf und laufen auf den Gang. Hier steht Heike, die Koordinatorin zwischen der Band und der Außenwelt, und drückt jedem von uns einen Edding in die Hand. Wir werden in einen größeren Raum geschickt, wo die Gäste schon auf uns warten.

Es sind etwa dreißig Leute da, die uns in froher Erwartung ansehen. Gewinner von Radiosendungen und andere ausgewählte Glückspilze. Ich weiß nicht, was man ihnen versprochen hat, auf jeden Fall freuen sie sich sehr, als wir reinkommen. Wir teilen uns auf, und ich wende mich freundlich lächelnd dem ersten Paar zu. Die Frau breitet die Arme aus, um mich zu umarmen. Dann stockt sie in der Bewegung und zuckt erschreckt zurück. Sie hat nicht mit dem Gestank gerechnet, der von meinen Sachen ausgeht, es ist wie bei den Olchis. Ich bin es ja inzwischen gewohnt, aber für einen Außenstehenden ist es ein echter Schock. Ihr Lächeln wirkt etwas gequält, als sie mir mit langem Arm ein CD-Cover zum Unterschreiben reicht. Ich erkundige mich nach ihrem Namen und unterschreibe. So geht es jetzt mit jedem Einzelnen. Ab und an spreche ich kurz mit den Bandkollegen, und wir tauschen uns über die Wünsche und Eigenheiten der Gäste aus. So sagt Schneider mir, dass hinten wieder mal ein Mann steht, der sich die Autogramme auf den Rücken schreiben lässt, um sich das später tätowieren zu lassen.

Das ist gar nicht so ungewöhnlich, früher war ich völlig geschockt, wenn sich überhaupt jemand unseren Bandnamen eintätowiert hatte. Das erste Rammstein-Tattoo habe ich in Wien gesehen. Und wenn jemand unsere Autogramme auf dem Rücken oder auf dem Arm haben will, ist es klug, sich die Namen direkt von uns auf den Körper schreiben zu lassen. Wir machen das gerne. Wir haben schon Autogramme auf unzählige Gegenstände geschrieben. Auf Handys, Hemden, Mützen, Tücher, Taschen, Turnschuhe, Kinderwagen, Rollstühle, Krücken, auf Zeitungen, Geldscheine, Ausweise und Pässe, Hosen, gerne auch auf die nackte Haut von schönen Mädchen, Sonnenbrillen, Gitarren, Plektren, bei denen es ganz schwer ist, sechs Unterschriften unterzubringen, Eintrittskarten, Fotos von uns und anderen, Plakaten, die den ganzen Tisch verdecken, Fahnen, die noch größer sind, und was weiß ich was noch alles. Dagegen ist ein nackter Rücken sehr einfach. Da könnte ich aus Spaß etwas anderes schreiben, denn er kann es ja nicht sehen. Vielleicht schreibe ich Falke. Das passiert mir manchmal aus Versehen, wenn ich viele Autogramme schreibe. Das ist aber nicht lustig. Ich könnte auch Helene Fischer auf seinen Rücken schreiben.

Ich sage stattdessen zu Schneider, dass vorne ein Mädchen steht, das behauptet, ihn aus Stuttgart zu kennen, und er erst mal vorsichtig kucken soll, bis ihm ihr Name wieder einfällt, damit es nicht so peinlich ist. Das habe ich mir gerade ausgedacht, und es stimmt natürlich nicht, aber ich kann jetzt beobachten, wie er sich das Gehirn nach dem Namen zermartert, den er gar nicht kennen kann. Da drückt mir ein Fan sein Handy in die Hand. Ich bedanke mich und will es einstecken, habe aber keine Tasche an meinem Anzug. Der Fan lacht, denn er denkt, ich habe einen Witz gemacht. Als würde ich nur so tun, als wüsste ich nicht, dass ich ins Handy reinsprechen soll. Also nehme ich das Handy ans Ohr und sage: »Hallo.« Es knirscht ziemlich. Hier drinnen ist das Netz so schlecht. Jetzt höre ich was: »Wolfgang, was ist los? Wolfgang, Wolfgang! Hallo!« Ich gebe Wolfgang sein Handy wieder. »Siehste«, schreit er ins Telefon. »Echt Rammstein!«

Die anderen benutzen ihr Handy lieber, um damit zu fotografieren. Da wir einzeln herumrennen, muss sich jeder auch einzeln fotografieren lassen. Manchmal halten uns die Leute fest, damit sie auch mal zwei oder drei Musiker zusammen mit sich selbst oder dem Freund beziehungsweise der Freundin aufs Bild bekommen.

Tom bereitet dem Durcheinander ein Ende, indem er uns alle für ein Gruppenfoto formiert. Heike sammelt in der Zeit die Handys ein und macht mit jedem Gerät ein Foto von der ganzen Truppe und uns. Dann gehen wir wieder zurück in unsere Räume. In fünf Minuten geht es los.

Ich will zum letzten Mal vor dem Konzert aufs Klo, aber Tom hält mich im Flur auf und fragt, warum ich die Autogrammkarten und die im Flur aufgehängten Plakate noch nicht unterschrieben habe. Ich greife nach dem Stift, der mit Klebegummi an der Wand befestigt ist, und unterschreibe die Plakate. Es sind ziemlich viele. Die werden als eine Art Dankeschön an die Veranstalter und die örtlichen Angestellten verteilt. Als ich damit fertig bin, klebe ich den Stift wieder an die Wand, und Tom gibt mir einen dünneren silbernen Stift für die Autogrammkarten. Ich schätze, es sind so um die hundert Stück. Zum Glück haben die anderen Kollegen immer an derselben Stelle unterschrieben, so dass ich mir nicht jedes Mal einen neuen Platz für meinen Namen suchen muss. Noch zwei Minuten. Höchste Zeit, mir mein In-Ear-System anzulegen.

Ich will das kurz erklären. Rockbands in dem Sinne, wie wir sie jetzt kennen, gibt es seit den fünfziger Jahren. Wenn die zum Tanz aufspielten, stellten sie sich auf die Bühne und spielten los. Ein Schlagzeug ist laut genug, um in einem Tanzlokal gut gehört zu werden. Da hingegen die Gitarren nicht so laut waren, erfanden die Gitarristen die Elektrogitarren. Sie hatten dann ihre eigenen Verstärker auf der Bühne. Ein Klavier würde sich erst recht nicht durchsetzen, also entwickelte man auch Elektropianos, die einen langen Tonabnehmer über allen Saiten hatten und auch in einen Verstärker gesteckt werden konnten. Blieb nur noch der Sänger. Er bekam ein Mikrophon und eine sogenannte Gesangsanlage. Das heißt, das Mikrophon steckte in einem Verstärker, und von da ging das Signal zu zwei Boxen, die links und rechts an der Bühne standen. Spielte eine Band in größeren Hallen, wurde es notwendig, die Gitarren und das Schlagzeug noch einmal zu verstärken, damit auch die Leute, die weiter hinten standen, etwas hören können. Zwei Boxen reichten dann nicht mehr aus, und man benötigte spezielle Bassboxen, da die normalen Boxen nicht dafür ausgelegt waren, ein breites Frequenzspektrum zu übertragen. Dadurch war die Musik völlig verzerrt. Die kleinen Verstärker reichten natürlich auch nicht mehr aus. Da man das Lautstärkeverhältnis zwischen den einzelnen Instrumenten regeln wollte, steckte man die Ausgänge der einzelnen Instrumente in ein Mischpult. Von dort ging das Signal in die Endstufe, so heißt dieser große Hauptverstärker für die Anlage, dann werden im Cross-over die Frequenzen getrennt, und aus den Boxen kommt die gesamte Musik der Band. Je mehr Boxen man anschließt und je größer die Endstufe oder je mehr Endstufen angeschlossen werden, desto lauter kann die Musik gemacht werden, ohne dass sie verzerrt klingt. Alle Musiker können sich aufgrund ihrer eigenen Verstärker auf der Bühne ganz gut hören. Außer der Sänger, denn der steht hinter den Boxen, aus denen sein Gesang kommt. Manchmal hört er seinen Gesang, wenn dieser von der Rückwand der Halle reflektiert wird, aber da der Gesang für den Weg hin und zurück so viel Zeit braucht, hört der Sänger sich selbst zeitverzögert und kann nicht im Rhythmus singen. Deswegen erfand man den Monitor. Aus einem zweiten Ausgang des Mischpultes wurde jetzt ein Extraverstärker angesteuert. An diesen wurden dann zwei Boxen angeschlossen, die links und rechts auf der Bühne standen und auf die Musiker gerichtet waren. Das bezeichnet man auf Englisch als Side Field Monitoring.

Nun drehten aber besonders die Gitarristen in den Rockbands ihre Verstärker auf der Bühne unbarmherzig laut auf, angeblich, weil sich erst dann der Klang so richtig entfalten kann, aber in Wirklichkeit wohl eher, weil sie es selbst einfach gut fanden, wenn sie so laut waren. So konnte sich der Sänger wieder nicht richtig hören. Drehte er dann seinen Kanal auf dem Monitor lauter, kam es zu Rückkopplungen. Deshalb bekam der Sänger eine eigene Box direkt vor sich gestellt. Damit der Klang auch bei ihm ankam, wurde die Box so angeschrägt, dass sie ihm gerade ins Gesicht schrie. Bei uns hieß das dann Käseecke. Je größer die Band war, desto mehr Boxen standen auf der Bühne herum, und irgendwann sah es auf einer Rockbühne wie im Lagerraum eines Möbelhauses aus. Es blieb kaum noch Platz, um dazwischen herumzulaufen.

Da erfand man das In-Ear-System. Vom Monitormischpult geht jetzt ein Signal an einen Sender. Der Musiker hat einen kleinen Empfänger am Gürtel, der ist in etwa so groß wie eine Zigarettenschachtel. Von dort aus geht ein Kabel zu den Kopfhörern. Jetzt braucht man keine Boxen mehr auf der Bühne, und der gesamte Klang lässt sich viel besser regeln. Nur ich hatte zunächst Schwierigkeiten mit meinem Empfänger, da ich mich manchmal blitzschnell umziehen musste oder auf der Bühne herumhampelte, und das Ding dann runterfiel oder irgendwo hängen blieb. Also baute ich mir aus einem Gürtel ein sehr festes Halsband. Daran klebte ich mit Gaffaband den Empfänger hinten fest. Ich benötigte dann nur noch ganz kurze Kabel bis zu den Ohren und konnte mich absolut frei bewegen, ohne Angst haben zu müssen, dass mir die Kopfhörer aus den Ohren rutschen würden. Die anderen Bandmitglieder haben die Empfänger am Gürtel und lassen sich das Kabel von Tom auf den Rücken kleben. Die sind jetzt natürlich alle bereits fertig. Meinen Empfänger hat der Monitormixer schon angeschaltet. Ich überprüfe noch mal, ob die

Lautstärke auf drei gestellt ist. Dann lege ich vorsichtig das Halsband an. Das Leder ist durch die Hitze und mein ständiges Schwitzen steinhart geworden, und die Gürtelschnalle drückt mir den Kehlkopf ein, es fühlt sich so an, als würde jemand versuchen, mich zu erwürgen. Aber ansonsten sitzt es perfekt. Es wackelt jedenfalls nicht herum. Auch durch die Kopfhörer bekomme ich mit, wie die Band inzwischen in der Garderobe das erste Lied des Konzertes anspielt, damit es auf der Bühne sofort richtig groovt. Das ist auch so ein Wort, das ich nicht gerne benutze, aber ich weiß nicht, wie ich dieses Gefühl, das man bekommt, wenn eine Band so punktgenau und mitreißend spielt, sonst ausdrücken soll.

Da jetzt das Konzert aber wirklich losgehen soll, legen sie plötzlich ihre Instrumente wieder ab und versammeln sich auf dem Flur. Die Band ruft nach mir.

»Ich muss noch in die Tannen gehen!«, schreie ich und sause aufs Klo. Warum finde ich das als Einziger so witzig? Ich benutze gerne im Alltag Zitate aus unseren Liedern und freue mich dann darüber. Ich frage, ob jemand mir etwas steigen kann, wenn ich etwas haben will, und ich rufe gerne: »Ich habe keine Lust!«

Das ist ja auch ein Zitat und passt eigentlich immer. Jetzt habe ich aber Lust, nur muss ich mich erst mal extrem beeilen, ich weiß selber, dass ich spät dran bin. Aufpassen mit den Reißverschlüssen muss ich trotzdem.

Als ich wieder im Flur ankomme, hält Tom das Tablett mit den Schnapsgläsern schon in der Hand. Wir stoßen vor jedem Konzert mit braunem Tequila an. Mein Glas ist heller, denn ich habe heute nur Zitronensaft drin, aber ich will natürlich mit anstoßen. Und noch ein Glas ist heller. Da hat gestern wahrscheinlich wieder jemand über die Stränge geschlagen und kann keinen Schnaps mehr sehen. Mal sehen, wer es sich nimmt.

Bei uns steht jetzt auch Nicolai, der Tourleiter, eigentlich der Chef von allen. Er hat dicke Kopfhörer auf, denn er ist über Funk mit der Bühne verbunden. Er sagt: »Die Bühne ist fertig.«

Dann wirft er einen Blick auf uns, grinst kurz und sagt in sein Funkgerät: »Die Band ist fertig, Saallicht aus.«

Ich höre das nur ganz leise, denn ich habe mir schon die Ohrstöpsel in die Ohren gesteckt und höre meinen Bühnenmix. Es läuft zwar noch keine Musik im Saal, wir spielen ja auch noch nicht, aber auf der Bühne stehen Mikrophone herum, über die ich das Publikum hören kann. Ich höre deutlich, wie es sich freut, weil jetzt das Saallicht ausgeschaltet wurde. Das ist ein sicheres Zeichen dafür, dass das Konzert endlich losgeht. Auf diesen Moment haben sich die Leute stundenlang gefreut. Aber jetzt ist die Freude noch etwas verfrüht, denn wir stoßen gerade erst mit den Schnapsgläsern an. Schnell austrinken, und los geht's.

Zumindest laufen wir jetzt in Richtung Bühne. Das sind diese Szenen, die man in Filmen sieht, wenn es um Rockkonzerte geht. Die Band läuft durch lange dunkle Gänge. Wie oft haben wir uns da schon verlaufen und sind in irgendwelchen Küchen oder Abstellkammern herausgekommen. Oder mitten im Publikum. Die Leute haben sich dann gewundert, weil sie uns auf der Bühne erwarteten. Das passiert öfter, als man denken sollte, weil wir einfach dem vorausgehenden Crewmitglied hinterhertrotten, ohne nachzudenken. Es kommt auch vor, dass wir erst mit dem Fahrstuhl auf die richtige Ebene fahren müssen. Dann haben wir ein paar Sekunden Muße, uns anzusehen und uns zu wundern, wie wir aussehen und was so aus uns geworden ist. Da müssen wir manchmal richtig lachen, weil uns auffällt, was wir in einem Alter, in dem andere eher über ihre Rente nachdenken, für einen Unsinn veranstalten. Seriös wirken wir mit Sicherheit nicht.

Da öffnet sich eine Tür, und wir merken an der Atmosphäre, dass wir jetzt im Inneren der Halle sind. Sehen können wir es nicht, denn auch hinter der Bühne ist schon alles dunkel. Die Techniker lassen hektisch den Lichtstrahl ihrer Taschenlampen hin und her huschen. Es ist ein bisschen wie im Ferienlager. Wir klettern über etliche Kabel, weichen den Scheinwerfern aus und kommen auf der Bühne an.

Im Film würde jetzt der Beifall aufbranden, und wir würden anfangen loszuspielen, aber wir sind hier nicht im Film. Vor der Bühne hängt noch ein Vorhang.

So können wir uns in aller Ruhe auf unsere Plätze stellen. Ich kucke mir mein Keyboard an, aber kann natürlich nicht sehen, ob alles in Ordnung ist. Ich kann ja nicht hineinsehen. Selbst wenn ich das könnte, würde ich nichts sehen, also kann ich mir die ganze Aktion sparen. Vielleicht werde ich jetzt doch langsam aufgeregt. Lampenfieber ist ja eine richtige Krankheit, das braucht man gar nicht kleinzureden. Es ist egal, was die Ursache für die Symptome ist, wenn es mir nicht gutgeht. Aber es geht mir ansonsten gar nicht so schlecht. Der Zitronensaft brennt mir angenehm im Hals.

Ich sehe zu, wie Till vor mir auf einer Lampe stehend mit Hilfe von kleinen Motoren bis an die Decke hochgezogen wird. Er hat sich auf der Bühne noch schnell sein rosa Felljäckchen angezogen. Ich drehe mich zu Nicolai um, der hinter der Bühne steht. Er gibt mir mit der Taschenlampe ein Zeichen, dass alle fertig sind, und ich beginne mit dem Intro des ersten Liedes. Es ist Punkt 21 Uhr. Das sehe ich aber nicht.

Die Uhr, die gegenüber der Bühne hängt, werde ich erst in einer halben Stunde wahrnehmen. Ich weiß es einfach, weil wir immer pünktlich anfangen zu spielen. Wieso auch nicht? Ich habe gute Laune.

II

Ich würde gerne mal unser Konzert aus der Sicht des Publikums sehen, aber das geht ja nicht, zumindest nicht, solange ich noch in der Band mitspiele. Ich habe mir einmal eine Aufzeichnung angesehen, da war ich völlig verblüfft darüber, wie das alles so aussieht. Und was alle aus der Band für Faxen machen, denn das kann ich von meiner Position auf der Bühne aus nie sehen. Ich musste ganz doll lachen, aber es war eben nur ein Film, und der kann nicht das Gefühl ersetzen, beim Konzert dabei zu sein.

Ich kann also nur beschreiben, was ich von der Bühne aus beobachte. Nach einigen Tönen meines Vorspiels werden auf rhythmische Akzente, die das Schlagzeug und die Gitarren setzen, Raketen auf dem Gerüst über der Bühne gezündet. Außerdem werden wir bei diesen Schlägen noch kurz beleuchtet, so dass man uns durch den halb durchlässigen Vorhang als Schemen wahrnehmen kann. So wissen die Leute, dass wir schon auf der Bühne stehen und spielen, aber erst nach einem langen Break fällt der Vorhang endgültig und man kann die Bühne, das Licht und natürlich die Band in aller Ruhe betrachten.

Als ersten Song spielen wir *Ich tu dir weh*, von dem Anfang abgesehen gänzlich ohne Show, so können wir uns besser auf das Spielen konzentrieren, und das macht dann auch richtig Spaß. Ich habe zudem einen sehr guten Sound im Ohr. Dieses

Lied müsste wahrscheinlich *Ich tue dir weh* heißen, aber im Krieg und in der Liebe, ich meine natürlich in Gedichten und in Liedern, sind grammatikalische Regeln außer Kraft gesetzt. Das Lied handelt, wen würde das wundern, von Schmerz und Unterwerfung. Sicher bin ich mir da allerdings nicht. Das kann ja auch alles nur eine Metapher für irgendetwas sein. Wobei ich nicht weiß, wofür Schmerz eine Metapher sein soll.

Eines unserer ersten Lieder beschäftigte sich mit einem ähnlichen Thema. Es hieß *Feuerräder* und ist ziemlich unbekannt, weil es auf keiner regulären Platte vertreten ist. Dafür hat es aber sehr großen Spaß gemacht, dieses Lied bei unseren Konzerten zu spielen. Wir kauften uns dafür in einem Sexshop ein Halsband und eine Hundeleine, und ich ritt auf Tills Rücken über die Bühne. Wenn ich betrunken genug war und richtig gute Laune hatte, lenkte ich Till auch mal mitten durch das Publikum. Einmal, in einem Club, sind wir sogar über die Bar geritten. Dabei haben wir alle Gläser heruntergerissen, aber niemand hat sich beschwert. Ich hatte ja auch eine Peitsche in der Hand, mit der ich auf Till einschlug. Die war nicht aus dem Sexladen, sondern aus dem Geschäft für Reitbedarf. Ich habe mir testweise damit mal locker auf mein Bein geschlagen, das tat viehisch weh. Ich konnte nicht begreifen, warum ich Till damit mit voller Kraft auf den nackten Rücken schlagen sollte. Nach diesem Lied ging es uns beiden aber immer gut. Wir stellten fest, dass wir uns zu solchen Titeln einige gute Aktionen für die Bühne ausdenken konnten.

Eine Zeitlang zerschlug ich sogar eine Flasche auf Tills Kopf. Ich weiß nicht, ob ich anfangs wirklich eine richtige Flasche auf seinem Kopf kaputtgekriegt habe. Wenn man in Filmszenen splitterndes Glas braucht, benutzt man sogenanntes Zuckerglas. Ich glaube, das ist wirklich aus Zucker, ich habe es aber nicht gekostet. Früher haben die Jungs in den Cafés die Gläser aufgegessen, um den Mädchen zu imponieren. Spätestens am nächsten Morgen haben sie es bereut. So weit reichte mein Mut nicht, wenn man überhaupt von Mut sprechen kann. Ich weiß also nicht, wie richtiges Glas schmeckt.

Jedenfalls hatten wir auf einer Tour einige Kisten mit leeren Zuckerglasflaschen im Gepäck. Die Hälfte der Flaschen ging uns schon beim Transport kaputt. Manchmal gelang es uns zwar, einige Flaschen mit Klebeband zu reparieren, aber wir konnten nicht vorsichtig genug sein. Damit der Showeffekt noch besser zur Geltung kam, füllten wir in der Garderobe noch etwas Kunstblut in die Flasche. Dummerweise brach mir manchmal beim Konzert der Flaschenhals schon beim Ausholen ab, so dass das Blut über die Bühne spritzte, ohne dass Till berührt wurde. Das fiel natürlich nie auf. Aber manchmal zerbrachen auch die dünnen Zuckerflaschen in der Garderobe beim Einfüllen des Blutes, und dann waren meine ganzen Sachen damit bekleckert. Wenn derjenige, der das Blut einfüllen wollte, dann auch noch wütend wurde, konnte es schnell wie im Schlachthaus aussehen. Nun hatte ich auf den Touren ganz wenig Wechselwäsche mit, und so kam es vor, dass ich am nächsten Tag blutbespritzt durch ein Museum spazierte oder nachts in der Apotheke nach Kondomen fragte. Ich selbst hätte mich verhaftet. Dabei wollte ich nur Till auf der Bühne ärgern.

Bei dem Lied *Ich tu dir weh*, also dem, was wir jetzt spielen, sollte aber Till mich quälen. Umgekehrt wäre es wohl doch zu unglaubwürdig, weil Till mich ja mit der kleinsten Bewegung abschütteln könnte. Um unsere gegenseitige Abneigung glaubhaft zu machen, ärgerte ich Till das ganze Konzert über. Ich spielte mit Absicht schrille, falsche Töne, machte mich hinter seinem Rücken über ihn lustig und kam manchmal nach vorne, um ihn zu schubsen oder ihn in den Hintern zu treten. Im C-Teil des Liedes packte Till mich dann, trug mich über die Bühne und warf mich in eine Badewanne. Dann fuhr er mit einem Lift gen Saaldecke, damit er richtig gut zu sehen war, und goss einen Kübel mit Feuer über mich aus. Dabei überzeugte er sich immer mal, ob ich auch wirklich tot war. Der alte Flake war auch tot, denn aus der Wanne stieg ich im Glitzerkostüm, das ich vorher nicht angehabt hatte, und kam so auf eine Art wiedergeboren auf die Bühne gezappelt.

Dieses ganze Theater machten wir auf der letzten Tour, als wir das Lied in der Mitte des Konzertes gespielt haben und es sozusagen den Höhepunkt der Show darstellte. Jetzt spielen wir es gleich zu Beginn, und da können wir uns nicht mit solchen Faxen verzetteln. Aber es wäre zu schade, das Lied deswegen wegzulassen. Denn das pure Spielen dieses Lieds macht so einen Spaß, da finde ich es direkt schade, dass es schon wieder vorbei ist. Das geht mir beim ersten Lied immer so, weil es da ja auch so viel Neues zu sehen gibt. Ich weiß, bis der Vorhang fällt, noch nicht, wie die Arena aussieht und wie groß alles ist, manchmal bin ich sogar davon überrascht worden, dass das Konzert im Freien stattfand und die Sonne auf die Bühne schien. Oder vor der Bühne drehte sich ein Riesenrad und aus den Gondeln winkten die Fans.

*

Ich habe mir früher nie Gedanken darüber gemacht, wie ein Konzert anfängt. Bei Feeling B sind wir einfach auf die Bühne gestolpert und haben erst mal probiert, ob alle Instrumente noch funktionieren, bevor wir dann das erste Lied gespielt haben. Manchmal mussten wir auf einen von uns warten, der sich irgendwo verzettelt hatte. In der Hoffnung, dass er uns hört, haben wir immer wieder seinen Namen ins Mikrophon gebrüllt.

Später starteten wir mit einem improvisierten Vorspiel, das je nach Tagesform gut oder schlecht beim Publikum ankam. Meistens wollten die Leute ja einfach, dass die Band anfängt, ihre Lieder zu spielen.

Als es uns mit der Band nach Polen verschlug, sah ich dort meinen ersten Konzertfilm. In einem Club wurde vormittags *Stop Making Sense* gezeigt. Da ging David Byrne mit seiner Gitarre auf eine leere Bühne, auf der nur ein Ghettoblaster stand. Byrne drückte auf den Startknopf des Recorders, und es begann eine Art Percussion. Dazu spielte er mit der Gitarre und sang das erste Lied. Bei jedem weiteren Lied kam ein zusätzliches Instrument dazu. Das fand ich richtig gut und hätte es auch gerne so gemacht, aber diese Idee war ja sozusagen besetzt. Außerdem hätte es nicht zu uns gepasst, wir waren ja eher eine Punkband.

Dann sah ich Videos von den Konzerten von Prince. Seine Show war grandios und blieb bis zum Schluss spannend. Auf die Bühne kam Prince mit einem futuristisch aussehenden Auto. Das Zuschlagen der Autotür war der erste Ton des Konzertes. Genial. So hätte ich das natürlich auch gerne. Aber erstens war diese Idee schon vergeben, und zweitens hatte ich keine Ahnung, wie man ein Auto auf die Bühne bringen konnte, zumal wir meistens in kleinen Clubs spielten. Gar nicht daran zu denken, wie man während des Konzerts das Auto dann wieder von der Bühne runterbekommt, denn wir hatten schon so nicht genügend Platz.

Bei Rammstein fingen wir anfangs immer mit dem Lied

Rammstein an, sozusagen um uns vorzustellen. Bei der ersten Silbe, die Till sang, also bei Ramm, zündete er eine Silvesterfontäne, die das vorher verschüttete Benzin auf dem Boden zum Brennen brachte, oder er ließ sich von hinten seinen Mantel an den Armen anzünden. Das Lied *Rammstein* ist so sparsam instrumentiert, dass der Tontechniker es nutzen konnte, um den Sound im Saal richtig einzustellen. Beim Soundcheck klingt ein Raum oft etwas anders, weil da noch keine Leute drin sind, die den Hall schlucken. Mit der Zeit dachten wir uns immer mehr Lieder aus und wollten dann natürlich das Programm auch mal ändern, wir konnten ja nicht jahrelang mit dem Lied *Rammstein* anfangen. Aber erst, als wir die zweite Platte aufgenommen hatten, stellten wir unsere Lieder zu einem neuen Programm zusammen und probierten andere Konzertanfänge aus. Wir achteten dann auf die Reaktionen im Publikum, konnten uns aber nie sicher sein, wie die Anfänge wirkten, da das Publikum in jedem Ort sowieso immer anders reagiert.

Eine Zeitlang setzten wir Olli mit einer Holzgitarre alleine auf die Bühne. Er begann dann so liedermachermäßig loszuspielen, und das Publikum wunderte sich, weil es von uns etwas ganz anderes erwartete hatte. Zumindest war das der von uns gewünschte Effekt. Dann kam vom Mischpult eine Schnurrakete auf Olli zugeschossen, um in seine Gitarre einzuschlagen. Wir zogen ruckartig an einem Strick, der an Ollis Stuhl befestigt war. So flog er beim Aufschlag der Rakete von der Bühne. In diesem Moment fingen die Gitarren und das Schlagzeug mit voller Kraft an, den Titel richtig zu spielen, und alles war sozusagen wieder in Ordnung.

Bei einem späteren Anfang erschienen wir auf fast schon magische Weise auf der Bühne. Zuerst liefen Flammen die

Boxentürme hoch, um in der Mitte über der Bühne zusammenzutreffen. Dann fiel der Vorhang, und man sah die leere Bühne. Auf den ersten Ton explodierte ein Blitzknaller. Als sich dessen Rauch verzogen hatte, stand ich plötzlich da. Ich hatte mich natürlich vorher dort versteckt. Ich fing an zu spielen. Beim ersten Ton des nächsten Taktes kam wieder ein Knaller, und das nächste Bandmitglied erschien. So ging es weiter, bis nur noch Till fehlte. Als die Strophe begann, hörte man Till schon singen, sah ihn aber noch nicht. Aber die Fußtrommel von Schneiders Schlagzeug wanderte nach vorne und stand plötzlich auf. Till trug die Trommel sozusagen als Kopf auf den Schultern, sang das Lied und sah dabei aus wie ein Zeichentrickmännchen aus der *ABC-Zeitung*. Beim ersten Refrain warf er die Trommel auf den Boden.

Wir dachten uns dann immer kompliziertere Anfänge aus. Bei der Tour zu der Platte *Mutter* sah das ganze Bühnenbild ein bisschen so aus wie eine Klinik. An der Decke hingen OP-Lampen. Wir hatten für mich einen alten Zahnarztstuhl als Keyboardständer umgebaut, und ich trug einen Arztkittel. Tom hatte noch die Idee, mir einen Beutel mit Blutkonserven an die Jacke zu hängen. Weiß der Geier, wo er den besorgt hatte. Ich trottete jedenfalls als eine Art Frankenstein auf die Bühne, der Arzt hieß ja Frankenstein und nicht das Monster, und machte mich am Zahnarztstuhl zu schaffen, knipste die Lampen an und drückte auf ein paar Knöpfe. Dann begann ich, das Intro zu spielen. Langsam schwebte von der Decke eine riesige Gebärmutter herunter, in der die Band wartete. Als der Uterus unten angekommen war, fiel ein Bandmitglied nach dem anderen nackt durch den Geburtskanal auf die Bühne. Sie hatten nur einen kleinen Lappen um und taten so, als wären sie wirklich neugeboren. Nach und nach tapsten sie in eine Art Dusche, wo sie mit Kohlendioxid abgeduscht wurden. Das sollte sie mit Energie aufladen, und sie setzten oder stellten sich an ihre Instrumente, um loszuspielen. Till kam dann in der ersten Strophe auf einer der OP-Lampen von der Decke geschwebt.

Bei der Tour zu *Reise Reise* zogen wir die Techniker so an, dass sie wie wir auf unseren Tourplakaten aussahen. Als das Konzert beginnen sollte, stiegen also sechs Techniker, die uns darstellen sollten, vor den Vorhang auf die Bühne und trafen die letzten Vorbereitungen für das Konzert. Das Publikum wunderte sich darüber, dass wir nicht zu spielen anfingen. Niemand wusste, was der Unfug sollte. Da fiel der Vorhang, und wir fingen im selben Moment als echte Musiker an, das erste Lied zu spielen, während die Techniker mit dem Vorhang verschwanden. Das war dann das Lied *Reise Reise*, was wir sehr passend fanden, da Reise Reise ja der Weckruf der Matrosen zur Wache war oder vielleicht auch immer noch ist.

Für die *LIFAD*-Tour, was die Abkürzung für *Liebe ist für alle da* ist, haben wir sozusagen extra ein Anfangslied geschrieben. Da dachten wir schon beim Aufnehmen daran, dass wir mit diesem Lied das Konzert anfangen könnten. Es heißt dann auch das *Rammlied*. Da begannen wir mit dem Intro hinter einem halbdurchlässigen Vorhang. Till hat sich von einem Zahnarzt eine Lampe in den Mund bauen lassen. Für das Stromkabel musste man ihm ein Loch in die Backe stechen, in das eine Röhre für das Kabel eingesetzt wurde. Er hatte jetzt immer einen Stöpsel auf diesem Kanal, sonst spritzte ihm beim Trinken alles aus der Backe wieder heraus.

Ich bewundere Till sehr für diese Aktion, denn erstens ist

es unheimlich schwer, mit dem ganzen Zeug im Mund zu singen, und zweitens wurde die Lampe im Mund ziemlich heiß. Beim ersten Ramm fiel wie immer der Vorhang, und es ging richtig los.

*

Viel zu schnell ist das erste Lied vorbei. Damit keine Pause entsteht, fange ich sofort mit dem nächsten an und spiele das Vorspiel zu *Wollt ihr das Bett in Flammen sehen*. Ich glaube, den Titel des Liedes hat unser Produzent vorgeschlagen. Das Lied hieß bis dahin ganz anders, denn niemand wollte sagen: Lasst uns das Lied *Wollt ihr das Bett in Flammen sehen* spielen. Das klingt ja wirklich bekloppt. Als wir das Lied erfanden, nannten wir es den *Bringer*. Uns gefiel das Grundriff so gut. Wir fanden, dieses Riff bringt es einfach. Der Text kam erst viel später dazu. Da auf der Platte aber der andere, sozusagen der offizielle Titel steht, ich will ihn jetzt nicht noch mal sagen, wusste die Crew oft nicht, welches Lied gespielt werden sollte, wenn der *Bringer* das nächste Lied sein sollte. Also schreiben wir jetzt immer die offiziellen Titel auf die Liste.

Den *Bringer* spiele ich unheimlich gerne. An einer Stelle fange ich urplötzlich an, wie wild herumzuzappeln, um in der nächsten Strophe wieder stocksteif vor meinem Keyboard zu stehen, ganz so, als wäre nichts gewesen. Ich habe das, als ich einmal sehr betrunken war, aus Versehen gemacht, und seitdem muss ich es immer wiederholen, es könnte ja sonst so aussehen, als hätte ich dieses Mal keine Lust oder ich wäre nicht mit ganzem Herzen bei der Sache. Natürlich ist es völlig sinnlos, so eine spontane Sache zu wiederholen, aber sonst würde ich das ganze Konzert nur herumstehen, und das wäre auch eine Enttäuschung. Ich bin nach dem bisschen Gezappel leider völlig außer Atem und fange an zu schwitzen. Und das schon im zweiten Lied.

Am Ende des Liedes steht Till im sogenannten Ring of Fire. Johnny Cash finden ja alle in der Band gut. Ich kenne überhaupt niemanden, der Johnny Cash nicht gut findet. In seinem Lied geht es um die Liebe. Aber unser Ring of Fire besteht aus echtem Feuer und hat mit Liebe nicht so viel zu tun. Obwohl ich einige Meter entfernt stehe, ist es mir schon zu heiß, und ich muss die Luft anhalten. Das Gefährlichste am Feuer ist nicht die Hitze selbst, sondern, wenn es in die Lunge kommt. Die Hitze am Körper tut einfach nur weh. Besonders, wenn man sich am Vortag schon verbrannt hat. Man kennt das vielleicht von starkem Sonnenbrand.

Bevor wir uns den Ring of Fire ausdachten, war das hier bei uns die Flammenwerferstelle. Da konnte Till ausgiebig mit dem Flammenwerfer schießen, bis der leer war, denn dieses Lied kam meistens an letzter Stelle. Jetzt ist es das zweite Lied und ist auch schon wieder vorbei.

Ich lasse meinen Finger noch so lange auf dem letzten Ton liegen, bis der Bass mit dem Intro von *Keine Lust* beginnt. Dieses Lied hat einen besonderen Reiz, es ist im 6/8-Takt, also ein schneller Blues. Es war einer unserer ersten Einfälle, als wir nach einer längeren Pause Ideen für ein Album zusammentrugen, von dem wir natürlich noch nicht wussten, dass es mal *Reise Reise* heißen würde. Hätten wir nicht schon ein Lied gehabt, das der *Bringer* hieß, hätten wir *Keine Lust* intern bestimmt so bezeichnet.

Auf der Bühne stehe ich zwischen zwei Keyboards, einem Sampler von der Firma Ensoniq, die es schon lange nicht mehr gibt, und einer Orgel von Roland, die es so leider auch nicht mehr gibt. Es ist wohl der Lauf der Welt, dass die meisten richtig guten Sachen schnell durch vermeintlich bessere, aber in Wirklichkeit viel schlechtere Sachen ersetzt werden. Meistens lassen sie dann alle Anschlussbuchsen weg. Hauptsache, es gibt immer etwas Neues. Als mir zum Beispiel meine Brille kaputtging und ich zum Optiker ging, um mir eine neue zu holen, sah mich der Optiker wie einen Außerirdischen an und erklärte mir, dass er dieses Modell noch nie gesehen habe, da es aus einer uralten Kollektion sein müsse. Dabei hatte ich die Brille erst zwei Jahre zuvor im selben Laden gekauft. Na ja, zumindest gefühlte zwei Jahre.

Den Sampler, den ich auf der Bühne benutze, habe ich wie auch den Ersatzsampler bei Ebay gekauft, und ich kenne zum Glück noch einen Menschen, der dieses Gerät reparieren kann. Wenn der mal wegzieht, bin ich aufgeschmissen. Ich hatte den gleichen Sampler schon, als ich bei Rammstein eingestiegen bin, und ich wüsste nicht, wo ich die ganzen Sounds herbekommen soll, wenn die beiden, die ich jetzt habe, nicht mehr funktionieren. Weil diese Sampler so alt sind, haben sie nur sehr wenig Speicherplatz, so wenig, dass sich Jugendliche das gar nicht mehr vorstellen können. Anfangs musste ich beim Konzert vor jedem Lied eine Diskette in den Schlitz schieben, um die nötigen Sounds zu laden. Die ganze Band musste dann auf mich warten. Deshalb habe ich eine Festplatte in einen der Sampler einbauen lassen. Ich wusste aber nicht, wie empfindlich solche Geräte sind, und schlug bei einem Konzert voller Freude mit einem Mikrophonständer darauf ein. Dabei ging die Festplatte wohl kaputt, denn ich konnte das ganze Konzert nicht mehr mitspielen. Auch meine Disketten wollte der Sampler nicht mehr lesen. Ich stand wie ein Idiot auf der Bühne und machte entschuldigende Handbewegungen. Die

Band war natürlich sauer, weil auch die Sequenzen fehlten, nach denen sie sich sonst alle richteten. Unsere Musik beruhte schon damals darauf, dass wir als Menschen zu einem Groove aus dem Computer spielen. Um diesen zu erstellen, habe ich mit den Fingern einen Rhythmus oder eine Sequenz eingetippt und das dann quantisiert. Das heißt, die Noten wurden geradegerückt, und zwar so ordentlich, wie ich sie gar nicht hätte spielen können. Manchmal habe ich auch einen Breakbeat eingespielt, das ist ein Schlagzeugrhythmus, den ich gesampelt, also aufgenommen und so verändert habe, dass er in unser Lied passt. Schneider spielte dann einfach nach Gehör mit. Wenn die entsprechenden Stellen kommen mussten, drückte ich am Sampler auf Start, und wenn es eine Pause gab, auf Stopp. Wurde im Refrain eine andere Sequenz benötigt, musste ich umschalten. Natürlich schon im Takt vorher, damit der Sampler, beziehungsweise der in den Sampler eingebaute Sequenzer, auf den ersten Taktschlag das Richtige spielte. Ich hatte also auf der Bühne alle Hände voll zu tun und musste mich sehr konzentrieren, denn die ganze Band richtete sich nach mir. Damit so etwas wie mit der Festplatte nicht mehr passieren konnte, trennten wir die Sequenzen von meinem Sampler ab und spielten sie mit einem Midifile Player ein. Da aber wieder ich es war, der diesen bediente, ging da genauso viel schief. Jetzt macht das der sogenannte Backliner. Ich habe auch so schon genug an der Backe, wie der Volksmund sagt, wenn er das mal sagt.

Bei der Produktion und der Tournee zu unserer Platte *Reise Reise* habe ich auch mal einen Laptop von Apple zum Musikmachen benutzt. Ich habe mir das Logic-Musikprogramm gekauft und mir dazu massenhaft Softwareinstrumente besorgt. Aber ich musste immerzu das Betriebssystem aktualisieren, damit ich die ganzen neuen Erfindungen laden konnte, und dann funktionierten die alten Instrumente nicht mehr. Wenn ich mir dann auch die Updates für die alten Instrumente herunterladen wollte, gab es die entweder nicht mehr, oder es fehlten genau die Sounds, die ich für meine Lieder benutzte. Und in entscheidenden Momenten stürzte zu meiner Verzweiflung gleich der ganze Computer ab. Außerdem verfügte jedes einzelne der Instrumente über Tausende von Sounds. Wenn ich eine Vorstellung von einem Klang hatte, quälte ich mich stundenlang durch irgendwelche Datenbanken, um schließlich zu vergessen, wonach ich eigentlich gesucht hatte. Ich hatte bestimmt eine Million Klangmöglichkeiten, aber eigentlich klang alles scheiße, um das mal salopp auszudrücken. Und hatte ich doch ausnahmsweise einen interessanten Klang gefunden, musste ich feststellen, dass dieser nur alleine gut klang und im Zusammenspiel mit anderen Instrumenten gar nicht mehr zu hören war. Ich bin fast wahnsinnig geworden und packte lieber meinen alten Sampler wieder aus. Und für Sounds, die ich immer wieder brauche, wie die Chöre und die Streicher, habe ich eben noch die andere Orgel und hüpfe jetzt lustig zwischen beiden Instrumenten hin und her.

Mensch, da läuft ja schon *Sehnsucht*! Da war ich ganz in Gesunken verdanken, Quatsch, in Gedanken versunken, und habe das gar nicht mitbekommen. Das passiert mir in letzter Zeit immer öfter. Da wir diese beiden Lieder seit längerem hintereinanderspielen, spiele ich bei *Sehnsucht* automatisch mit. Sehnsucht ist übrigens ein Wort, das die Amerikaner ganz schlecht aussprechen können. Sie denken, es heißt Chainsaw. Das heißt Kettensäge auf Deutsch und passt sehr gut zu dem Lied. Eigentlich sogar besser als Sehnsucht, aber wir wollen unsere Lieder ja nicht auf Englisch singen.

Gleich zu Beginn explodieren über uns ein paar Knaller genau zu den Schlägen des Schlagzeugers. Wir mussten am Anfang von diesem Lied ewig herumbasteln, bis die Knaller genau auf das Schlagzeugbreak passten. Das ist wirklich wichtig, denn die sind so laut, dass wir komplett aus dem Takt kommen, wenn sie zur falschen Zeit explodieren. Es ist unheimlich schwer, die Pyroeffekte mit der Musik zu synchronisieren, weil die Knaller erst zünden müssen, und da weiß man nie, wie lange das dauert.

Im C-Teil steigt eine Feuerwand aus grünem Theaterfeuer an der Bühnenkante auf, da freue ich mich jedes Mal, wenn die gleichmäßig brennt, denn das sieht wirklich gut aus. Etwas später kommt eine stinkende Rauchwolke bei mir an. Das beißt richtig in der Nase und riecht wahrscheinlich nicht nur giftig.

Bei *Sehnsucht* macht Till auch seinen berühmten Klopfer. Jeder Sänger hat so seine Eigenheiten, und Till hatte mal bei einem Konzert die Eingebung, sich ununterbrochen mit der Faust aufs Knie zu schlagen. Das macht er jetzt immer, wenn es sich musikalisch anbietet. An den aggressiven Stellen klopft er sogar mit beiden Fäusten. Das ist dann der Doppelklopfer. Anfangs hatte Till davon immer blaugeschlagene Schenkel.

Im letzten Refrain haut er sich das Mikrophon mit voller Kraft gegen die Stirn. Er schlägt so doll zu, dass das Mikrophon kaputtgeht. Oder sein Kopf. Man kann das Knacken über die Boxen hören. Wer sagt denn, dass nur die Gitarristen ihre Instrumente kaputtschlagen dürfen? Dann schmeißt er das Mikro ins Publikum. Derjenige, der es fängt, freut sich sehr und nimmt es mit nach Hause. Benutzen kann er es nicht mehr. Aber das ist egal. Er wird nicht auf die Idee kommen, dass Till am nächsten Abend mit einem neuen Mikrophon die gleiche Aktion wieder macht, und da Till es sich jedes Mal gegen die Stirn schlägt, ist natürlich auch immer die Kopfhaut mit aufgeplatzt. Wenn wir nun mehrere Tage hintereinander spielen, ist seine ganze Stirn ein einziges Trümmerfeld. Die Wunden haben keine Zeit, um auszuheilen.

Einmal wurde Till deswegen nicht ins Schwimmbad hineingelassen, dem Bademeister waren es einfach zu viele offene Wunden. Dabei lieben wir Schwimmbäder. Nichts ist schöner, als am Tag nach einem Konzert zu schwimmen, bis der Alkohol den Körper verlassen hat.

Noch schöner ist es, in einem Hotel zu wohnen, wo man direkt nach dem Konzert noch baden kann. Die Hotels wollen ihre Pools abends lieber schließen, aber Tom schafft es oft, sie zu überreden, ihn für uns offen zu halten. Er sagt, wir müssten dringend unsere Muskeln entspannen. Tom erwähnt natürlich nicht, dass wir noch richtig feiern wollen. Früher nahmen wir möglichst viele Frauen mit in das Hotel, die wir sofort in den Pool warfen. Dann zogen sich die Frauen meistens aus. Vorsichtshalber warfen wir ihre Sachen mit in den Pool, damit sie nicht so schnell fliehen konnten. Und gleich darauf flogen noch einige Schnapsflaschen hinterher, und immer, wenn wir an einer vorbeischwammen, nahmen wir einen kräftigen Schluck. Wir fanden uns danach in den Hotelfluren gar nicht mehr zurecht und irrten nackt an den Fahrstühlen herum. Am nächsten Morgen bedienten uns die Hotelangestellten sehr mürrisch. Im Pool schwammen traurig die leeren Flaschen, diese hässlichen Liegen aus Plaste und einige Kleidungsstücke. Auf dem Grund des Pools standen zwei Grünpflanzen in ihren Töpfen. Jetzt hatten sie endlich mal genug Wasser. Niemand wusste, wie das alles ins Wasser gekommen war, denn eigentlich hatten wir nichts getrunken und waren alle früh zu Bett gegangen.

Jetzt kommt *Asche zu Asche.* Mein Gott, vergeht die Zeit schnell. Ich habe das Gefühl, das Konzert hat gerade erst angefangen. Manchmal fürchte ich, mein Leben vergeht genauso schnell wie ein Konzert. Kaum habe ich mich ein bisschen daran gewöhnt, ist schon ein Drittel rum. Und so richtig Spaß macht es dann bei den Zugaben. Aber so weit sind wir noch nicht. Und in meinem Leben habe ich hoffentlich auch erst die Hälfte rum.

Paul steht vorne in der Mitte und spielt als Einziger. Er schrubbt einfach dieses markante Gitarrenriff. Dann stellt sich Richard neben ihn und steigt mit ein. Wie eine Wand stehen sie dort, und da beide dasselbe Riff spielen, wirkt es noch gewaltiger. Sie greifen die Akkorde etwas unterschiedlich, damit zwischen den Gitarren eine Reibung entsteht. Wenn zwei Instrumente genau das Gleiche spielen, kann es sonst passieren, dass die Töne nicht lauter werden, sondern sich gegenseitig auslöschen. Ich liebe es, wenn die Gitarristen so einträchtig nebeneinanderstehen. Sie wirken dann wirklich wie eine Macht. So wie beim Schach, wenn zwei Türme nebeneinanderstehen. Daran kommt niemand vorbei.

Man könnte denken, dass bei zwei Gitarristen in einer Band ein kleiner Konkurrenzkampf entsteht, das war vielleicht auch bei uns einmal so, aber inzwischen sind wir alle alt genug, um zu wissen, dass man gemeinsam grundsätzlich stärker ist, als wenn man gegeneinander kämpft. Und dann setzt das Schlagzeug ein. Und zu den einzelnen Schlägen auf der Trommel erfolgen über uns kleine Explosionen. Obwohl ich das wissen müsste, da es fast in jedem Lied passiert, erschrecke ich mich immer wieder neu.

*

In der Anfangszeit von Rammstein wären wir nie auf die Idee gekommen, dass es richtige Pyroeffekte gibt, die man auf der Bühne benutzen darf. Geschweige denn, dass man dazu irgendeine Befähigung braucht. Als wir merkten, was für einen Spaß es macht, während des Konzerts Raketen abzuschießen, kauften wir einfach in den Tagen vor Silvester so viel Feuerwerk ein, wie wir konnten. Leider hielt sich das bei uns nicht lange, und einige Raketen waren in geschlossenen Räumen schwer einsetzbar.

Zum Glück konnten dann ein paar Freunde von uns noch Sachen aus alten Armeebeständen besorgen. Da gibt es diesen wunderbaren Fallschirmspringernebel. Das sind Granaten, die, wenn sie gezündet werden, fünf Minuten lang ganz dichten orangefarbenen Rauch ausstoßen. Als wir die testweise mal bei einem Konzert ausprobierten, konnten wir nach kurzer Zeit nichts mehr sehen. Wir bekamen auch überhaupt keine Luft mehr und sanken röchelnd zu Boden. Natürlich konnten wir so nicht weiterspielen. Wir krochen blind über die Bühne, bis wir uns gefunden hatten. Dann berieten wir, wie es weitergehen sollte.

Die nächsten Tage hatten wir immer noch diesen Rauchgeruch in der Nase, und ich hatte das Gefühl, dass auf all unseren Sachen so eine schmierige orangefarbene Schicht war. Das Gefühl trog nicht. Kurz zuvor sahen wir auf einer Fahrt zum Konzert eine verlassene LPG, das heißt Landwirtschaftliche Produktionsgenossenschaft und hat nichts mit dem Biomarkt oder diesem Autogas zu tun, und da waren in einer Scheunenwand zwei große Ventilatoren zum Entlüften eingebaut, die sich noch träge im Wind drehten. Wir bauten sie kurzerhand aus, und stellten sie auf die Bühne. Dann klebten wir die Nebelgranaten an den Ventilatoren an, und wenn wir sie gezündet hatten, steckten wir die Stecker in die Steckdose. So wurde der Nebel von uns weg ins Publikum geblasen. Wir konnten uns hinter der Nebelwand treffen und gemütlich einen Tequila zusammen trinken, denn durch den dichten Rauch konnte uns niemand sehen, außerdem hatten die Leute genug mit sich selbst zu tun. Wenn der Club zu klein oder zu feucht war, konnte man ab diesem Lied die Bühne gar nicht mehr erkennen. Uns ging es nach so einem Konzert immer schlecht, und wenn wir ins Taschentuch schnaubten, war das alles ganz schwarz und orange. Aber daran gewöhnten wir uns schnell. Bei Auftritten auf Festivals verzog sich der Rauch auch schneller, aber das Problem war, dass man diese Granaten nicht stoppen konnte, wenn sie einmal gezündet worden waren. Stand der Wind ungünstig, wehte der Nebel zu einer anderen Bühne und versaute der Band, die da spielte, das Konzert.

Wir benutzen jetzt diese Nebelgranaten leider nicht mehr, da das absolut verboten ist, aber wenn wir sie mitgehabt hätten, würden wir sie im zweiten Refrain von *Asche zu Asche* zünden.

Bei unserer ersten richtigen Tour, die wir als Vorband von Project Pitchfork absolvierten, lernten wir einen ehemaligen Fremdenlegionär kennen. Der zeigte uns, wie einfach es ist, Bomben zu bauen. Bald darauf kauften wir uns vor den Konzerten in den Spielzeugläden irgendwelche aufblasbaren Gummitiere und steckten da kleine Ladungen Sprengstoff hinein. So präpariert, hängten wir die Tiere gut sichtbar auf die Bühne. Bei einem bestimmten Lied schloss einer von uns eine Batterie an die Drähte, und dann gab es einen lauten Knall. Da die meisten aus der Band bis dahin schon vergessen hatten, wann die Explosionen kommen sollten, erschraken wir uns manchmal so doll, dass uns die Instrumente aus den Händen fielen und wir nicht weiterspielen konnten. Anfangs konnten wir den Zeitpunkt der Explosion auch nicht so gut steuern, und so knallte es fast immer völlig unvermutet. Abgesehen von dem Schreck hörten wir durch den Knall erst mal einige Minuten alles wie durch Watte. So richtig erholt hat sich mein Gehör davon nie wieder. Die Tiere, die wir auf der Bühne aufgehängt hatten, waren einfach nicht mehr da. Die waren wie atomisiert. Es waren noch nicht mal irgendwelche Fetzen mehr übrig. Da aber niemand so richtig auf die Tiere geachtet hatte, fiel ihr Verschwinden auch keinem auf, und wir hätten uns eigentlich die ganze Aktion sparen können. Aber uns machte die Knallerei so einen Spaß, dass wir auf solche Kleinigkeiten nicht achteten.

Um das Lied *Laichzeit* zu untermalen, kauften wir uns große tote Fische, die wir dann sprengten, doch selbst ein großer Fisch sieht auf der Bühne eher unauffällig aus. Und unsere Instrumente und Verstärker stanken danach schauderhaft nach totem Fisch. Durch die Explosion wurde der tote Fisch in alle Ritzen gedrückt, um dort weiter zu verwesen. Da ließen wir es lieber nur noch einfach so knallen.

Da fällt mir ein, wie wir mal einen ganzen Auftritt als ein einziges Feuerspektakel betrachtet haben. Leider war ich selbst nicht dabei. Ich weiß nicht, ob uns das unbewusst im Osten anerzogen wurde, jedenfalls versuchte man, sich immer zu drücken, wenn das Erscheinen nicht absolute Pflicht war. Nur nicht zu eifrig sein, war die Devise. Ein Dresdner Maler, mit dem wir befreundet sind, organisiert manchmal Veranstaltungen, die unter einem bestimmten Motto stehen und immer sehr lustig sind. Dieses Mal sollte es eine venezianische Nacht werden, und er wollte unbedingt, dass wir da spielten. Alles, was uns zu Italien einfiel, war das Lied *Azzurro*. Ich kannte es von Adriano Celentano und den Toten Hosen, aber nicht seinen Ursprung. Wir beschlossen, eine eigene Version von diesem Lied zu spielen.

Richard setzte sich zu Hause hin und kam mit einer interessanten Variante wieder, die aber im Grundriff nicht mehr viel mit dem Original zu tun hatte. Wir anderen nahmen das Lied in der Version von Adriano Celentano von einer Kassette in meinen Sampler auf. Natürlich in Mono, damit der Arbeitsspeicher länger reicht. Trotz aller Tricks war aber nach dem zweiten Refrain mein Speicher voll. Dieses gesampelte Lied hörten wir uns dann einige Töne tiefer abgespielt an, was sehr schön krank klang. Außerdem war das Lied tiefer abgespielt etwas länger. Musik ist Mathematik. Wir konnten aber nicht richtig dazu spielen, weil der Rhythmus des Originalliedes zu wackelig war. Also nahmen wir die Sampleraufnahme als Vorspiel, und dann setzte das Riff von Richard ein. Es wurde eine Art Remix, und die ganze Geschichte war etwa zwölf Minuten lang. Wir packten alles an Pyrotechnik ein, was wir finden konnten, und dann fuhr die Band los. Olli und ich blieben zu Hause, da bei dem Auftritt sowieso nur die Kassette mit dem Lied abgespielt werden sollte, wir also als Musiker nicht dringend benötigt wurden.

Die Party fand vor den Toren Dresdens auf Schloss Nickern statt. Das war gerade liebevoll renoviert worden, weshalb auf dem ganzen Gebiet absolutes Rauchverbot herrschte. Till achtete also darauf, beim Bombenbauen nicht beobachtet zu werden, und sie stellten eine Wand aus Stühlen, die mit Papier bedeckt waren, vor die Bühne. An der Tankstelle wurde noch Benzin eingekauft, und dann wurden die Instrumente präpariert. Zwei von uns spielten Holzgitarren, und Till sang mit. Die ersten Explosionen waren noch relativ gesteuert, den Gitarristen explodierten die Instrumente, als das harte Riff einsetzte. Um die Sprengungen auszulösen, musste Till aber von der Bühne gehen. Die Explosionen waren Schneider zu laut, und auch er verließ die Bühne. Richard ging hinter einer Säule in Deckung. Danach warf Till sein Mikrophon in die Luft, wo es selbstverständlich ebenfalls explodierte. Schneiders Fußtrommel explodierte danach. Sie war mit benzingetränkten Sägespänen und Papierschnipseln gefüllt, damit sich die Flammen besser ausbreiteten. Ebenso das StandTom, das auch erst in die Luft flog, als Schneider schon weg war. Jetzt war nur noch Paul auf der Bühne, der aus den Resten der Instrumente eine Art Scheiterhaufen errichtete, den er mit Benzin am Brennen hielt. Das Feuer griff um sich und erfasste auch die vor der Bühne stehenden Stühle. Paul warf sie vorsichtshalber mit auf den Scheiterhaufen. Dazu trug er wie die ganze Band eine schwarze, bis auf den Boden reichende Kutte mit einer Fantômas-Maske. Niemand im Publikum wusste, worum es ging. Die Veranstalter waren so entsetzt, dass sie nicht sprechen konnten. Ich war im Nachhinein sehr traurig, dass ich nicht mitgefahren war. Ich habe mir seitdem auch keine Aktion mehr entgehen lassen.

*

Ich schalte mein Laufband ein. Fast hätte ich gesagt, mein Laufrad, denn das ist eine passende Metapher, und als solches war es ursprünglich auch gedacht. Langweilig wird mir auf der Bühne nicht. Eher im Gegenteil.

Asche zu Asche ist ein ziemlich schnelles Lied, aber ich bin ja noch frisch und laufe frohgemut los. Alles scheint zu funktionieren. Wenn wir eine Tournee spielen, denken wir uns dabei manchmal schon die Effekte für die nächste Tour aus. Ich hatte die Idee, ich könnte in einer Art Kugel stehen, in der ich mich an die Decke hängen würde wie ein Affe im Zoo. Das Ganze sollte sich dann drehen. Da offenbarte sich das Problem, was mit den Keyboards passieren würde. Die könnte man noch irgendwie befestigen, aber was wäre mit den Kabeln? Die würden nach einer Umdrehung abreißen. Also wollten wir die Keyboards auf der Bühne stehen lassen. Ich stehe aber nicht gerne hinter den Keyboards. Wer findet es schon gut, sich von zwei Balken aus Plaste verdecken zu lassen? Ich bin extra kein Trommler geworden. Da ist dieses Problem noch größer. Einige von ihnen bauen richtige Burgen um sich herum. Ich habe selbst schon erlebt, dass die Bühne voll war, nachdem nur der Trommler sein Zeug aufgebaut hatte. Es heißt ja auch Schlagzeug. Die Gitarristen stellen allerdings auch gerne viele Boxen auf die Bühne. Sie sagen, dann wird der Klang besser. Das wird aber nicht der eigentliche Grund sein, ich habe zumindest in der DDR mehrere Bands erlebt, bei denen die Gitarristen extra viele Boxenattrappen auf die Bühne gestellt haben, wo überhaupt kein Sound herauskam. Die konnten sie nach dem Konzert ganz klein zusammenklappen. Aber selbst uns fiel relativ früh auf, dass gar kein Platz mehr auf der Bühne blieb, wenn wir unsere ganzen Instrumente und Verstärker aufgebaut hatten. Also stellten wir unser Zeug hinter oder unter die Bühne. Jetzt konnten wir das Aussehen der Bühne etwas mehr gestalten. Und wir konnten uns so hinstellen, dass man uns auch sah. Und ich wollte eben, dass man meine Beine sehen konnte. Und von der Idee der rotierenden Kugel blieb das Laufband übrig.

Zuerst borgten wir uns ein Laufband aus einem Fitnessstudio. Ich war vorher noch nie in einem Fitnessstudio gewesen und empfand das einfache Laufen auf dem Band schon als sehr schwierig. Ich durfte mich ja nicht festhalten. Änderte ich mal die Geschwindigkeit, wurde mir sofort schlecht.

Mir wird leider bei fast allen Sachen schlecht. Auf dem Weihnachtsmarkt kann ich so gut wie überhaupt nichts fahren. Nur Autoscooter oder so. Selbst da habe ich Nasenbluten bekommen, als ich mit jemandem zusammengestoßen bin. Die Kinder, die mit mir auf den Weihnachtsmarkt gehen, sind immer ganz enttäuscht, weil ich so langweilig bin. Ich esse da nur gerne. Auf jeden Fall Kartoffelpuffer, dann diese Poffertjes, Quarkbällchen, Hefeklöße, Mandeln, neuerdings so ein Handbrot mit Pilzen und natürlich Grünkohl mit Knacker, wobei ich mich standhaft weigere, Grünkohl mit Pinkel zu bestellen, obwohl es so auf der Tafel steht. So hat das früher auch niemand genannt. Ich erzähle den Kindern dann immer, dass ich vor der Wende sogar auf dem Weihnachtsmarkt gearbeitet habe. Als Losverkäufer. Das Erste, was mir dabei auffiel, war die Kälte. Ich hatte vorher in meinem Leben noch nie sieben Stunden ununterbrochen bei Minusgraden und eisiger Kälte auf einem Stuhl gesessen. Weil ich cool aussehen wollte, war ich auch viel zu dünn angezogen. Also da passte cool im wörtlichen Sinne. Dass ich mir jeden Abend ein bisschen Geld aus der Kasse genommen habe, erzähle ich den Kindern lieber nicht. Ich habe mir am ersten Tag zum Feierabend einfach etwas in die Hosentasche gesteckt, zusammen mit dem Westgeld, was mir ein paar Schulkinder gegeben hatten, weil sie ihr ganzes Ostgeld schon ausgegeben hatten. Keiner hat mich kontrolliert, so dass ich mir jeden Abend etwas mehr Geld eingesteckt habe. Ich hatte ein schlechtes Gewissen deswegen und wollte damit aufhören, aber ich dachte mir, dass es auffallen würde, wenn ich mir einen Abend mal nichts herausnähme, denn dann wäre ja auf einmal viel mehr Geld in der Kasse als an den Tagen zuvor.

Ich kann mich nicht einmal damit herausreden, dass ich betrunken war, denn in den vielen Bechern Glühwein, die wir Losverkäufer uns abwechselnd mitbrachten, war kein Tropfen Alkohol, sondern nur Rumaroma. Das erzählten mir mal die Leute, die am Glühweinstand arbeiteten, als ich ihnen gestand, dass wir massenhaft nachgedruckte Nieten verkauften, die der Besitzer uns aus einem Sack in die Loskästen schüttete.

Jedenfalls wurde mir bei den ersten Proben auf dem Laufband schlecht. Trotzdem stellte ich mir ein Keyboard an die Seite und versuchte beim Laufen zu spielen. Ich fiel sofort hin. Es ging überhaupt nicht. Da kam ich auf den Trick, die Geschwindigkeit des Laufbandes so einzustellen, dass ich genau im Takt der Musik gehen oder laufen konnte, so dass die Beine sich praktisch automatisch bewegen. Ich musste nur die Geschwindigkeit für jedes Lied herausbekommen, und dann ging es einigermaßen. Für die Bühne ließen wir uns das Laufband so umbauen, dass es auch drehbar war. Wenn es um 180 Grad gedreht war, lief ich rückwärts, das musste ich auch erst lange üben. Ich bin sehr oft hingefallen, bevor es so einigermaßen unverkrampft aussah. Na ja, so richtig unverkrampft wird es wohl nie aussehen. Unser Bassist stellte sich mal spaßeshalber auf das Band und konnte darauf normal laufen und spielen, ohne es ein einziges Mal geübt zu haben. Aber der kann ja auch surfen.

An der Bühnenkante stehen Feuerkästen, die wie Blumenkästen aussehen. Nur eben ohne Blumen. Nach dem zweiten Refrain wird in diesen Kästen durch Kometen, die von oben einschlagen, ein wunderschönes rotes Feuer gezündet. Das gesamte Feuer beim Konzert folgt einer eigenen Choreographie, die sich größtenteils Till ausgedacht hat. Das Theaterfeuer stinkt übrigens beißend. Am besten ist, man hält im C-Teil die Luft an. Ich versuche immer wieder daran zu denken, aber das klappt natürlich nicht, weil ich auf dem Laufband laufe, dabei noch spiele und elegant aussehen will, und dadurch bin ich völlig außer Atem und japse nach Luft. Wenn wir an Orten gespielt haben, wo das Stromnetz nicht so stabil war, kam es vor, dass das Laufband kurz stoppte. Je nachdem, in welche Richtung es gedreht war, flog ich dann vom Podest über die Bühne oder krachte gegen mein Keyboard. Heute geht bis jetzt alles gut. Wenn es nur nicht so heiß wäre!

Und jetzt wird es noch heißer, wir spielen nämlich als nächstes Lied *Feuer frei*. In diesem Lied geht es wirklich um Feuer. Obwohl, das weiß ich jetzt nicht genau, vielleicht ist das auch alles nur eine Metapher. Manchmal habe ich inzwischen das Gefühl, wir spielen dieses Lied nur, damit wir eine Stelle für die ganzen Flammenwerfer haben. Till hat dafür Mundflammenwerfer entwickelt, die setzt man sich auf, und dann sieht es aus, als kämen die Flammen aus dem Mund.

Der Effekt hat den Leuten so gut gefallen, dass wir eingeladen wurden, dieses Lied in dem Film *Triple X* live aufzuführen. Wir waren sehr stolz, in diesem Film mitzuspielen, da hatten wir ihn aber auch noch nicht gesehen. Zum Drehen fuhren wir nach Prag und von da in ein kleines Dorf, etwa hundert Kilometer entfernt. Ich war wieder einmal von der tschechischen Landschaft restlos begeistert. Es war eiskalt, und es lag tiefer Schnee. Filmdreh heißt bekanntlich warten, und so warteten wir. Die Filmcrew hatte, um sich und uns aufzuwärmen, selbstgemachten Schnaps besorgt, der unheimlich gut schmeckte. Heutzutage würde man so etwas Bioschnaps nennen. Oder überhaupt nicht trinken, weil man Angst hätte, dass dieses Getränk giftig ist. Jedenfalls hatten wir bald grenzenlos gute Laune und spürten die Kälte gar nicht mehr. Uns wurden tschechische Pyrotechniker zur Seite gestellt, die es mit sämtlichen Sicherheitsvorschriften nicht so ernst nahmen. Wenn Flammen gebraucht wurden, drehten sie einfach riesige Gasflaschen auf und danach eben wieder zu. Da gab es keine Rückschlagventile oder Ähnliches. Da gab es nur pure, unverfälschte Freude am Feuermachen.

Jedes Mal, wenn wir jetzt dieses Lied spielen, fällt mir der Filmdreh ein, und ich bekomme gute Laune. Im letzten Refrain schießen wirklich alle aus allen Öffnungen, und es wird wieder mal richtig warm auf der Bühne. Dann ist auch dieses Lied vorbei. Ich hole tief Luft. Viel Sauerstoff ist leider nicht mit dabei. Bis jetzt sind unsere Lieder bei diesem Konzert immer etwas schneller oder härter geworden, deshalb spielen wir nun eine Schnulze. Dieser Begriff ist auch nicht mehr so zeitgemäß, also sage ich lieber eine Ballade. Da können die Leute auch mal etwas Luft holen und ihre Kräfte wieder aufbauen. Dieses Mitsingen ist ja auch anstrengend. Und das Rumspringen erst recht. Ich könnte das nicht die ganze Zeit durchhalten. Wenn ich mir eine Band ansehe, stehe ich immer eher hinten und wippe nur leicht mit, so dass es niemand sehen kann. Ich habe auch nie in meinem Leben Pogo getanzt. Ich stand nur am Rand und stellte mir vor, ich würde tanzen. In der Erinnerung kommt es mir aber so vor, als hätte ich mitgetanzt. Und das war nicht nur mit dem Tanzen so.

Also jetzt kommt die Ballade. Das Lied heißt *Mutter*. Das Bühnenbild hat sich inzwischen auch schon geändert, aber so etwas bekomme ich gar nicht mit, weil ich nach vorne kucke.

Hinter mir fällt ein Vorhang, und ich schaue ins Publikum. Da hat sich nichts geändert, die Leute schwitzen höchstens ein bisschen mehr. Das Lied *Mutter* hat sich unser Gitarrist Richard ausgedacht, ich glaube für seine Tochter. Da hatte es noch keinen Text und hieß demzufolge auch noch nicht *Mutter*. Till hat dann den Text für eine, vielleicht sogar seine Mutter dazu geschrieben, so dass es jetzt ein Mehrgenerationenlied ist. Es gibt auch Mehrgenerationenhäuser. Die Idee, mehrere Generationen in einem Haus zusammenwohnen zu lassen, finde ich hervorragend, aber ich weiß nicht, ob ich wirklich mit meinen Eltern in einem Haus würde leben wollen. Es heißt ja, man soll global denken und lokal handeln, da habe ich schon wieder versagt. Ich denke ein bisschen und mache dann nichts.

Bei *Mutter* spiele ich jetzt eine Figur, die eigentlich für die Streicher gedacht war. Die Melodie habe nicht ich, sondern ein Freund von uns komponiert. Er steht mir gerade gegenüber und mischt den Ton für die ganze Band ab. Ihm bei der Arbeit zuzusehen ist die reine Freude, und ich denke daran, wie er extra für dieses Lied nach Miraval in Frankreich gefahren ist, wo wir die Platte aufgenommen haben. In dem Haus wohnten später Angelina Jolie und Brad Pitt. Ich kann sofort die Namen aller ihrer Kinder vorbeten, aber bei meinen Cousins komme ich ins Schwimmen. Das sollte mir wirklich zu denken geben.

Ich spiele also diese Streicherfigur und erhole mich dabei von den vorherigen Liedern. Das Laufband ist aus, und ich kann mich entspannen. Ein Blick auf die Uhr, eine halbe Stunde ist schon rum. Ich kann ja mal Till zukucken. Wenn zum letzten Mal der Refrain gespielt wird, kommt von oben ein Funkenregen. Till steht mittendrin und singt unbeeindruckt weiter. Ich bewundere das sehr, denn ich weiß, wie doll das weh tut, wenn die Funken auf ihn treffen. Sie brennen sich dann gemütlich in die Haut ein. Fallen sie ihm auf den Kopf, hat Till beim Duschen das Haar büschelweise in der Hand. Wenn der Wind ungünstig steht, bekomme ich auch ein paar Funken ab, aber das ist nicht so schlimm, denn ich habe noch meine Jacke an. Langsam klingt das Lied aus, und ich halte mal wieder den letzten Ton. Das ist von uns nicht so gut durchdacht, denn ich muss mich bis zum nächsten Lied ganz schnell umziehen. Das darf das Publikum nicht sehen, sonst ist die Überraschung verdorben. Also lasse ich die Taste los und tippele die Treppe hinunter. Dabei reiße ich mir schon die Jacke vom Körper. Der blöde Reißverschluss geht aber nicht auf, und ich winde mich unter Schmerzen aus der Jacke wie ein Fakir. Oder ein Entfesselungskünstler. Wie Houdini. Der ist ja angeblich ausgerechnet daran gestorben, dass ihn ein Student in den Magen geboxt hat. Davor hatte Houdini den Studenten erklärt, dass man die Schläge abwehren kann, indem man die Bauchmuskeln anspannt. Als er sich nach dem Vortrag entspannte, schlug der Student unvermutet zu. Diese Geschichte beeindruckte mich als Kind sehr.

Aber jetzt geht es um das blitzschnelle Ausziehen der Kleidung. Bei mir geht es nicht ganz so schnell wie bei Houdini, schon weil ich so schwitze und mir die Jacke am Körper klebt. Außerdem ist, wie schon angedeutet, der Reißverschluss nicht ganz in Ordnung. Ich könnte morgen mal etwas Cola draufgießen. Da fällt mir schlagartig ein, dass das mit dem Ausziehen ja bei der letzten Tour war. Nein, es ist auch auf dieser Tour, aber an einer anderen Stelle. Wo habe ich nur meinen Kopf. Jetzt muss ich die Jacke wieder anziehen. Anziehen ist schwieriger als ausziehen. Und das Intro vom nächsten Lied läuft schon. Wenn ich bloß wüsste, wie es weitergeht. Neben mir stehen die ganze Zeit zwei Leute von der Pyrocrew. Was wollen die bloß von mir? Ach so, die binden mir einen Gürtel mit Nebelstroboskopen um. Er sitzt ein bisschen zu stramm, aber es ist keine Zeit mehr, das zu ändern. Gut, dass ich nichts gegessen habe. Ich renne hinter der Bühne auf die andere Seite. Dort steht schon der riesige, eiserne Kessel bereit.

*

Unsere Plattenfirma Motor bot uns kurz nach der Unterschrift des Plattenvertrages die Teilnahme an einer sogenannten Händlertour an, und da wir noch nie eine zusammenhängende Tour gehabt hatten und wild darauf waren, zu spielen, sagten wir zu, ohne zu wissen, was uns erwartete. Sinn der Veranstaltungen war es, die Händler und Vertriebsangestellten auszuzeichnen und zu motivieren. Gleichzeitig wurden neue Bands vorgestellt. Vertriebsangestellte einer Plattenfirma waren nicht ganz unser Zielpublikum, was aber die Partys zumindest für sie zu einem denkwürdigen Erlebnis werden ließ.

Wir spielten in auserlesenen Lokalitäten wie Brauereien, auf Schiffen oder Burgen, und nach jedem Konzert stand ein opulentes Büfett bereit, was wohl niemanden so sehr erfreute wie uns. Wir aßen buchstäblich, so viel wir konnten. Untergebracht waren wir zum ersten Mal in richtigen Hotels, was für uns ja auch neu war. Sogar die Handtücher stahlen wir, stolz auf das Kempinski-Signum. In jedem Zimmer befand sich die sogenannte Minibar, ein Kühlschrank gefüllt mit Getränken. Wir dachten, dass in so teuren Zimmern diese kleinen Flaschen für umsonst seien, und versuchten, sie alle auszutrinken, was uns aber nicht gelang, da wir jeden Abend schon von einer Party kamen, bei der alles umsonst gewesen war. So machte Till morgens einen Stubendurchgang mit seinem Hebammenkoffer und räumte die Kühlschränke komplett leer, damit wirklich nichts zurückblieb. Wir konnten dann direkt nach der Abfahrt zum nächsten Konzert in unserem kleinen Mietbus weitertrinken.

Natürlich wollte die Plattenfirma die von den Hotels erhobene Rechnung von insgesamt 46 000 D-Mark wiederhaben, weil sie nicht glauben konnten, dass wir so dumm waren, nicht zu wissen, dass jeder für seine Minibar selbst aufkommen muss. Im Gespräch mit uns merkten sie aber, dass wir die Wahrheit sagten und offenbar wirklich so dumm waren. Da erließen sie uns das Geld, soviel ich weiß.

Zurück zu den Konzerten. Die geladenen Gäste kamen in Abendgarderobe, und die Stimmung war anfangs recht steif. Ein gewollt lustiger Ansager führte durch das Programm, das aus vier Bands bestand, die sich jeden Abend in der Reihenfolge abwechselten, damit es gerecht zuging. Wir wollten dieser steifen Betriebsfeierstimmung entgegenwirken und schütteten vor unserem Auftritt unauffällig Benzin auf dem edlen Boden aus, das wir extra vorher an der Tankstelle gekauft hatten. Till richtete im ersten Lied eine Funkenfontäne auf den Boden, der sofort darauf in hellen Flammen stand. Die Leute, die nicht schnell genug wegspringen konnten, waren gewissermaßen entflammt. Die Plattenfirma musste danach sogar einer Frau eine Reise nach Mallorca spendieren, damit diese sie oder uns nicht verklagte. Ihr Rock war wohl verbrannt.

Die Leute waren, sobald es brannte, völlig aus dem Häuschen, so etwas hatten sie noch nie erlebt, und wer damals dabei war, hat uns nicht mehr vergessen. Der damalige PolyGram-Chef saß bei uns nach dem Konzert in der Garderobe und sagte immer wieder: »Euch mach ich groß in Amerika!«

Immer, wenn wir seitdem auf Plattenfirmenleute zu sprechen kommen, zitieren wir diesen Satz. Viele wollten dann mit uns feiern, und wir hielten auch ziemlich lange durch und lagen uns am Morgen mit irgendwelchen Plattenchefs selig in den Armen. Diese waren restlos glücklich und kaum noch in der Lage, Wortfetzen herauszustammeln. Auf der Weiterfahrt zum nächsten Konzert ging es uns dementsprechend schlecht. Während des Konzertes erbrach sich manch einer von uns zum letzten Mal, verließ dabei aber aus Pflichtgefühl nicht seinen Platz, was das geschniegelte Publikum richtig schön schockierte.

Komischerweise freuten sich besonders die Chefs, wenn man ihnen respektlos begegnete, und ich reizte die Situation schamlos aus, indem ich eine Gruppe immer wieder aufs Heftigste beschimpfte und beleidigte. Sie lachten sehr und waren erleichtert, einmal nicht unterwürfig angeschleimt zu werden. Einer von ihnen trug einen selbstgestrickten Pullover von seiner Tante, auf dessen Vorderseite ein Rhombus als Muster war. Ich bat ihn dringend, diesen Fotzenpulli auszuziehen, um später zu erfahren, dass dieser wirklich reizende Mensch immer noch Fotzenpulli genannt wird. Wir lernten, dass es sich lohnt, die Verbote zu ignorieren und einfach das zu machen, wozu wir Lust hatten. Und wir sahen, wie unsagbar hässlich die westdeutschen Städte waren. Als wir durch Essen fuhren, wähnte ich mich in einem Albtraum. Ich konnte nicht nachvollziehen, wie man auf die DDR-Architektur schimpfen konnte, wenn man in solchen Städten lebte.

Danach gab es für uns keine Händlertour mehr, sondern

nur noch vereinzelte Händlertreffen. Korrekterweise müsste ich Vertriebstreffen sagen. Wir haben das auch Vertriebenentreffen genannt. Da wurden alle deutschen Vertriebsangestellten für ein Wochenende in einen bestimmten Ort eingeladen. Und dann gab es wieder alles für umsonst. Unsere Plattenfirma dachte sich immer etwas Besonderes aus. So mussten zum Beispiel einmal alle Leute mit Rucksack, Taschenmesser und Dauerwurst ausgerüstet durch den Bayerischen Wald wandern. Am Skilift stand dann Marusha, das war diese Sängerin mit den grünen Augenbrauen, und sang, am Berghang saß Phillip Boa, ein etwas düsterer Sänger einer typischen Independent Band, auf einem Thron, und wir wurden auf einem Hänger, der eigentlich für Stroh war, von einem Traktor über eine Wiese gezogen. Dazu lief aus versteckten Lautsprechern *Du riechst so gut*, denn dieses Lied sollte unser Hit werden. Das klappte zwar nicht, aber immerhin merkten sich die Gäste unseren Namen, denn solche lustigen Einlagen hinterließen eine bleibende Erinnerung bei den Leuten. Wir mussten dafür zwölfmal auf den Hänger springen, um jede Gruppe aufs Neue zu überraschen. Vor jedem dieser Kurzauftritte tranken wir alle einen Schnaps. Die ganze Geschichte startete um zehn Uhr morgens.

Für den Abend wurde ein riesiger Vergnügungspark aufgebaut mit Bungeespringen, Kettenkarussell und Ballonfahrt. Im Hotel hatte man vorher frisch gedrucktes Geld bekommen, die sogenannte Peine Mark. Herr Peine war wohl der Chef der PolyGram. Mit diesem Geld, das später in der Nacht stapelweise überall herumlag, konnte man sogar im Ort in den Geschäften einkaufen.

Als der offizielle Teil abgehandelt war, fuhr die ganze Mannschaft mit der Seilbahn auf einen Berggipfel. Wir waren wohl doch in den Alpen. Ich war begeistert. Schließlich war ich zum ersten Mal in meinem Leben auf einem Berg, der über zweitausend Meter hoch war. Als ich aus der Seilbahn stolperte, machte ich mich gleich an den Aufstieg zum Gipfel. Das waren eigentlich nur noch ein paar Meter. Aber es ging sehr schwer, denn ich hatte nur Clogs an. Die hatte Till bei einer Tankstelle für mich geklaut und sie waren mir etwas zu groß, weil ich sie nicht anprobieren konnte. Ich hatte meine alten Schuhe in dem Haus stehengelassen, in dem wir nach einem Konzert irrtümlich geschlafen hatten. Wir mussten schnell fliehen, als die Männer nach Hause kamen, die dort eigentlich wohnten. Sie fanden es eventuell noch nicht so schlimm, dass wir in ihrem Haus waren, aber wir schliefen anscheinend auch mit ihren Frauen. Ich lag zwar alleine in einem Bett, das war den Männern aber egal, sie konnten in dem Moment nicht so differenzieren.

Deswegen rutschte ich jetzt immer aus meinen Schuhen und den Berg wieder hinunter. Dann stand ich mit Socken im Schnee und wunderte mich. Außerdem war ich heillos betrunken. In der Baude spielte schon wieder eine Band oder auch mehrere. Die Kellner stellten ununterbrochen große Tabletts mit Schnaps auf den Tisch. Irgendwann ließ auch der seriöseste, schlipstragende Händler alle Hemmungen fallen. Spätestens, als die Seilbahn uns wieder ins Tal zu unserem Hotel brachte. Aus irgendeinem Grund bezeichneten alle Anwesenden dieses Hotel nur als den Spermabunker.

Am nächsten Morgen gingen wir erst mal in die Sauna, um uns wieder auf Vordermann zu bringen. Wir waren natürlich nicht die Einzigen. Da war noch eine Frau, die sich fürchterlich über uns aufregte. Wir sollten die Füße aufs Handtuch legen und nicht so laut sprechen. Als sie zwischen zwei Gängen kurz die Sauna verließ, pinkelten wir auf die Steine und gingen auch raus. Sozusagen als Aufguss. Dann sahen wir durch das Fenster zusammen zu, wie sich die Frau genüsslich wieder niederließ. Gutgelaunt gingen wir zum Essen und vergaßen dabei, unserem Bassisten Bescheid zu sagen, der dann den ganzen Tag so komisch nach Urin roch.

Das war auch das letzte Mal, dass die Plattenfirma so eine riesige Party veranstaltete. Ich will nicht wissen, was diese Wochenenden gekostet haben. Ab da ging es mit den Plattenverkäufen rapide bergab. Jetzt gab es bei den Tagungen nur noch Maschinenkaffee für umsonst.

Bei Motor allerdings ließen sie sich immer noch etwas einfallen. Die Vertriebsleute drehten mit Teilen der Band unsere Videos nach, dafür fuhren wir in Zweiergruppen nach Bremen oder Stuttgart, wo das Filmset schon vorbereitet war. Zu gerne würde ich noch einmal eines dieser Videos sehen.

In einem anderen Jahr wurde von Motor ein riesiges Sportfest organisiert. Die Gäste sollten in zehn Disziplinen gegen die Musiker antreten. Wir waren für das Tauziehen zuständig. Da wir sehr rhythmisch zogen, gewannen wir jeden Kampf. Zum Anziehen wurden uns bayerische Trachten hingelegt, also diese Hemden, Strümpfe und kurzen Lederhosen. Damit wurden wir auch fotografiert. Wir fanden, das sah gar nicht schlecht aus. Und auf der ganzen Welt wären wir so als Deutsche erkennbar. Ab da benutzten wir die Bayerntracht als Basis für unsere Bühnenklamotten. Auch wenn ich inzwischen einen Glitzeranzug trage, ist die Fickhose noch ein Relikt aus der Bayernzeit. Und das alles wegen der Ideen unserer Plattenfirma.

Aber die abseitigste Idee der Plattenfirma war, uns nach Hongkong zu schicken. Zufällig fand dort wieder eine Vertriebstagung statt. Der Ort war immer ein anderer. Einige wenige Bands sollten mitfahren, um für die jeweilige Firma, in unserem Fall Motor, zu werben und eine Art Kulturprogramm auf die Beine zu stellen. Auf der Abschlussveranstaltung sollten wir vor den geladenen PolyGram-Mitarbeitern drei Lieder spielen. Die Kellner würden die einzigen Chinesen sein, die uns sahen. Ich gruselte mich aus irgendeinem Grund vor Hongkong, und meine Flugangst tat ihr Übriges. Die Band kaufte sich Reiseführer und betrachtete die Sache vom touristischen Standpunkt. Ich bin aber nicht gern weg von zu Hause und dachte, wegen drei Liedern für deutsche Vertriebsangestellte bräuchte ich nicht mitzufahren, und besprach mich mit einem Bekannten, der auch Keyboard spielte und an meiner statt fahren sollte.

Zwei Tage später saß ich natürlich doch mit im Flugzeug und betrachtete die chinesische Mauer von oben. Besser als die Radieschen von unten. Beim Anflug auf Hongkong gerieten wir in einen unglaublichen Regenschauer. Zu dieser Zeit lag der Flughafen noch mitten in der Stadt, und wir flogen zwischen den Hochhäusern durch. An manchen von ihnen war ein rot-weiß gestreiftes Schild befestigt, wohl als Zeichen zum Abbiegen. Ich konnte in die Fenster reinkucken und beobachtete eine Frau beim Kochen. Schließlich landeten wir und staunten, wie zerfallen Hongkong war. Die Hochhäuser waren völlig kaputt, und überall stand und tropfte das Wasser. Wir wurden zu unserem Hotel gefahren. Von außen konnte man nicht erkennen, dass es sich um ein Hotel handelte, denn unten war es eine U-Bahn-Station, dann kam ein Kaufhaus, dann eine Shopping-Meile, dann einige Etagen mit Büros und Wohnungen. Im siebten, es heißt wirklich siebten und nicht siebenten Stock, war die Rezeption vom Hotel und vom vierzehnten bis zum siebzehnten Stock waren die Hotelzimmer verteilt.

Was wir nicht wussten, aber bald merkten, war, dass unsere Zimmer keine Fenster hatten, da sie innen im Haus lagen. Zimmer mit Fenstern müssen unbezahlbar teuer gewesen sein. Da wir so nicht schlafen konnten, wir waren ja ein Leben mit Fenstern gewöhnt, fuhren wir abends mit dem Fahrstuhl bis ganz nach oben, brachen eine Feuertür auf, kletterten eine Leiter hoch und landeten schließlich auf dem Dach. Leider war das Sims nicht einmal zwanzig Zentimeter hoch, und man musste ganz schön aufpassen, um nicht herunterzufallen. Und das mit meiner Höhenangst. Aber wir konnten atmen, zumindest etwas, da die Luft unsagbar schwül war.

Am Tag war man nach fünf Minuten durchgeschwitzt. Es herrschte ein unheimliches Menschengewirr, und ich sehnte mich nach ein bisschen Ruhe. In der Canal Street wurden auf einem endlos scheinenden Markt alle möglichen Tiere verkauft. Und zwar, wie ich mit nicht gelindem Erschrecken feststellen musste, ausschließlich zum Essen. Süße Welpen und schöne Vögel, die wie ein Bund Petersilie zusammengebunden wurden, um ihnen dann mit einer rostigen Schere die Schnäbel und Beine abzuschneiden. Natürlich lebten sie da noch. Alle Arten von Krebsen und Hummern, Schildkröten, die mit einer Art Schaufel lebendig aus dem Panzer geschält wurden, und natürlich Frösche. Der Verkäufer fasste sie an den Hinterbeinen an und wirbelte sie herum, bis der hinterbeinlose Körper gegen die Wand flog und auf einen Haufen Frösche fiel, die kläglich quakend versuchten, auf den Vorderbeinen davonzukriechen, wenn sie nicht schon von ihren Artgenossen, die auf sie drauf fielen, erstickt worden waren. In dieser Straße lag auch ein sehr ekliger Geruch in der Luft, aber der kam nicht von den Tieren, sondern von der so genannten Stinkfrucht, die sehr appetitlich aussah, so dass wir uns begeistert ein Stück kauften. Es begann ein lustiges Spiel. Jeder versuchte unauffällig, die Frucht in einem anderen Zimmer zu deponieren. Schließlich legten wir sie in den Fahrstuhl und schickten ihn ganz nach oben.

Wir mussten auch etwas essen und gewöhnten uns daran, dass die Kellner mit Zigarette im Mund und dreckigem Unterhemd am Leib das Essen brachten. Es gab immer das Gleiche, egal was wir bestellten, nämlich eine Plasteschüssel mit Reis und eine mit einer Art Hühnersuppe, natürlich mit Knochen, Knorpel und Innereien, die man einfach auf den Tisch spuckte, von wo die Kellner sie dann mit der Hand wegnahmen. Dann brachten sie das nächste Essen. Wir wussten auch zunächst nicht, wie wir die Suppe mit Stäbchen essen sollten. Da kam der Kellner an den Tisch und zerschnitt die Nudeln und das Huhn in unseren Schüsseln mit einer rostigen Schere. Es war dort aber unbestritten preiswert. Als wir dann mal zu etwas gehobeneren Preisen speisten, nahmen die Kellner nach dem Essen das Tischtuch an allen vier Ecken auf und trugen es mit allem Geschirr und Speisen und Getränkeresten weg, wirklich egal, was noch auf dem Tisch stand. Wir rätselten, ob das weggeworfen wurde oder ob bemitleidenswerte Kreaturen in der Küche alles sortieren mussten.

Bei unserem Auftritt erlebten wir dann das Gegenteil. In einem Nobelhotel wurde ein riesiger Saal für die Veranstaltung hergerichtet, und es fehlte an nichts. Auf der Toilette wartete ein alter Mann mit einem Läppchen, um würdevoll den letzten Tropfen aufzufangen, was mir so unangenehm war, dass ich versuchte, nicht zu pinkeln oder nur, wenn die Toilette so stark frequentiert war, dass der Mann keine Zeit für mich fand. Ob unser Auftritt auf Resonanz stieß, weiß ich nicht, es würde mich aber wundern. Wir sahen uns dann auch recht ratlos die anderen Darbietungen an, irgendwelche chinesischen Superstars, die eine Art Schlager sangen. Als wir merkten, dass die Kellner alles brachten, was man bestellte, ohne Geld dafür zu verlangen, ließen wir uns von jedem zwei Schachteln Zigaretten bringen.

Beim Spazierengehen am nächsten Tag bekam ich nackte Angst, wenn ich sah, in welch unvorstellbarem Elend die Leute dort lebten. 25 Menschen in einer Einzimmerwohnung von 30 Quadratmetern galt als normal. In einigen zusammenhängenden Wohnblocks lebten dort vier Millionen Menschen, die alle essen wollten. Die haben mit Sicherheit nicht auf uns gewartet. Was wollten wir da als Rockband? Was wollten wir überhaupt?

Als unsere erste Platte erschien, fiel die Reaktion darauf sehr verhalten aus. Da half es nur, Konzerte zu geben. Also spielten wir eine gefühlte Ewigkeit. Wir spielten als Vorband, wir spielten alleine, wir fuhren auf Tourneen, wir gaben Einzelkonzerte, wir spielten für MTV, kurz wir spielten überall, wo uns die Leute ließen. Natürlich abgesehen von Wahlveranstaltungen, aber da hat uns natürlich auch niemand gefragt. Aber auf einer Benefizveranstaltung in einem Jugendclub in Riesa haben wir mal gespielt, da ging es um die hungernden Menschen in Ruanda.

Sogar auf eine Modenschau wurden wir eingeladen. Diese Geschichte fand in einem Club in München statt, da wo die Isar sich aufspaltet und eine Art Insel umfließt. Der Höhepunkt der Show war, dass die Models so taten, als wären sie die Band, und sich sozusagen playback an unseren Instrumenten zu schaffen machten, während wir als Models verkleidet mit eigenartigen Sachen eher schlecht als recht über den Laufsteg wandelten. Dieser Laufsteg wird ja als Catwalk bezeichnet, weil die Katzen beim Gehen ihre Füße oder vielmehr Tatzen voreinander setzen. Das sieht eleganter aus, als wenn man da breitbeinig entlangwatschelt. Leider hat man mir das erst einige Jahre später erklärt.

All das war jedenfalls sehr aufregend, und noch nie waren wir von so vielen schönen Frauen umgeben. Die Models erschienen zumindest mir absolut unerreichbar, aber auch die Schneiderinnen und die Choreographinnen waren unheimlich exotisch und reizvoll. Ein Glück, dass wir alle im selben Hotel wohnten. Durch den Alkohol verlor ich etwas von der Fähigkeit, eine Situation richtig einzuschätzen, und ging davon aus, dass die Frauen sich über einen nächtlichen Besuch von mir unbändig freuen würden. Als ich an die Tür ihres Zimmers klopfte, machte mir zwar niemand auf, aber ich ging davon aus, dass es daran lag, dass niemand wusste, dass ich derjenige war, der vor der Tür stand. Unser Zimmer befand sich gleich zwei Türen weiter, also stieg ich dort aus dem Fenster und hangelte mich am Dachsims zwei Zimmer weiter. Ich rechnete fest damit, dass auch die Frauen wegen ihres Alkoholgenusses ihr Fenster geöffnet hatten, nichts geht schließlich über frische Luft. Ich kletterte also durch das Fenster ins stockdunkle Zimmer und legte mich in das nächste Bett. Die Frau war von meinem Besuch nicht gerade begeistert, hatte aber nichts dagegen, dass ich im Bett blieb, wenn ich mich benahm. Ich schlief relativ schnell ein und blickte beim Aufwachen einem Bandkollegen genau ins Gesicht. Der lag im Nachbarbett. Da war schon vor mir jemand auf die Idee gekommen, die Frauen zu besuchen. Er erzählte mir, was für einen Schreck er bekommen hatte, als ich durch das Fenster gefallen war. Ich ging zurück in unser Zimmer und bekam meinerseits einen gewaltigen Schreck, als ich aus dem Fenster sah. Wir befanden uns im sechsten Stock, und draußen war überhaupt nichts, woran man sich festhalten konnte. So viel zu Modenschauen.

Aber hauptsächlich spielten wir auf herkömmlichen Konzerten in ganz Deutschland. Wir bekamen unseren Tom als Tourmanager zur Seite gestellt, der dann den Kleinbus fuhr. Wir hatten auch schon eine dreiköpfige Crew, die mit den Instrumenten und Verstärkern in einem anderen Bus fuhr. Einen für den Ton, einen für das Licht und die Pyroeffekte, und der Dritte kümmerte sich um die Bühne und die Instrumente. Natürlich mussten wir alles selber aufbauen. Wir waren jeden Abend aufs Neue gespannt, wie viele Leute kommen würden. Manchmal war eine halbe Stunde vor dem Konzert noch nicht ein einziger Gast da. Ängstlich fragten wir nach der Anzahl der verkauften Karten. »Weit über 67«, versuchte Tom uns zu motivieren. Ich wollte mir lieber nicht vorstellen, wie viele Leute weit über 67 sein könnten. Vielleicht 1000? Oder eher 68. »Hier ist es aber üblich, dass die Leute abends noch kommen und sich Karten kaufen.« Dieser Satz wurde oft wiederholt und bewahrheitete sich nie.

Deshalb spielten wir häufig als Vorband. Da gab es zwar noch weniger Geld, aber da kamen wenigstens die Leute, die die andere Band sehen wollten. Diese Hauptbands waren ausnahmslos sehr fair und freundlich zu uns. Das überraschte uns, denn wir hatten nicht damit gerechnet, dass sich diese großen und berühmten Bands so gut um uns kümmern würden. Bei den Ramones hatten wir dieselben Rechte wie sie. Die einzige Bitte war, dass wir beim Essen noch nicht im Büfett herummatschen sollten, bevor Joey sein Essen bekam. Wir waren auch begeistert von ihren Groupies, die in unseren Augen schon ein biblisches Alter erreicht hatten. Die Ramones gab es eben schon etwas länger als uns. Und sie waren immer noch richtig gut.

Mit ihnen kamen wir auch nach Frankfurt, wo wir vor ganz vielen Amerikanern spielten, die dort stationiert waren. Wir hatten davon keine Ahnung. Da war auch die Stadt Ramstein in der Nähe. Die gab es also wirklich. Auf unserer Party saßen echte Amerikaner mit uns herum. Wir trugen mit ihnen heftige Meinungsverschiedenheiten aus. Besonders ich schimpfte völlig sinnlos auf Amerika, ohne das geringste Hintergrundwissen zu haben. Als zwei Amerikaner mir Paroli bieten wollten, entdeckten sie ihre Sympathie füreinander und heirateten kurze Zeit später. So hatte das wenigstens einen Sinn. Denn die Konzerte selbst brachten uns außer einigen interessanten Erfahrungen nicht viel. Wer ein Ramones-Fan war, blieb normalerweise auch einer und wechselte nicht wegen eines Konzertes zu uns.

Umsonst waren diese Konzerte trotzdem nicht. Bei den Soundchecks übten wir die neuen Lieder. Wir hatten nämlich schon ein paar Ideen gesammelt, die wir unauffällig ins Programm einbauten. So konnten wir einige Lieder in den Konzerten vor Leuten ausprobieren, bevor wir sie für die nächste Platte aufnahmen. Das tat den Liedern wirklich gut. Und dass wir wieder eine Platte machen würden, stand außer Frage. Erstens hatten wir einen Vertrag über drei Platten abgeschlossen, und zweitens fing die Sache ja gerade an, richtig Spaß zu machen.

*

Ich trete auf das Rad des Kessels, um mich hineinzuschwingen, stelle aber wieder mal fest, dass dort kaum noch Platz für mich ist, denn da steht schon die Gasflasche für die Flammen drin. In den Boden sind Lampen eingebaut, an die ich nicht rankommen darf, weil die viehisch heiß werden. Ich habe mich bei einer Probe mal darauf abgestützt und mir dabei fürchterlich die Hände verbrannt, da blieb richtig meine Haut an dem dünnen Schutzgitter davor kleben. Es hat ganz eklig nach verbranntem Fleisch gerochen. Warum riecht es dann beim Grillen so lecker? Liegt es an dem Salz oder dem Bier? Oder an der Fleischsorte? Bei mir hat es einfach gestunken.

An meinem Keyboard muss ich mich auch noch vorbeiwinden, denn das liegt mit im Kessel. Ich bin ja schließlich auch Musiker und will bei dem Lied mitspielen. Das vergesse ich selbst manchmal. Also nehme ich das Keyboard in die Hand und schlängele mich in den Topf. Dann rolle ich mich auf dem Boden zusammen. Da kommt auch schon der Bühnenarbeiter und sprüht so viel Nebel in den Kessel, wie es geht. Ich halte schnell die Luft an. Leider etwas zu spät. Dann wird der Deckel auf den Topf geworfen und Till, der sich inzwischen auch umgezogen hat, zieht den Kessel auf die Bühne. Ich kann das natürlich nicht sehen, aber ich entnehme es dem Rattern unter mir. Mir ist rätselhaft, wie er das schafft, denn die ganze Geschichte wiegt bestimmt eine Tonne. Die Band spielt jetzt volle Suppe. Also das Lied heißt *Mein Teil* und nicht volle Suppe, ich meine damit, sie spielen voller Energie. Volle Pulle kann man auch sagen, genauso wie volle Kanne. Je nachdem, aus welchem Interessengebiet man kommt. Autofans zum Beispiel sagen, dass einer rechts rangefahren ist, wenn sie meinen, dass jemand nicht mehr lebt.

Wenn es ihnen nicht so gutgeht, sagen sie, sie laufen nicht auf allen Töpfen. Apropos Topf. Till hebt jetzt manchmal kurz den Deckel vom Topf hoch, und da quillt dann der Rauch heraus, der vorher reingeblasen wurde. Früher lag hier mal eine kleine Sauerstoffflasche für mich bereit, damit ich trotz des Nebels atmen konnte, aber die war immer ganz unverhofft leer, und da ich mich darauf verlassen hatte, dass ich schönen frischen Sauerstoff bekomme, habe ich nicht vorgeatmet und bin fast erstickt. Jetzt habe ich es doch wirklich geschafft, mich an meiner eigenen Spucke zu verschlucken. So etwas passiert mir sonst nur im Kino, wenn gerade eine spannende oder berührende Szene läuft und alles ganz still ist. Ich muss husten und atme den Rauch im Topf ein. Da mir schwindelig wird, knipse ich das Licht an. Dadurch kann ich wenigstens sehen, wo oben und unten ist. Das war gerade noch rechtzeitig, denn jetzt nimmt Till den Deckel vom Topf und wirft ihn auf den Boden. Es scheppert gewaltig, und ich kann im Topf die Erschütterung spüren. Jetzt entweicht der ganze Rauch, und alles wird von den Strahlern unter mir wunderschön beleuchtet.

Till beginnt, die erste Strophe zu singen, und ganz überraschend tauche ich aus dem Topf auf und spiele meine Melodie, das Keyboard habe ich blitzschnell auf dem Topfrand eingehakt. Till benutzt ein Messer als Mikrophon und kommt immer mal wieder zum Topf, um an mir herumzustochern und zu kucken, ob ich schon gar bin. Es geht ihm anscheinend nicht schnell genug, und im C-Teil holt er einen Flammenwerfer auf die Bühne, um die Sache richtig auf Temperatur zu bringen. Es fällt vielleicht langsam auf, dass bei uns die Ereignisse immer im C-Teil passieren, aber das ist nun mal der einzige Zeitpunkt im Lied, bei dem wir nicht alle spielen oder singen müssen. Jedenfalls schießt Till jetzt mit dem Flammi, wie wir den Flammenwerfer liebevoll nennen, voll auf mich drauf. Da ich ja damit gerechnet habe, schaffe ich es, mich wegzuducken. Trotzdem ist es heiß. Es war auch schon beim letzten Konzert heiß, aber dass es so heiß ist, habe ich irgendwie vergessen. Das kann einfach nicht wahr sein. Meine Haut ist wahrscheinlich dünner geworden. Ich tauche schnell wieder auf, um Till zu zeigen, dass er mich nicht so einfach kleinkriegt. Da kommt schon der nächste Feuerstoß. Er ist zwar genauso heiß, aber ich bin weniger geschockt. Trotzdem lache ich beim Auftauchen nicht mehr ganz so doll. Um zu zeigen, was für ein harter Typ ich bin, versuche ich, so lange oben zu bleiben, bis der nächste Feuerstrahl direkt vor meinem Gesicht ist. Der dritte Stoß ist wieder ganz schlimm, und den vierten halte ich nur aus, weil ich weiß, dass jetzt eine kurze Pause kommt. Ich tauche also wieder kurz aus dem Topf auf und winke Till höhnisch zu, um ihm zu zeigen, dass ich nicht so leicht totzukriegen bin. In Wirklichkeit versuche ich nur zu atmen, denn während der Feuerstöße Luft zu holen wäre tödlich. Ich würde dann die Flammen in die Lunge saugen. Aber auch jetzt kann ich nicht richtig atmen, weil das Feuer sämtlichen Sauerstoff aus der Luft gefressen hat. Es fühlt sich an, als würde ich versuchen, Beton einzuatmen. Dann atme ich eben nachher. Till kuckt ganz empört, weil ich immer noch nicht gar bin. So schnell gibt er aber nicht auf. Jetzt schleppt er einen Flammenwerfer heran, der gleich dreimal so groß ist wie der andere, und richtet ihn auf mich. Ich tauche genau im richtigen Moment ab. Nicht nur der Flammenwerfer ist größer, sondern auch die Flamme, die da rauskommt. Vorhin habe ich noch geschwitzt, aber jetzt bin ich knochentrocken, weil alle Feuchtigkeit verdampft ist. Meine Jacke ist auch ganz heiß, und ich muss besonders mit dem Reißverschluss aufpassen, denn der ist noch ein bisschen heißer. Das kennt man aus der Sauna, da soll man ja auch keine Metallgegenstände mitnehmen, weil man sich an ihnen verbrennen kann. Als ich nach diesem Feuerstoß auftauche, muss ich mich zum Grinsen zwingen. Der nächste ist noch heißer, und ich überlege, ob ich nicht einfach im Topf liegen bleibe, bis sich die Situation etwas abgekühlt hat. Hätte die Hitze noch eine Zehntelsekunde länger angehalten, hätte ich das auch gemacht, aber so rappele ich mich auf. Till scheint Gefallen an der Sache zu finden und schießt jetzt gleich ein bisschen länger. Ich habe das Gefühl, dass meine ganze Haut weggebrannt ist. Ich komme nur noch einmal kurz hoch, um kein Spielverderber zu sein, und Till schießt wieder. Wir haben viel ausprobiert, um die Sache für mich etwas erträglicher zu gestalten, aber je mehr Decken und Zeug wir mit in den Topf geschmissen haben, desto mehr hatte ich damit herumzuwerkeln, und damit stieg die Gefahr, dass ich mich ernsthaft verletze. Ich kam zu dem Ergebnis, dass es das Einfachste ist, den Schmerz stumpf auszuhalten. Das kann man auch in viele Bereiche übertragen. Einfach aushalten, und dann ist es auch bald vorbei. So auch jetzt. Till ist fertig, und ich liege im Topf herum und suche meine Hausschuhe. Ich bin schon ganz verwirrt, ich suche natürlich meine Handschuhe. Wie komme ich nur auf Hausschuhe? Selbst zu Hause trage ich keine Hausschuhe. Seit meiner Kindheit wehre ich mich dagegen und gehe jetzt noch ungern zu Leuten, bei denen ich mir die Schuhe ausziehen soll. Wahrscheinlich wegen meiner Socken. Handschuhe ziehe ich auch nicht gerne an. Es kommt mir dann so vor, als hätte ich kein richtiges Gefühl in den Fingern. Jetzt brauche ich sie aber. Sehen kann ich in dem ganzen Rauch nichts.

Bei den Proben für die Tour hatte ich noch keine Handschuhe, und als ich nach unzähligen Feuerstößen aus dem Topf klettern wollte, blieben meine Fingerkuppen an dem inzwischen fast glühenden Rand kleben. Bei den ersten Konzerten danach bin ich vor Schmerzen fast verrückt geworden, weil ich mit diesen Fingern noch spielen wollte, aber irgendwann ist es verheilt. Ich habe in der Zeit einfach versucht, möglichst wenige Töne zu spielen. Eine Zeitlang hatte ich sogar keine Fingerabdrücke mehr und hätte vielleicht eine Bank überfallen können, bin aber nicht dazu gekommen.

Ich habe inzwischen die Handschuhe gefunden und ziehe sie mir an. Ich muss mich beeilen, sonst ist das Lied zu Ende, bevor ich aus dem Topf komme. Und dann hätte Till ja sozusagen das Spiel gewonnen. Also schwinge ich mich, meiner Ansicht nach sportlich, aus dem Kessel. Die Handschuhe werfe ich schnell zurück in den Topf, denn die brauche ich da ja morgen wieder. In diesem Moment zünden die Pyroleute die Effekte an meinem Gürtel. Ich renne orientierungslos über die Bühne und hoffe, dass Till mich nicht erwischt. Als ich jetzt endlich mal tief Luft holen will, habe ich mich ungünstig gedreht und atme den Rauch von meinen Strobs ein. Das ist pures Gift, vielleicht sogar radioaktiv, irgendwas mit Strontium oder so. Jetzt kommt das Finale dieses Liedes. Ich laufe quer über die Bühne, während von oben Kometen auf mich geschossen werden. Sie schlagen direkt neben mir ein, so dass es für das Publikum so aussieht, als ob sie mich treffen würden. Manchmal, wenn ich zu weit innen laufe, treffen sie mich auch wirklich, das tut dann richtig weh, und ich habe noch einige Tage danach eine Art riesigen Knutschfleck.

Heute geht aber alles gut, und im Grunde genommen lief dieses Lied sehr entspannt ab. Warum habe ich mich so aufgeregt? Während das Outro läuft, nehmen mir die Pyros, wie wir sie nennen, hinter der Bühne den Gürtel ab, und ich nehme vorsichtig ein paar Atemzüge. Dann sause ich, während der hintere Vorhang fällt, zurück auf die Seite, wo meine Keyboards stehen. Wieder weiche ich im Dunkeln geschickt den Kabeln und Scheinwerfern aus. Till kommt mir gutgelaunt entgegen und klatscht mir auf den Arsch.

Wir grinsen uns an, und ganz langsam beruhigt sich mein Atem. Ich klettere von hinten auf die Bühne. Mir ist nur noch ein bisschen schwindelig, aber immer noch ziemlich heiß. Ich überlege, welches Lied das nächste sein könnte. Mir fällt aber überhaupt nichts ein. Da muss ich eben warten, bis die Band anfängt zu spielen, dann werde ich das Lied schon erkennen. Ich höre aber niemanden von uns spielen. Oder höre ich gar nichts mehr? Ich drücke ein paar Tasten auf meiner Orgel. Doch, ich höre noch etwas. Also warte ich ein bisschen. Ich denke, eine kurze Pause kann in so einem Konzert nicht schaden, und starre auf meine Orgel. Die sieht ganz schön dreckig aus. Es liegt eine richtige Ascheschicht auf den Tasten. Das kommt von dem vielen Feuer. Bei Open-Air-Konzerten liegen nach den ersten Feuerstößen sogar massenhaft verbrannte Insekten auf der Orgel. Ich versuche den Dreck abzuwischen, aber er ist sehr klebrig. Ich bräuchte einen Lappen oder ein Tuch.

Plötzlich wird mir wieder ganz heiß vor Schreck, denn mir fällt ein, dass alle auf mich warten, da ich zu dem Lied *Ohne Dich* das Vorspiel spielen soll. Ich wähle hektisch die Datenbank mit den Streichern aus und fange zu spielen an. Es ist andererseits ganz gut, dass ich so lange gewartet habe, da Till sich ja sein Kochzeug ausziehen musste. Das ist bei uns nicht anders als bei Madonna oder so. Aber Till steht schon fertig umgezogen wieder auf der Bühne und fängt an, die erste Strophe des Liedes zu singen. Sofort ist dieses Gefühl da, das auch ich verspüre, wenn ich ein typisches Lied von uns höre. Manchmal versucht jemand, Till zu imitieren und sich über unsere Musik lustig zu machen. Diese Leute grunzen dann auf dem tiefsten Ton, den sie erreichen, und denken, sie machen das Gleiche wie Till. Sie wollen damit zeigen, wie einfach es ist, solche Musik wie wir zu machen, und wie stumpf wir sind. Das kann lustig sein, wird aber der Sache nicht gerecht, denn Till singt wirklich wunderschöne Melodien und seine Stimme geht mir sehr ans Herz. Wir werden auch gerne als Düsterrocker oder Brachialrocker bezeichnet, aber natürlich nie von Leuten, die sich ernsthaft mit harter Musik beschäftigen. Für diejenigen sind wir eher aus der Kindergartenabteilung. Die würden uns nie als Heavy-Metal-Band bezeichnen. Für die machen wir eher eine Art Schlager. Schlager wiederum ist eine spezielle deutsche Bezeichnung. Welche Musik ist denn eigentlich Schlagermusik? Ist das aus dem Englischen übersetzt und kommt von Hit, was ja Schlag heißt? Das haben sie dann lieber ins Deutsche übersetzt, weil die Lieder sonst Hitler genannt werden würden.

Ich wundere mich, was für Gedanken so durch meinen Kopf schießen, während wir das Lied spielen. Vielleicht bin ich in diesem Lied unterfordert. Oder die Dämpfe vom letzten Lied sind mir aufs Gehirn geschlagen. Dieser Kaufhauserpresser, der sich Dagobert nannte, hatte ursprünglich auch keinerlei kriminelle Neigungen, aber dann hat er in einer Lackiererei gearbeitet, und von den Dämpfen da ist er depressiv geworden. Er hat sich eingeredet, dass seine Frau ihn verlässt, wenn er so erfolglos bleibt, und hat sich die Erpressungen ausgedacht. Das erste Mal ging es noch gut, aber dann kam es nicht mehr zur Geldübergabe, weil die Polizei ihm nur Papier in den Koffer packte. Eine traurige Geschichte. Und ich bin dabei gewesen. Zwar nicht direkt bei der Geldübergabe, aber ich kenne es auch nicht nur vom Hörensagen. Ich habe wie ganz Deutschland bei allen Beiträgen und Berichten im Radio mitgefiebert und den Leuten in der Kneipe zugehört, die offenbar alle genau Bescheid wussten. Man konnte auch eine Telefonnummer wählen und dort seine Stimme hören. Ich fand das spannend und habe immer wieder mal angerufen. Aus mir ist glücklicherweise nach den ganzen Dämpfen auf der Bühne kein Kaufhauserpresser geworden, aber ich habe anscheinend Schwierigkeiten, mich zu konzentrieren.

Jetzt kommt schon das Outro. Ich weiß nicht, wie ich das sonst nennen soll, wenn nach einem Lied noch etwas hintendran gespielt wird. Trotz des Outros ist aber auch dieses Lied schon wieder so schnell vorbei. Ich glaube, ich fange an Halluzinationen zu bekommen, denn ich höre ein Grammophon. Wer spielt denn hier ein Grammophon? Ah, das ist ja Till, das bedeutet, wir fangen an, *Wiener Blut* zu spielen.

Darin geht es um die eingesperrten Mädchen in Österreich, die sich erst nach Jahren befreien konnten. Es wird mir ganz schlecht, wenn ich daran denke, wie viele Mädchen sich nicht befreien konnten. Von denen weiß man oft noch nicht einmal etwas. Ich betrachte seit diesen Entdeckungen die ordentlichen Siedlungen aus Einfamilienhäusern mit anderen Augen. Gerade die wohlangesehenen, freundlichen Nachbarn haben sich ja oft als Monster entpuppt. Die auffälligen Leute hingegen, hinter deren Rücken immer getuschelt wird, sind im echten Leben viel normaler als die, die immer so auf ordentlich machen. Im *Tatort* sind ja auch oft die Ärzte und Anwälte die Verbrecher, die alles tun würden, um ihre Macht und ihren Lebensstandard zu halten. Manchen Leuten scheint jegliche Empathie zu fehlen. Wie kann man nur auf die Idee kommen, ein Kind einzusperren? Was geht in so einem Menschen vor? Da in den Medien diese Sache so skandalmäßig ausgewalzt wurde, haben wir uns entschlossen, ein Lied darüber zu schreiben, das etwas mehr in die Tiefe geht. Denn nur zu sagen, dass man das schlimm findet, wird der Sache nicht gerecht. Wir haben uns überlegt, was in einem solchen Menschen vorgeht oder ob überhaupt etwas in ihm vorgeht. Manche Täter sind ja der festen Meinung, etwas Gutes zu tun. Aus ihrer Sicht ist ihr Handeln völlig in Ordnung, und ihnen fehlt ein Korrektiv, ein Lebenspartner oder Ähnliches, das ihre Meinung in Frage stellt. »Wir haben ja nichts geahnt!«, sagen dann die Arbeitskollegen über den pünktlichen und freundlichen Mitarbeiter. Viele denken auch nicht darüber nach, wie wenig es oft braucht, um einen Menschen völlig aus der Bahn zu werfen. Wie schnell wird man selbst zum Kriminellen.

Till hat sich für dieses Lied in den Täter hineinversetzt. Das hat er so gut gemacht, dass ich richtige Angst vor ihm bekomme, wenn er dieses Lied singt. Die Dunkelheit, in der er wen auch immer willkommen heißt, will ich lieber nicht kennenlernen.

Das Lied ist auch musikalisch recht brutal und drängend, und obwohl der Anlass und das Thema sehr ernst sind, ist es ein gutes Gefühl, es zu spielen. Aggressive Musik wirkt sehr befreiend, sowohl für den, der sie hört, als auch für den, der sie spielt. Gerade Heavy-Metal-Fans, die bei Konzerten völlig ausrasten, habe ich als auffallend sanftmütige Menschen kennengelernt. Ich selber brauche vielleicht auch harte Musik, um meine negativen Gefühle zu kanalisieren.

Früher habe ich immer ganz laut die Dead Kennedys, Sex

Pistols und The Clash gehört. Jetzt ist es für mich einfacher geworden, denn ich spiele gleich selbst in so einer Band, da muss ich mir nicht extra CDs von anderen harten Bands kaufen. Aber wir spielen ja nicht so oft live, wie ich die Musik hören will. Also brauche ich auch CDs von uns. Allerdings mussten wir dazu diese CDs erst mal machen.

*

Bei der ersten Platte ging alles noch relativ einfach, wir gingen ins Studio und nahmen die Lieder auf, die wir schon die ganze Zeit bei den Konzerten spielten. Und nun wollten wir uns neue Lieder ausdenken. Ein paar hatten wir zwar schon, aber für eine ganze Platte reichte das längst nicht. Auf Befehl kreativ zu sein gehört für mich zu den unlösbaren Aufgaben. Die Plattenfirma wartete auf das zweite Album, und auf einmal entstand ein gewaltiger Druck. Wir wollten niemanden enttäuschen, und wir wussten auch, dass sich andere Bands unsere neue Platte sehr kritisch anhören würden. Was wir nicht wussten, war, welche Musik wir überhaupt in Zukunft machen wollten, und in welche Richtung die Sache sich entwickeln würde. Wir wollten uns nicht wiederholen, aber hieß das, alle gewonnenen Erkenntnisse über den Haufen zu werfen? Und alle unsere bewährten Rezepte nicht mehr anzuwenden? Nur um etwas anderes zu machen? War unsere Musik nicht gut, genau so, wie wir sie spielten? Was war überhaupt unsere Musik?

Wir haben uns mal den Begriff Tanzmetall dafür ausgedacht, aber niemand konnte etwas damit anfangen, und erst recht wollte keiner diesen Begriff benutzen. Es war ein bisschen so, als hätten wir uns einen Spitznamen für uns ausgedacht und hofften jetzt, alle würden uns auch so nennen. Aber das war unwesentlich. Wichtig war irgendwie, eine Platte mit neuen und guten, wenn nicht sogar noch besseren Liedern zusammenzubasteln. Wir hatten früher darüber gelacht, dass in den Plattenfirmen so hochtrabende Begriffe für Platten benutzt wurden, das Aufnehmen einer Platte wurde zum Beispiel als Produktion bezeichnet, aber jetzt merkten wir, dass es in richtige Arbeit ausartete. Langsam bekamen wir wirklich das Gefühl, etwas zu produzieren. Wenn wir auch noch nicht wussten, was.

Ab und an brachte einer von uns eine Idee mit, auf der wir dann stundenlang herumhackten. Wenn wir der Meinung waren, dass sich eine brauchbare Version daraus entwickelte, nahmen wir ein Stück davon auf eine DAT-Kassette auf. Am Anfang benutzten wir dafür zwei Ostmikrophone, auch schwarze Teufel genannt. Man kann sich vorstellen, wie diese Aufnahmen klangen. Wenn wir uns die Sachen am nächsten Tag anhörten, hatte meistens keiner mehr Lust, weiter daran zu arbeiten. Das wurde auch nicht automatisch anders, als wir ordentlich über ein Mischpult gingen, um unsere Ideen aufzunehmen. Ich war der DAT-Verantwortliche. Das bedeutete, dass ich selbständig mit dem DAT-Recorder mitschneiden sollte, wenn ich dachte, eine interessante Entwicklung bei einem Lied zu hören. Ich fand sehr viel wert, aufgenommen zu werden, und das Problem lag dann eher darin, die ganzen Musikfragmente so zu benennen, dass man sie später wiederfinden konnte. Die Namen, die ich mir einfallen ließ, waren so phantasievoll wie Montag, Montag 1, Montag neu, Montag ganz neu, und dann ging es mit Dienstag weiter oder je nachdem, wann wir diese Idee gehabt hatten. Um eine Idee wieder zu finden, bot es sich natürlich an, eine Band zu erwähnen, der man die Idee zuordnen konnte. So gab es dann die geile Björk-Sequenz, den Depeche-Mode-Refrain und den Coldplay-Teil. Coldplay haben uns später erzählt, dass sie wiederum einen Rammstein-Teil in einem Lied haben. Aber das war ja klar, dass wir das mit den Namen nicht erfunden haben. Ich hatte bald ein ganzes Buch zu unseren DAT-Kassetten vollgeschrieben, wobei ich versuchte, so viele Anmerkungen wie möglich zu jeder Aufnahme festzuhalten, damit wir wirklich die Aufnahmen finden konnten, die wir hören wollten. Das war ja zu allem Elend noch alles auf unzählig vielen verschiedenen Kassetten verteilt. Und dann gab es natürlich von jedem Lied mehrere Versionen, mal schnell, mal langsam, mal punkig, dann wieder hardrockartig. Mal mit dem einen Refrain, dann mit dem anderen. Mal spielte nur ein Bass in der Strophe, mal eine technoartige Sequenz vom Synthesizer. Um wenigstens etwas den Überblick zu behalten, kauften wir uns eine Tafel und schrieben dort wie in der Schule die Themen auf, die zu einem Lied werden könnten. Dann nahmen wir noch einige Abstufungen vor, es war wie beim Fußball, wir hatten die Champions League, die Bundesliga und die zweite Liga. Wenigstens konnten wir jetzt ein paar Namen sehen, aus denen vielleicht etwas werden konnte. Doch solange Till kein Text dazu einfiel, geisterten diese Ideen sinnlos vor sich hin, denn wenn wir nicht wussten, worum es in diesem Lied gehen sollte, konnten wir auch nichts sinnvoll an diesem Lied ändern oder verbessern. Viele musikalische Ideen verlieren mit einem bestimmten Text ihre Berechtigung oder ihre Bedeutung. Es kann sein, dass die schönsten Teile dann völlig überflüssig werden. Oder, noch schlimmer, wenn sich kein Text für dieses Lied findet, kann man die gesamte Idee einfach wegwerfen. Damit Till aber eine

Inspiration bekommt, muss das musikalische Thema, das ihm angeboten wird, auch so gut klingen, dass es ihn anspricht. Also müssen wir doch sorgfältig an der Idee arbeiten, ohne zu wissen, wo sie mal hinführt. Das klingt alles ziemlich kompliziert, und das ist es auch.

Um uns richtig zu konzentrieren, gab es eigentlich nur einen Weg, wir mussten zusammen wegfahren. So suchten wir ein Haus, in dem wir wohnen und Musik machen konnten. Das Haus sollte natürlich in einer schönen Gegend sein, am besten an der Ostsee. Wir kamen auf das Haus von Rio Reiser, weil das schon wie ein Studio eingerichtet war. Er hatte keinerlei Berührungsängste mit uns, andere Musiker sahen uns schon immer klarer als irgendwelche verklemmten Journalisten.

Als wir losfuhren, um mit den Proben zu beginnen, erfuhren wir, dass Rio gerade gestorben war. Wir wollten aber die Sachen nicht wieder auspacken, und so fuhren wir einfach mit den Instrumenten weiter an der Ostsee entlang und versuchten, ein anderes geeignetes Haus zu finden. Wie in einem Märchen stand da dieses DDR-Schulungsheim. Unzählige Zimmer auf mehreren Etagen. Und überall diese schönen Ostheizkörper und Stahlgeländer. Da mussten wir gleich alle unsere Freunde einladen und rauschende Partys feiern. Nach den Wochenenden brauchten wir dann mehrere Tage, um uns zu erholen. Zwischendurch lernten wir auf dem Hof gegenüber reiten. Ich selber war nicht dabei, ich weiß nicht, wovor ich mehr Angst hatte, vor den Pferden, den Schmerzen oder davor, mich zu blamieren.

Im Proberaum waren wir eher selten. Das war ein richtiger Klassenraum, so wie wir ihn aus der Schulzeit kannten. Naturgemäß hatten wir keine guten Erinnerungen an Klassenräume. Das Abdämmen der Fenster hatte noch Spaß gemacht, aber als wir dann losspielen wollten, fiel uns wieder nichts ein. Das Schlagzeug war so laut, dass ich Kopfschmerzen bekam. Ich legte mich dann in mein Zimmer und las ein Buch, oder ich suchte in der Küche nach Bier. Über dem Küchentisch hing ein Poster der Kelly Family, das wir aus der *Bravo* rausgerissen hatten, um uns zu motivieren. Auf dem Küchentisch lagen ein paar tote Fische, die wir einem Fischer abgeschwatzt hatten, weil wir sie uns abends braten wollten. Und dann stand auch schon das nächste Wochenende an. Da kamen sogar die Leute von der Plattenfirma zu Besuch, aus Spaß und um zu kucken, wie wir so vorankommen. Wir spielten ihnen abends beim Rotwein unsere armseligen Ergebnisse vor. So etwas bezeichneten wir dann als Vorproduktion.

Jahre später, bei der nächsten Platte, versuchten wir es alles ganz anders und völlig ohne Druck und Stress zu machen, aber letztendlich lief es ab da bei jeder Platte genauso ab. Das war auch gar nicht schlimm, denn es gab immer wieder die schönen Momente, wenn wir alle zusammen spürten, dass gerade eine gute Idee geboren wurde, und in denen wir hochkonzentriert versuchten, genau die Essenz zu bewahren, die wir gerade mehr oder weniger aus Versehen gefunden hatten. Das konnte uns niemand mehr wegnehmen.

Es war mein 30. Geburtstag. Ich bin eigentlich kein Freund großer Geburtstagsfeierlichkeiten, aber so hatte ich mir das auch nicht vorgestellt. Die letzten 24 Stunden hatte ich nicht richtig geschlafen, weil ich sie in der Eisenbahn verbracht hatte. Jetzt war ich in Catania auf Sizilien aus einem wackligen Taxi gestiegen, um festzustellen, dass am Hafen kein Schiff bereitstand, um mich nach Malta zu bringen. Ich schaute mir immer wieder mein Schiffsticket an, das mir in Berlin, genauer gesagt in der Sredzkistraße, ausgestellt worden war, aber das nützte mir hier natürlich überhaupt nichts. Es war kein Schiff da, und es würde auch im nächsten Vierteljahr keins kommen. Der Taxifahrer hatte sich schon die ganze Zeit über gewundert, was ich am Hafen wollte.

Bevor er wegfahren konnte, setzte ich mich wieder ganz schnell in sein Auto. Da war es auch schön warm drin. Ich wäre nie auf die Idee gekommen, dass in Italien Winter sein könnte. Ich würde es hier einige Wochen später sogar schneien sehen. Der Taxifahrer fuhr mich zum Flughafen. Das war ja auch ein Hafen. Er wusste nicht, dass ich die ganze Bahnfahrt mit anschließender Fährpassage nur auf mich genommen hatte, weil ich gerade in der schlimmsten Phase meiner Flugangst war. Jetzt stand ich vor dem Vergnügen, mir zum ersten Mal im Leben selbständig im Ausland einen Flug zu buchen und alleine nach Malta zu fliegen. Und das von Italien aus. Wäre ich doch bei der Band geblieben. Da wäre ich im Flugzeug bei den ganzen blöden Witzen gar nicht dazu gekommen, an meine Angst zu denken. Nun saß ich eingeklemmt zwischen zwei Fremden, die ganz laut redeten und schwitzten. Zwei Stunden und einen wackligen Flug später war ich auf der Insel. Natürlich wartete niemand auf mich, da die Fähre erst am nächsten Tag ankommen sollte, wenn sie denn gefahren wäre. Warum war ich überhaupt auf Malta?

Wir wollten dort unsere zweite Platte aufnehmen. Phillip Boa hatte dort ein Studio. Und der war ja auch bei unserer Plattenfirma. So einfach ist das manchmal. Wir waren schön weit weg von zu Hause, und das war eigentlich das Wichtigste. Früher zählte noch, was für technische Geräte in den Räumen der Studios standen, aber das wurde immer unwichtiger, da die Geräte viel kleiner und billiger wurden, so dass man sie überallhin mitnehmen konnte. Und wir mussten wegfahren, sonst konnte es passieren, dass wir nie alle zusammen spielen würden, denn wenn in Berlin der Letzte zur Probe kam, ging der Erste schon wieder. Zum Zahnarzt, zum Steuerberater oder zur Elternversammlung. Ich schließe mich da nicht aus, ich war schon stolz, wenn ich es überhaupt zur Probe schaffte.

Als das größte Problem auf Malta sollte sich aber das Essen herausstellen, ich weiß nicht, ob es an der ehemaligen englischen Besatzung lag oder warum es uns so gut wie unmöglich war, etwas halbwegs Schmackhaftes zu essen zu kriegen. Abends verloren wir unsere wertvolle Zeit, wenn wir stundenlang auf unser Essen in der einzigen Gaststätte des Ortes warteten. Und dann schwamm alles in Fett. In einem größeren Ort aßen wir etwas beim Inder. Als Paul abends das Essen wieder verlor, hinterließ er einen Kotzfleck, der so farbintensiv war, dass man ihn noch sechs Wochen danach gut erkennen konnte. In einer Disco in der Hauptstadt wollte niemand mit uns sprechen, geschweige denn tanzen. Mit dem Namen Rammstein konnte natürlich auch keiner etwas anfangen.

Das Aufregendste, was uns in der Zeit passierte, war ein Besuch in der Popeye-Bucht, die so hieß, weil dort der Popeye-Film gedreht worden war. Die Kulissen waren in der Bucht alle noch aufgebaut. Wir wollten uns diese Geschichte von der anderen Seite der Bucht aus ansehen, weil wir keine Lust hatten, den Eintritt zu bezahlen. Abgesehen davon, war diese Bucht die einzig schöne Stelle in der Gegend. Wir standen ein bisschen auf dem Steg herum und bewunderten die Aussicht. Dann wurde uns kalt, und wir setzten uns ins Auto. So bekamen wir gar nicht richtig mit, dass eine Welle kam, die Olli wie eine Feder ins Meer spülte. Er kam wegen der Strömung nicht mehr zurück an Land, also durchquerte er schwimmend die ganze Bucht, um im Museumsdorf von Popeye zur Begeisterung der Kinder den Fluten zu entsteigen. Außerdem sparte er so das Eintrittsgeld.

Zwischendurch gelang es uns noch, nachts bei Regen mit dem Mietauto gegen eine Mauer zu knallen. Da war ja auch Linksverkehr, daran musste man sich erst mal gewöhnen. Das Auto war völlig kaputt. Schlimmer war aber, dass wir uns bei dem Aufprall die Hamburger tief in den Hals stopften. Kurz zuvor, so gegen Mitternacht hatten wir noch bei Burger King gegessen, und wir überlegten nun, was wir im Leben falsch gemacht hatten. Eigentlich nicht viel. Wir wollten nur unsere zweite Platte aufnehmen, und die ist nun mal angeblich für jede Band die schwerste. Zumindest bis man die dritte Platte machen will.

Dann hatten wir es geschafft. Wir hatten alle Lieder für die Platte aufgenommen, sie abgemischt und gemastert. Am liebsten hätten wir die Platte sofort veröffentlicht, wir konnten es kaum erwarten, die Lieder in die Freiheit zu entlassen, aber so weit war es noch nicht. Wir mussten lernen, dass zu einer Veröffentlichung noch viel mehr gehörte.

Lange bevor die Platte fertig war, sollte schon Reklame gemacht werden. Das hieß, dass wir Interviews geben mussten, eine Sache, die uns wirklich nicht lag. Und vor allem brauchten wir ein Artwork, da weiß ich jetzt nicht, wie man das übersetzen kann, auf jeden Fall brauchten wir ein paar Fotos für die Platte. Außerdem sollten in den Musikzeitungen neue Fotos von uns zu sehen sein, die auf die Richtung der zweiten Platte hinwiesen.

Wir suchten dafür geeignete Fotografen. Zumindest unser Manager, denn wir kannten keine Fotografen. Das heißt, ich kannte schon einige vom Namen her, weil die in den Büchern waren, die sich meine Eltern von ihren Freunden geliehen hatten, aber ich wusste nicht, wie ich die erreichen konnte. Ich wusste ja nicht einmal, ob die noch lebten. So ging es mir auch mit Gottfried Helnwein. Ich hatte schon einige Bilder von ihm gesehen, die mir sehr gefielen. Ich kannte auch das Cover der Scorpions-Platte, allerdings ohne zu wissen, dass dieses Bild von Helnwein ist. Ich wäre aber nicht darauf gekommen, dass die Scorpions eine deutsche Band sind, da sie auf Englisch singen, und hätte daher auch nie vermutet, dass Helnwein in Deutschland wohnte. Über einen gemeinsamen Bekannten erfuhren wir dann, dass Helnwein bei Köln lebte und dass er sich für Rockmusik interessierte. Er hatte sich sogar schon mit den Rolling Stones und Michael Jackson getroffen.

Um uns kennenzulernen, kam er zum Bizarre-Festival nach Köln. Da waren wir noch so unbekannt, dass wir am frühen Nachmittag im Sonnenschein spielten. Das sah sicherlich nicht sehr imposant aus. Als wir dann wieder im Backstage-Bereich herumstanden, sah Gottfried Helnwein als Einziger wie ein Rockstar aus. Wir trauten uns kaum, ihn anzusprechen. Gleich am nächsten Tag fuhren wir von Köln aus in die Eifel auf sein Schloss. Ich war etwas verwundert, da ich davon ausgegangen war, dass sich die Eifel in Frankreich befindet. Wahrscheinlich wegen dem Eiffelturm. Vielmehr wegen des Eiffelturmes. Wieder mal geirrt. Als wir einen gewaltigen Berg hochgefahren waren und durch das Tor blickten, fehlten uns die Worte. In der DDR war es nicht möglich, solche riesigen Kulturschätze privat zu besitzen oder auch nur zu nutzen. Da wäre man höchstens mit Filzpantoffeln durch die Räume geführt worden. Friedlich arbeitete hier eine Gruppe von Angestellten vor sich hin. Diener deckten schweigend den Tisch und trugen das Essen auf. Dann führte uns Helnwein durch die Räume, in denen seine Bilder hingen. Die waren größer, als ich erwartet hatte, und bis ins kleinste Detail ausgearbeitet. Das Überraschendste war aber, dass die ganzen Angestellten diese Bilder malten. Und ich sah auch viele Bilder und Plakate, die ich zum Teil schon aus meiner Kindheit kannte und die ebenfalls von ihm waren. Ich hatte ja nicht gewusst, dass er auch Maler war. Und dass er so berühmt war.

In einem anderen Gebäude war dann seine Fotosammlung. Die ersten Fotos, die er uns zeigte, waren alle schwarz, und ich dachte, da ist beim Entwickeln etwas schiefgegangen, aber es war natürlich Absicht. Mit ganz viel Mühe konnte man die dunklen Gesichter einiger Leute auf dem dunklen Untergrund erkennen. Ich dachte, dass muss ein außergewöhnlicher Künstler sein, der Porträts macht, auf denen man nichts sieht. Und dann zeigte er uns seine Gedenkwand, also die Wand, an der die Fotos mit den berühmten Leuten und natürlich ihm selbst hingen. Er war Arm in Arm mit Muhammad Ali zu sehen und mit Mick Jagger. Nachdem wir diese Wand betrachtet hatten, trauten wir uns erst recht nicht mehr, etwas zu sagen.

Dann wechselten wir in den Arbeitsflügel. Dort wurden wir geschminkt, und Helnwein fotografierte wie wild los. Ich versuchte, die verschossenen Filme mitzuzählen, verlor aber den Überblick. Er sagte uns dann, dass er etwa 1500 Fotos von uns gemacht hatte. Das war schon etwas anderes als bei unserem ersten Foto. Wer sollte das alles bezahlen? Dann schickte er einen Angestellten in die Stadt, um die Fotos zum Entwickeln zu geben. Abends sollten sie fertig sein. Das konnten wir gar nicht fassen. Wenn wir mal einen Film zum Entwickeln abgaben, dauerte es immer eine Woche, bis wir die Bilder bekamen. Aber so konnten wir gemütlich auf die Fotos warten. Also wandelten wir im Schlossgarten herum und unterhielten uns, um die Zeit zu überbrücken. Wir waren noch geschminkt und mit Kunstblut übergossen und konnten uns jetzt gut vorstellen, wie Helnwein zu dem Ruf gekommen war, mit dem Teufel im Bunde zu sein. Denn was sollten die Leute, die sich das Schloss anschauen wollten, sonst denken, wenn sie so auf uns trafen. Auch ohne die Fotos gesehen zu haben, wussten wir, dass sie gelungen waren.

Nach einem gewissen Abstand wählten wir dann für jeden von uns das Porträt aus, das auf das Plattencover kommen sollte. Damit kein Bandmitglied bevorteilt wurde, konstruierten wir das Faltcover so, dass immer ein anderer auf der Vorderseite abgebildet war. In den meisten Bands wird der Sänger hervorgehoben, und das wollten wir vermeiden. Und es war spannend zu sehen, wer vorne drauf war, wenn die Platte in der Zeitung beworben wurde. Nur beim Autogrammeschreiben kam es jetzt zu Verwirrungen, da wir in einer bestimmten Reihenfolge saßen und nun immer in den Covern hin und her blättern mussten, um unsere eigenen Gesichter zu finden. Einige unterschrieben dann aus Versehen beim falschen Gesicht, und wenn der Besitzer des Gesichtes dann einen anderen Namen auf seinem sah, konnte es passieren, dass ein anderes eine Schweinenase, einen Schnurrbart oder eine Brille bekam. Jedenfalls hatten wir endlich ein wunderbares Plattencover für unsere zweite Platte.

Als erste Single wurde das Lied *Engel* ausgewählt. Und dieses Video sollten wir mit DoRo drehen, das war die Firma, die zu dieser Zeit einen Großteil der europäischen Musikvideos drehte. Alle Leute aus meiner Band standen unheimlich auf Quentin Tarantino. Ich bin immer etwas misstrauisch, wenn ganz viele Leute etwas so gut finden, aber *Pulp Fiction* habe ich auch gemocht. *From Dusk Till Dawn* gefiel mir dann nicht mehr so gut, aber ich behielt meine Meinung für mich, als die Band diesen Film für das Lied *Engel* nachempfinden wollte. Oder sich daran anlehnen wollte. Das ist ein schöneres Wort für Ideenklau.

Dummerweise gibt es in dem Film keine Gruppe von sechs Personen, so dass wir uns aufteilen mussten. Drei von uns spielten in der Band, und die anderen drei waren Gäste in dieser Bar, wo der Film und unser Video spielen sollten. Damit wir nicht die Einzigen waren, die im Video zu sehen sein würden, wurden noch etliche schräge Gestalten aus dem Hamburger Nachtleben mit eingeladen. Das war eine gute Idee, denn so machte das Drehen viel mehr Spaß, und einige von den Leuten wurden zu unseren Freunden oder machten noch öfter etwas mit uns zusammen. Diese Leute hatten es nicht weit zum Dreh, denn der fand in der Prinzenbar hinter den Docks statt. Die Docks waren ein sehr guter Rock Club am Spielbudenplatz.

In *From Dusk Till Dawn* spielt so eine Schlangentänzerin mit, von deren Bein einer der Männer sich den Tequila in den Mund tropfen lässt. Da sich die Band den Film wohl doch nicht so richtig angesehen hatte, waren alle der Meinung, dass ich in der Rolle dieses Mannes den Fuß der Frau in den Mund nehmen sollte. Ich fand das sehr merkwürdig, aber machte natürlich mit, weil ich die Dreharbeiten nicht aufhalten wollte. Wir waren dem Zeitplan sowieso schon weit hinterher. Es waren auch noch Kinder da, die den Refrain in einem Käfig mitsingen sollten. Die mussten dann ins Bett, und alles kam noch mehr durcheinander. Wir drehten die ganze Nacht. Es fehlte noch die Stelle, bei der auch wir zu Vampiren werden sollten. Wir betranken uns einfach, damit uns das Spielen leichter fiel. Eine Methode, die sich immer wieder bewähren sollte. Am nächsten Tag drehten wir dann die Schlussszene, bei der wir diese Bar zusammen verlassen. Im Film ist das die beste Szene, weil da der Blick auf unzählige Trucks fällt, deren Fahrer den Vampiren schon zum Opfer gefallen sind. Das konnten wir nicht bieten, aber wir kamen immerhin aus einem alten Speicher am Hamburger Hafen, der kurz danach abgerissen wurde.

Nach heutigen Kriterien ist das Video sehr brav geworden, aber es gab zu der Zeit bei Viva und MTV strenge Richtlinien, was Gewalt und Sex anging, und die Möglichkeit, dass unser Video gespielt werden würde, war schon so sehr gering.

*

Jetzt kommt erst mal *Du riechst so gut*, und ich schalte wieder das Laufband ein. *Du riechst so gut* ist eins der ersten Lieder, das wir uns in der endgültigen Besetzung gemeinsam ausgedacht haben. Vier Lieder gab es schon, bevor ich in die Band kam. Das waren *Rammstein*, *Der Seemann* und *Weißes Fleisch*, das damals noch auf Englisch war, und *White Flesh* hieß, wobei ich White Flash verstand und dachte, es würde um den Atomschlag gehen. Dann gab es noch den *Tiefer Gelegten*, ein Lied, das so hieß, weil die Gitarristen für dieses Lied ihre tiefe E-Saite auf D gestimmt hatten, und somit einen Ton tiefer spielten, als es normalerweise mit den Gitarren möglich war. Und *Das alte Leid*, das ist ein Lied, das früher *Hallo, hallo* hieß.

Als Till auf unserem Achtspurgerät das erste Mal etwas zu

diesem Lied singen wollte, rief er vorher dieses »Hallo, hallo« ins Mikrophon, um zu überprüfen, ob er zu hören war oder ob er sich selbst hören konnte. Dieses »Hallo, hallo« wurde aus Versehen mit aufgenommen und war dann immer als Erstes zu hören, bevor das Lied anfing. Also hieß das Lied dann *Hallo, hallo*. Ich sampelte diese Wörter sogar, so dass ich sie im Konzert an unverhoffter Stelle abspielen konnte. Und natürlich an der richtigen Stelle, eben bevor dieses Lied anfing. Sogar als wir die Platte ordentlich im Studio aufnahmen, spielten wir zum Liedanfang dieses »Hallo, hallo« ein.

Dieses Lied hat noch eine Besonderheit. Vor dem zweiten Refrain ist eine kleine spannende Pause. Uns fehlte an dieser Stelle irgendetwas Markantes von Till. Wir waren bei ihm im Dorf, um an dem Song zu arbeiten, und wir wünschten uns da einen Schrei oder so etwas. Er wusste aber nicht, was er schreien sollte. Wir fragten ihn, was er denn gerne sonst schreit, es musste ja nichts mit dem Lied zu tun haben. Er brauchte nicht lange nachzudenken, bevor er: »Ich will ficken!« brüllte. Das wollten wir sofort aufnehmen. Dabei war es uns wichtig, dass Till auch richtig losbrüllte. Da der Gesang, wenn man es so nennen will, dann völlig übersteuert war, musste Till es immer wieder schreien, bis wir es richtig auf dem Band hatten. Das war im ganzen Dorf zu hören. Die Leute müssen gedacht haben, dass Till ganz schön in Not ist.

Später regten sich wirklich die Leute von der Plattenfirma über diesen Satz auf. Wir wären auch enttäuscht gewesen, wenn sie das einfach überhört hätten. Sie sagten, dass dieser Satz nie auf der Platte erscheinen wird. Wir bestanden natürlich darauf, und erstaunlicherweise gab die Plattenfirma nach. Ich freute mich bei jedem Konzert immer ganz lange auf diese Stelle, und Till enttäuschte mich nie. Ich kuckte dann ins

Publikum, um zu sehen, ob sich die Leute wunderten, die das noch nicht kannten.

Und dann durfte ich sogar noch ein Solo mit meinem Sauriersound spielen. Das war das erste Solo, das ich in diese Band einbrachte, und wenn ich genau überlege, auch so ziemlich das letzte. Leider spielen wir dieses Lied heute nicht.

Wir sind zurzeit auf einer sogenannten Best-of-Tour, und da gehört dieses Lied nach Meinung der Band nicht dazu. Es ist natürlich völlig egal, wie die Tour heißt, wir wollen immer nur die besten Lieder spielen. Wer fährt denn auch auf Tour und spielt nur die schlechten Lieder? Da wir inzwischen sechs Platten aufgenommen haben, spielen wir von einer Platte nicht mehr als vier Lieder. Das wäre sonst ungerecht. Und so können wir eben ganz viele Lieder nicht spielen. Und gerade dieses Lied ist von unserer ersten Platte, da haben wir uns ja musikalisch erst so richtig zusammengefunden, und deshalb sind so viele Titel von dieser Platte wichtig für uns.

Natürlich haben wir keine Platten, sondern CDs herausgebracht, und müssten das Ergebnis Album nennen, aber ich nenne es einfach immer noch Platte, wenn wir etwas Neues herausbringen. Lustigerweise steigt der Plattenverkauf zurzeit wieder rapide an, während der CD-Verkauf zurückgeht. So richtig lustig findet das allerdings niemand. Aber es kann sein, dass ich aus Versehen in einigen Jahren mit meinen Platten wieder richtigliege. Mein Vater hat die CDs auch komplett übersprungen. Er hat sich immer seine Kassetten angehört und als er endlich bereit war, auf CDs umzusteigen, wurden in die Computer schon keine CD-Laufwerke mehr eingebaut, und man konnte sich die Lieder über Spotify oder Ähnliches anhören. Wenn ich Lust auf ein bestimmtes Lied bekomme, suche ich es einfach auf YouTube. Ich bin dann immer ganz erstaunt, wie die Musiker aussehen, denn von vielen der Bands habe ich noch nie Live-Aufnahmen gesehen. Als Kind kannte ich die Gesichter der Musiker nicht, die ich im Radio hörte, bei vielen Bands oder Musikern weiß ich bis jetzt nicht, wie sie aussehen, manchmal noch nicht einmal, ob es ein Mann oder eine Frau ist, die da singt. Ich hörte dann die Musik einfach nur als das Lied, das es war, ohne es mit den Menschen in Verbindung zu bringen, die diese Musik spielten oder sangen, denn ich betrachtete die einzelnen Töne der Lieder als eine Art lebendiges Wesen, das zu mir sprach. Und die Stimme trieb für mich in einem Fluss aus Melodien. Die Refrains sind dann die festen Inseln. Nein, ich nehme keine Drogen, ich liebe einfach die Musik, und am meisten die, die ich nicht verstehe. Die, bei der ich mir nicht erklären kann, wo diese Melodien und Rhythmen herkommen.

In der DDR gab es übrigens eine Musikzeitschrift, die *Melodie und Rhythmus* hieß, diese Wortverbindung hat sich mir da wohl tief eingeprägt. Jedenfalls muss ich die Musiker nicht spielen sehen, damit ein Lied mich ergreift. Später gab es diese Videosendungen. Formel 1 mit Kai Böcking. Das wollte ich natürlich sehen. Leider musste ich die Schule schwänzen, um diese Sendung nicht zu verpassen. Und einen Freund mit ins Verderben ziehen, der einen Fernseher hatte. Und dann habe ich mich gewundert, als da die aktuellen Top-10-Charts kurz angespielt wurden. Denn von all diesen Liedern gab es ein Video. Wie konnten die Bands wissen, dass ihr Lied in die Top 10 kommen würde? Denn sonst hätten sie ja kein Video zu drehen brauchen. Oder haben alle Bands zu allen Liedern ein Video gedreht? Ich konnte mir das nicht erklären, aber ich wusste auf einmal, wie Prince aussah, und war begeistert. Ich musste immer wieder die Schule schwänzen, denn ich wollte nun auch Michael Jackson sehen. Oder die Toten Hosen. Die tanzten um einen riesigen Kochtopf und sangen etwas von Bommerlunder, ich konnte mir nicht erklären, was das sein sollte. Die anderen Bands hießen Ultravox oder die Thompson Twins. Und ich sah, wie Modern Talking zum ersten Mal *You're My Heart, You're My Soul* aufführten. Alles, was ich bei Formel 1 verpasst habe, kucke ich mir inzwischen auf YouTube an. Da stöbere ich dann stundenlang herum, um richtig alte Aufnahmen zu finden.

Auf dem Laufband versuche ich jetzt so etwas Ähnliches zu tun, wie zu tanzen. Das Schwierige daran ist, dass es ganz locker aussehen soll. Wie gesagt, die Sachen, die locker aussehen, sind oft die schwersten. Aber die Sachen, die schwierig aussehen, sind im Gegensatz dazu nicht etwa leicht, sondern auch schwierig.

Im Refrain fällt das Lied so ein bisschen ab. Da gibt es dann nicht mehr dieses treibende Riff, sondern die Gitarren spielen offene Akkorde. So mancher von uns hält sich ab und zu an dieser Stelle im Konzert einen Finger quer unter die Nase, um einen Schnurrbart anzudeuten. Schnurrbartträger galten in unserer Jugend als Feindbild. Wir dachten, das sind die Spießer mit einem sauberen Mittelklassewagen und schlechtem Musikgeschmack. Einige Ostrockmusiker trugen auch mit großem Stolz eine Rotzbremse, wie so ein kleines Bärtchen von uns genannt wurde. Wir verbanden mit solchen Bärten auch die Mentalität eines etwas betrügerischen und gerissenen Schlagersängers oder Geschäftsmannes. Na ja, was man im Osten so Geschäftsmann nannte. Böse Kellner hatten zum Beispiel auch oft so einen Bart.

Nach dem Refrain kommt ein C-Teil. Ich könnte auch Zwischenteil sagen oder Ausruhteil, aber das klingt alles nicht besser. Erstaunlicherweise sind die meisten Lieder in der Rockmusik nach einem ähnlichen Schema aufgebaut. Am Anfang wird das Thema vorgestellt, und dann kommt die erste Strophe. Danach ein kurzer Refrain und die zweite Strophe. Der zweite Refrain wird dann etwas ausgebaut und damit es nicht so langweilig wird, beginnt dann meistens der C-Teil.

In diesem Teil verlassen wir meistens das harmonische Muster, um dem Lied noch eine neue Farbe zu geben. Auch textlich wird an dieser Stelle die Aussage der Strophe aus einem anderen Blickwinkel betrachtet. Deshalb nennen wir den C-Teil auch den »aber manchmal Teil«. Und meistens benutzen wir wie in diesem Lied diesen Teil für Pyroeffekte. Diesmal brennen die Gitarren. Das heißt, die Gitarristen brennen an den nach außen gewandten Armen. Das ergibt ein schönes Bild, weil so zwei Menschen ein Gesamtbild darstellen. Ah, jetzt fangen sie an, sich zu drehen, und ich finde, sie sehen aus wie Figuren auf einer Spieldose. Ich schalte mein Laufband aus, da die Aufmerksamkeit einzig auf die Gitarristen gerichtet sein soll. Ich stehe sowieso im Dunklen und brauche mich nicht anzustrengen, weil mich ja niemand sehen kann. Die Zeit nutze ich, um mich auszuruhen. Dabei versuche ich, mir ein bisschen Luft unter die Jacke zu fächeln. Dann winke ich Schneider zu, der auch etwas Zeit hat, weil er nur mit einem Fuß den Rhythmus hält. Olli hat gerade auch nichts zu tun. Er trinkt gemütlich ein kleines Bier oder was auch immer, ich kann es nicht erkennen, weil auch er im Dunkeln steht. Jetzt sieht er Schneider und mich und winkt uns beiden zu. Wir winken zurück. Und kurz danach schwingen wir uns mit neuer Kraft zum letzten Refrain auf. Die Leute wollen ja tanzen und mitsingen, nur immer nach vorne zu kucken wird irgendwann langweilig.

Bei der letzten Tour haben die Gitarristen an dieser Stelle ihre Instrumente ins Publikum geworfen, aber das machen wir nicht mehr, weil es so kompliziert war, die Gitarren zurückzubekommen. Die Leute im Publikum hatten natürlich keine Lust, sie wieder herzugeben, wenn sie sie schon gefangen hatten. Oder war das, als die Gitarren noch gebrannt haben und nicht die Gitarristen? Ich blicke da gar nicht mehr durch.

So, jetzt kommt *Benzin*. Also es fließt kein Benzin auf die Bühne, sondern das nächste Lied heißt so. Es könnte auch gar kein Benzin über die Bühne laufen, da wir ja auf einer Gitterbühne spielen. Das ist so wie bei den U-Bahn-Gittern auf der Schönhauser Allee, bei denen im Winter die warme Luft rauskommt. Auf diesen Gittern habe ich nach der Wende im Winter meine Autos abends abgestellt, damit sie am nächsten Morgen wieder anspringen. Das hat bei meinen alten Diesel Mercedessen wirklich geklappt, und zu der Zeit kam kein einziger Polizist vorbei, um mich abzuschleppen. Benzinautos springen bei Kälte viel besser an. Das war natürlich nicht der Grund, ein Lied über Benzin zu machen. Trotzdem war das Lied *Benzin* ein Auftragswerk. Till hat darum gebeten, dass wir uns auch Gedanken um die Texte machen, damit nicht die ganze Last auf ihm liegen bleibt. Da hat sich Paul ein paar Themen ausgedacht und diese auf einige Zettel geschrieben, die er im Proberaum aufgehängt hat. Seit 1999 klebt also dieser Zettel mit dem Wort Benzin schon vor unserer Nase.

Trotzdem wurde das Lied erst fertig, als wir an der Platte *Rosenrot* gearbeitet haben. Das Lied ist musikalisch gesehen etwas untypisch für Rammstein. Das liegt an der Art, wie die Gitarren gespielt werden. Das ist eher so wie bei einer Punkband. Das Lied ist auch schneller als *Du riechst so gut*, das wir davor gespielt haben. Das machen wir mit Absicht, damit sich die Stimmung im Konzert weiter steigert. Das nächste Lied wird noch schneller sein. Das kann ich mir jetzt gar nicht vorstellen, denn ich schaffe es so schon kaum noch mitzulaufen. Jetzt kommt auch zum Einsatz, dass sich das Laufband drehen kann. Ich muss nämlich an beiden sich gegenüberliegenden Keyboards spielen. Da muss ich rechtzeitig die Drehung einleiten, sonst bin ich beim Refrain noch nicht an dem entsprechenden Instrument und kann nicht mitspielen. Ich darf auch nicht aufhören zu laufen, wenn ich nicht vom Band über die Bühne fliegen will. Und da sind jetzt diese riesigen Flammen. Denn wozu sollten wir ein Lied spielen, das *Benzin* heißt, wenn es nicht praktisch ununterbrochen brennt? Gleich beim Intro zerrt Till eine alte, aber sehr schöne Tanksäule auf die Bühne. Ein Freund von ihm hat unter die Säule Räder geschweißt, damit man sie hin- und herfahren kann. Im Refrain schießen die Flammen schon ganz dicht an mir vorbei, da ist es wichtig, dass ich wirklich an der richtigen Stelle stehe. Wenn wir unter freiem Himmel spielen und der Wind weht, kann es vorkommen, dass die Flammen an einigen anderen Stellen brennen als gewohnt, aber für diesen Fall sind kleine Stofffähnchen an die Traversen geklebt worden, so dass wir auf einen Blick die Windrichtung erkennen können. Man fühlt sich wie auf einem Flughafen, da gibt es ja auch diese Windsäcke. Ich glaube, die heißen wirklich so.

Jetzt kommt wieder mal der C-Teil und, welche Überraschung, Till nimmt die Zapfpistole aus der Säule und schießt gewaltige Flammen über die Bühne. Paul versucht bei jedem Konzert, etwas näher an die Flammen heranzukommen, ohne sich zu verbrennen. Er lässt sich regelrecht von Till anschießen. Ich kann ihn verstehen, denn es ist ein gutes Gefühl, ab und an mal angeschossen zu werden, so dass es kurz richtig heiß wird. Ich kann es mir leider nicht in Ruhe ansehen, weil ich mich auf das Laufband konzentrieren muss.

Da es zum letzten Refrain wieder zur Orgel gerichtet sein muss, habe ich noch eine Drehung von 180 Grad vor mir, und da wird mir leicht schwindelig. Ich könnte höchstens das Laufband so lassen und mich umdrehen und rückwärts laufen, aber das ist für mich bei dieser Geschwindigkeit unmöglich. Ich habe das bei dem Lied *Mein Herz brennt* gemacht und war irre stolz auf meine Beweglichkeit, dabei hat es im Publikum niemand mitbekommen, weil ich an diesen Stellen im Dunkeln stehe beziehungsweise gehe. Ich habe das alles erst mitbekommen, als unsere Show mal gefilmt wurde. Als ich mir das dann angesehen habe, habe ich mich etwas gewundert, dass ich gar nicht zu sehen bin. Also fast gar nicht. Das haben die anderen aus der Band mit Sicherheit auch von sich gedacht. Aber wir machen das ja mit Absicht. Damit die Bühne auch räumlich und stimmungsvoll wirkt, wird mit dem Licht so gearbeitet, dass immer nur gewisse Akzente gesetzt werden und es insgesamt recht geheimnisvoll dunkel ist. Wir wollen ja auch nicht, dass die Bühne wie eine Deutsche-Bank-Filiale aussieht.

Den Eindruck hatte ich nämlich, als ich bei den Rolling Stones im Olympiastadion war. Dafür waren dann alle Musiker die ganze Zeit über gut zu erkennen. Da spiele ich lieber sinnlos im Dunkeln vor mich hin, als auf so einer keimfreien Bühne zu stehen. Ich könnte mich natürlich mehr entspannen und nur auf dem Laufband laufen, wenn man mich auch sieht, aber das wäre nicht dasselbe. Das Publikum würde das wahrscheinlich spüren. Paul hat gesagt, sogar bei Porträtfotografien sei es wichtig, welche Schuhe man trägt, denn selbst, wenn man die Schuhe auf dem Foto nicht sieht, spiegelt sich im Gesicht das Gefühl wider, gute Schuhe zu tragen oder eben barfuß zu sein.

Nach den letzten Feuerstößen aus der Zapfsäule kommt jetzt das Lied *Links zwo drei vier* oder *Mein Herz schlägt links*, ich weiß nicht, wie gerade der Name ist, und ich stelle das Laufband noch eine Stufe schneller, auf die höchste Geschwindigkeit an diesem Abend. Vorher habe ich es so gedreht, dass es dem Publikum zugewandt ist, damit ich auf das Publikum losmarschieren kann, ohne meinen Platz verlassen zu müssen. Mann, ist das heute wieder schnell. Der Schweiß läuft mir in die Augen, und mir ist so heiß, dass ich schon wieder anfange zu frösteln. Für die Konzerte haben wir das Vorspiel extra verlängert, damit das Publikum merkt, welches Lied wir jetzt spielen. So können alle richtig mitklatschen. Jetzt kommt der Rest der Band auf die Bühne marschiert. Mit einem gewaltigen Knall geht das Lied dann richtig los.

*

Nachdem wir in Deutschland ein bisschen bekannter geworden waren, wuchs in uns der Wunsch, auch mal in Amerika zu spielen. Wir dachten, erst dann wären wir eine richtige Band. Schließlich war es keine Kunst, in Deutschland mit deutschen Texten berühmt zu werden, aber wenn uns Amerikaner gut finden würden, die die Texte nicht verstanden, hieße das für uns, dass wir wirklich gute Musik machten. Außerdem hatten wir das Gefühl, dass der europäische Musikmarkt von Amerika dominiert wurde. Dass Amerika der musikalische Wegweiser für die ganze Welt war.

Natürlich empfing uns dort niemand mit offenen Armen.

Genau genommen empfing uns überhaupt keiner, als wir das erste Mal testweise nach New York flogen. Trotzdem waren wir völlig begeistert. Wir zogen gleich im Chelsea Hotel ein und bekamen dadurch sofort den Eindruck, Teil der internationalen Kunstwelt geworden zu sein. Obwohl das Hotel alles andere als luxuriös war. So ranzige Zimmer hatte ich noch nie in einem Hotel gesehen, und unsere Zimmertür war nicht nur nicht abschließbar, sondern überhaupt nicht schließbar, weil sie schon zu oft aufgebrochen worden war. In unserem Zimmer im zehnten Stock hatte angeblich Sid Vicious seine Freundin oder sich selbst umgebracht. Glücklicherweise ließ uns ein Maler, der schon seit Jahren ganz oben wohnte, auf das Dach, und da saßen wir dann jeden Abend, tranken Bier, aßen Unmengen Essen aus Plasteverpackungen, das wir uns beim Büfett im Drugstore zusammengestellt hatten, und schauten auf die Wolkenkratzer. Wir konnten es nicht fassen. Wie war das passiert? Das hätte ich in meiner Kindheit nicht für möglich gehalten.

Damals gab es eine sehr lange Zeit, in der das Radio für mich die höchste Instanz darstellte. Eigentlich noch über Gott. Alles, was aus dem Radio kam, war gut und richtig. Und zwischendurch oder hauptsächlich lief ganz tolle Musik. Wenn ich Glück hatte, war das Radio an, und ich war dabei, wenn ein gutes Lied gespielt wurde. Ich freute mich wie ein Kind, kein Wunder, ich war auch eins. Ich ahnte nicht, dass es ein Radiostudio gab, in dem eine Platte abgespielt wurde, ich dachte, jemand singt ein Lied, und ich kann es einfach durch das Radio hören. Ich stellte mir keinen Sender vor, sondern mehr so eine intelligente Wolke, die einfach immer da ist und aus der Musik rauskommt. Ich hörte sehr sorgfältig zu, denn es konnte sein, dass ein gutes Lied danach nie wieder kam. Manchmal sagten sie noch, wie die Musiker hießen, aber damit konnte ich nicht viel anfangen. Dann erfuhr ich, dass es im Westen Schallplatten von einigen der Bands geben soll. Schallplatten waren meiner Meinung nach für Leute wie mich gemacht, eben für die, die nicht zum Konzert kommen konnten. Ich wusste nichts über Konzerte, ich wusste ja nicht einmal, ob die Musiker oder Bands noch lebten, als ich sie im Radio hörte. Aufgrund der Sender, die ich hörte, ging ich davon aus, dass die Musik nur außerhalb der DDR existierte.

Daher war ich völlig überrascht, als ich meine erste Band beim 10. Jugendfestival der FDJ sah. Aber auch die kam aus dem Ausland. Erst lange danach war ich bei einem Konzert einer DDR-Band im Berliner Plänterwald. Ich glaube, es handelte sich um die Band Reform oder die Gruppe Magdeburg. Ich war beeindruckt von der Lautstärke, die fast schon schmerzhaft auf mich prallte, aber die Musik hatte nichts mit dem zu tun, was mir gefiel. Doch die Band war immerhin der lebendige Beweis dafür, dass man in der DDR auch Musiker werden konnte.

Frei von jedem Zweifel beschloss ich, auch Musiker werden zu wollen. Das war kein Berufswunsch, denn ich wäre nie auf die Idee gekommen, dass Musik machen ein Beruf sein könnte. Es ist ja auch kein Beruf, Briefmarken zu sammeln oder gerne Schichtkohl zu essen. Es ist auch kein Beruf, eine Frau zu lieben und Kinder großzuziehen. Oder erwachsen zu werden. Das ist auch alles nicht unbedingt einfach, aber unausweichlich. Da ich nicht singen konnte, gewollt hätte ich das natürlich gerne, denn selbst als Kind war mir klar, dass Sänger etwas Besonderes sind, musste ich ein Instrument lernen. Die meisten Instrumente, die ich kannte, klangen alleine recht erbärmlich, und ich konnte nicht davon ausgehen, Freunde zu finden, die mit mir spielen würden. Da kamen für mich nur noch Gitarre und Klavier in Frage. Rein rechnerisch war mir klar, dass ich mit 81 Tasten und zehn Fingern wesentlich mehr Musik machen konnte als mit sechs Saiten und einer Hand. Klavier war aber auch schwerer zu erlernen, und was nützten mir die zwei Hände, wenn sie beide wie verhext immer dasselbe spielen wollten. Und wenn ich nur nach so komischen Noten spielen sollte. Doch schon bei meinen ersten Versuchen, mir ein eigenes Lied auszudenken, merkte ich, wie unwichtig es war, ob ich gut spielen konnte. Solange jemand dazu sang, reichten schon ein oder zwei Töne als Begleitung aus.

Mein Bruder brachte manchmal nach der Schule ein paar Klassenkameraden mit, und die fanden es lustig, mit mir am Klavier etwas herumzualbern. Wir taten einfach so, als wären wir eine Band. Unsere Besucher sangen Texte von Liedern, die sie aus dem Radio kannten. Ich hatte diese Lieder noch nie zuvor gehört und fand unsere Versionen schlicht genial. Von einer Musikrichtung konnte man bei uns da noch nicht sprechen, aber als die Neue Deutsche Welle mit Trio aufkam, fühlten wir uns komplett verstanden und bekamen das Gefühl, auch dazuzugehören.

Mein Klavierunterricht ging allerdings in eine ganz andere Richtung. Da hackte ich gefühllos irgendwelche Sonatinen in die Tasten und freute mich, wenn ich dabei nicht zu oft hängen blieb. Mit diesen Stücken musste ich leider ab und an auftreten. Ich war dann so aufgeregt, dass ich mich richtig krank fühlte. Am liebsten hätte ich mich ins Bett gelegt und die Musik Musik sein lassen. Außerdem merkte ich erstaunt, wie doll ich an den Händen schwitzen konnte. Ich hielt es daraufhin für eine gute Idee, meine Hände vor einem Auftritt mit Kölnisch Wasser zu übergießen. Sie fühlten sich dann ganz komisch an, und man konnte mich jetzt riechen, bevor man mich hörte. Gegen das Zittern half das Kölnisch Wasser nicht, doch schaffte ich es irgendwie, meine Stücke zu spielen, und hielt den Unterricht noch weiter durch.

Als ich dann später echte Musiker traf, stellte ich allerdings fest, dass ein Klavier in einer Band wohl doch nicht gebraucht wurde. Vielleicht mal ein paar kleine Tönchen bei einem Liebeslied, aber ansonsten kamen alle wunderbar ohne mich klar. Ein Klavier klang auch so langweilig, eben immer nach Klavier. Hätte ich mal doch Gitarre gelernt! Die konnte man wenigstens wunderbar verzerren. Aber von denen gab es mehr als genug. Da hörte ich etwas von Keyboardern. Das schien eine bessere Art Klavierspieler zu sein. Diese Leute konnten auch Orgel oder Synthesizer spielen. Ich wusste nicht, was ein Synthesizer sein soll. Weiß ich eigentlich jetzt noch nicht. Irgendwas mit Oszillatoren und einem Rad dran, das dann so jault, dass es wie bei Pink Floyd klingt. Ich bin aber nicht davon ausgegangen, dass es in der DDR Bands wie Pink Floyd gab, daher brauchte ich so ein Teil nicht. Und dann kam eben Trio mit dem Casio. Also besorgte ich mir auch so ein Teil. Und jetzt saß ich hier mit unserer Band in New York.

Ich nutzte die frühen Morgenstunden, in denen ich nicht schlafen konnte, um die Gegend rund um das Hotel zu erkunden. Wie ein kleines Tierchen wagte ich mich immer ein bisschen weiter aus dem Bau. Dabei kam ich häufig am Madison Square Garden vorbei, allerdings ohne es zu merken. Erstens hatte ich keine Ahnung, dass es diese Halle überhaupt noch gab, denn die letzten Platten, die ich von da kannte, waren über zwanzig Jahre alt. Und zweitens hielt ich nach keiner Halle Ausschau, da ich der festen Überzeugung war, dass es sich wirklich um einen Garten oder zumindest um einen Park handelte, wo die Bands ihre Liveaufnahmen eingespielt hatten. Die eigentliche Halle wirkte zwischen all den gigantischen Wolkenkratzern geradezu zierlich. Ich konnte auch nicht erkennen, wo die Trucks da reinfahren sollten, genau genommen sah es in keiner Weise wie eine Konzerthalle aus. Mit diesem Eindruck lag ich gar nicht so falsch, wie mir später unsere Techniker bestätigen sollten, sie hatten die allergrößten Schwierigkeiten, unser Zeug in die Halle zu kriegen, als wir dort spielten.

Aber jetzt spielten wir in winzig kleinen Clubs. Das waren die Konzerte, wegen denen wir ja überhaupt hier waren, wir wollten das Interesse der Amerikaner wecken. Aber die Auftritte verliefen nicht sehr glamourös. Wir wollten mit dem Taxi zu dem Club fahren, aber der Taxifahrer kannte den Club überhaupt nicht und konnte ihn natürlich auch nicht finden. Zu Fuß irrten wir herum, um, im Club angekommen, festzustellen, dass ein Musiker in New York nicht so hochangesehen ist wie in Ostberlin. Keine Garderobe, keine Getränke, nicht mal eine verbindliche Anfangszeit und natürlich auch kaum Menschen im Publikum. Wir spielten dann wohl gegen vier Uhr morgens, was uns wegen der Zeitverschiebung wie morgens um zehn nach einer durchzechten Nacht vorkam. Die durchzechte Nacht kam uns allerdings nicht nur so vor. Als wir dann endlich dran waren, waren wir schon fast wieder nüchtern. Zu allem Übel war es uns auf das Strengste verboten, auch nur ein Streichholz im Club zu entzünden, was wir geschickt umgingen, indem Till mit dem brennenden Mantel durch den Notausgang seitlich von der Bühne in den Raum kam. Da haben wir ja im Club nichts angezündet.

Das Publikum war auch ohne Jetlag ziemlich müde und bekam anscheinend nicht so viel von unserem Auftritt mit. Bei unserem zweiten Konzert mussten wir uns im gemieteten Van umziehen, wobei wir unsere Bühnenkostüme verfluchten. Gegen vier Uhr durften wir wieder auf die Bühne. Feuer war aber diesmal ganz strikt verboten. So griffen wir auf unseren alten Showeffekt zurück, den wir früher bei dem Lied *Feuerräder* zeigten. Da reite ich im SM-Stil auf Till und benutze eine Neonröhre als Knüppel.

Die Idee kam mir in einem Dorfsaal in Thüringen, wo eine ganze Kiste mit Neonröhren in einem Flur stand. Wir konnten das dann immer wieder machen, denn eine Neonröhre fanden wir an jedem Veranstaltungsort, wir mussten sie nur von der Decke pflücken. Und am Schluss des Liedes zerschlug ich sie dann immer auf Tills Rücken. Das klappte normalerweise wunderbar. Er kroch also auf allen vieren durchs mäßig begeisterte Publikum bis auf die Bar, wo mehrere Gläser zu Bruch gingen. Auf die Bühne zurückgekehrt, stellte sich Till vor mich hin und wartete auf die Schläge. Ich drosch mit ganzer Kraft die Neonröhre auf seine Brust, aber es passierte nichts. Ich versuchte es immer wieder. In Amerika sind die Röhren einfach viel härter. Till schrie mich an, denn das Lied war gleich zu Ende. Da nahm ich alle Kraft zusammen und schlug noch einmal zu. Endlich brach die Röhre durch, und das eine Ende flog über Tills Schulter und schoss in Schneiders Arm, wo es stecken blieb. Die scharfe Bruchkante wiederum schlitzte Tills Brust bis auf die Rippen auf. Das untere Ende zersplitterte in meinen Händen, wobei mir die Splitter tief in die Handflächen schnitten. Zum Glück war es das letzte Lied unseres Programms. Ich ging mit Till in die kleine Personaldusche. Er blutete nicht nur wie ein Schwein, sondern ich sah richtig das Unterhautfettgewebe herausquellen. Eine Ärztin kam herbeigeeilt, um Erste Hilfe zu leisten, aber als er auf die Frage, was sie für ihn tun könne, freundlich Oralverkehr vorschlug, haute sie ihm eine runter und ging wieder. Vom Publikum hatte wahrscheinlich kaum jemand etwas davon mitbekommen, und als wir blutend und halbnackt auf der Straße standen, nahm niemand der Passanten auch nur die geringste Notiz von uns. Eine tolle Stadt. So verrückt hatte ich mir New York vorgestellt.

*

Für *Du hast* kann ich das Laufband jetzt eine Stufe langsamer schalten. *Du hast* ist so etwas Ähnliches wie unser *Satisfaction*. Einen richtigen Hit im herkömmlichen Sinne hatten wir ja nie, also ein Lied, das man täglich im Radio hören kann und das in Fernsehshows aufgeführt wird.

Als das Lied *Du hast* erschien, kannte uns nur eine kleine Gruppe Eingeweihter. Und dieses Lied gefiel den meisten von ihnen ganz gut. Wir hatten nicht unbedingt damit gerechnet. Als Richard mit der Idee ankam, wusste ich gar nicht, was da jetzt das Lied sein sollte. Ich hörte es nämlich in meinem Kopf in einer anderen Zählzeit, ich dachte der Anfang des Riffs wäre ein Auftakt und die echte Zählzeit 2 war bei mir die 1. Dafür fing dann in meinem Ohr der Refrain völlig unvermutet und zu früh an. Ich versuchte, der Band meine Zählzeit zu erklären und das Lied so zu spielen, wie ich es hörte. Das klappte natürlich nicht.

Es passiert mir immer wieder, dass ich ein Lied mit einer falschen Zählzeit höre, besonders wenn im Radio der Sender nicht richtig eingestellt ist oder ich in einem anderen Zimmer als das Radio bin. Erst wenn ich das Lied erkenne, rutsche ich dann vielleicht rein. Inzwischen versuche ich sogar, mit Absicht ein Lied mit einer anderen Zählzeit zu hören, das ist dann wie Sport für mich. Und ich höre dann ein ganz anderes Lied als das, das die Band sich ausgedacht hat.

Nach einer Weile begriff ich jedenfalls, wie das Lied *Du hast* musikalisch gemeint war, und ich war ganz begeistert von der Sequenz, die da die ganze Zeit durchläuft. Ich wäre nie auf so eine Idee gekommen. Das ist die große Stärke von Richard, er kommt mit Ideen an, die für eine Rockband wie uns völlig ungewöhnlich sind. Er beschäftigt sich wahrscheinlich von uns allen am meisten mit Musik. Sogar in seiner Freizeit. In seinem Zimmer steht ein riesiges Regal voller CDs. Wenn wir früher in einem Plattenladen eine Autogrammstunde gaben, durften wir uns manchmal als Dankeschön einige CDs mitnehmen. Richard wusste dann ganz genau, was er wollte, und legte sich eine hochwertige Bibliothek an, obwohl das wahrscheinlich Phonothek heißt.

Nach der zweiten Strophe von *Du hast* kommt meine Lieblingsstelle. Da ist einfach ein leerer Takt zum Luftholen. Ich mache mich dann immer ganz groß, um beim nächsten Taktschlag wieder in mich zusammenzufallen. Das habe ich im Sportunterricht gelernt. So machen es die Reckturner, um auf eine hohe Geschwindigkeit zu kommen. Im C-Teil von *Du hast* werden wir ganz leise und animieren das Publikum zum Mitsingen. Der Text ist ja relativ einfach: »Du, Du hast, Du hast mich, Du hast mich« usw. Ich weiß jetzt nicht, wie ich das schreiben würde, denn aus der Schreibweise ergibt sich erst der Sinn, ob es von »hassen« oder von »haben« wie besitzen kommt. Ich glaube, dass ist den Leuten im Publikum egal. Die meisten von ihnen wissen sicherlich überhaupt nicht, worum es in diesem Lied geht. Ich selbst habe ja schon Schwierigkeiten damit.

Dann schießt Till die Schnurraketen ab. Wir sind auf die Idee mit den Schnurraketen gekommen, weil man diese gefahrlos über dem Publikum fliegen lassen kann, sie können die Drähte ja nicht verlassen. Die meisten Pyroeffekte verlangen einen gewaltigen Sicherheitsabstand zum Publikum, und da geht dann dieses Gefühl, wirklich dabei zu sein, verloren. Anfangs haben wir einfach mit Raketen herumgeballert, aber später haben die Veranstalter darauf bestanden, dass nur noch erlaubte Tricks benutzt werden. Und die müssen wir vor jedem Konzert auch noch vorführen. Die Schnurraketen sind dabei eigentlich noch nie beanstandet worden. Ich liebe sie sehr, weil sie auch so schön pfeifen, wenn sie über unsere Köpfe sausen. Ihre vermeintlichen Einschläge werden mit Donnerschlägen unterstützt. Da die Raketen meistens am Mischpult einschlagen, stehe ich nicht direkt daneben, aber es ist immer noch extrem laut. Danach kommt wieder das Feuer von allen Seiten. Es ist eine Freude. Wir schwelgen geradezu in den Flammen. Das Schmerzempfinden ist schon fast ausgeschaltet. Ich kucke zu den anderen Bandmitgliedern, um zu sehen, ob es ihnen auch so geht. Ich sehe bei allen dieses geisteskranke Grinsen. Ich sehe bestimmt nicht anders aus.

Ich brauche nicht darauf zu achten, was ich spiele, denn das machen meine Hände ganz von alleine. Wir haben dieses Lied vor der Tour nur einmal anspielen müssen, und die Töne fielen mir alle wieder ein. Man könnte mich nachts aus dem Tiefschlaf reißen, und ich würde dieses Lied sofort fehlerfrei herunterspielen. Leider vergesse ich nach einer Tour die meisten Lieder ganz schnell wieder. Ich weiß dann nicht einmal mehr, in welcher Tonart sie sein könnten.

Wenn ich erfahre, dass wir für die Tour noch ein paar alte Lieder üben müssen, versuche ich eine Konzertversion von diesen Liedern auf YouPorn zu finden. Ich meine YouTube. Die Aufnahmen von den Fans sind leider nicht sehr aussagekräftig, weil die Mikrophone in den Handys so klein sind, da ist der Ton völlig verzerrt. Und mir scheint, wir spielen unsere Lieder live auch nicht immer so akkurat. Zumindest ich sollte mich mal ein bisschen zusammenreißen und sauberer spielen. Da kann wirklich kein Schwein raushören, was ich da mache. Die besten Aufnahmen finde ich erstaunlicherweise bei den Rammstein-Cover-Bands wie Feuerengel, Völkerball, Weißglut, Stahlzeit oder so. Dann spiele ich zu Hause auf einem Kinderkeyboard mit den Liveaufnahmen mit, bis ich die Stücke wieder richtig kann. Ich könnte mir auch mal unsere CDs besorgen, aber ich kriege das nie hin, die zurück in ihre Hüllen zu packen, und dann gehen sie kaputt, oder ich finde sie nicht mehr. Aber wie gesagt, *Du hast* spielt sich praktisch von alleine. Und jetzt fällt mir das Spielen besonders leicht, weil ich nach dem Refrain mein Laufband ausgeschaltet habe. Es hätte nicht mehr zu der leisen Stimmung gepasst, wenn ich weiter so rumgerannt wäre. Ich merke, wie schön es ist, wenn ich mal einfach am Keyboard stehe und spiele. Da stört mich auch nicht, dass Till mich die ganze Zeit mit Wasserflaschen bewirft. Ich weiß nicht, womit ich jetzt schon wieder seinen Unwillen erregt habe, gehe aber davon aus, dass er mein gesamtes Verhalten auf der Bühne inakzeptabel findet. Das kann ich gut verstehen, aber ich habe auch mal versucht, still auf der Bühne zu stehen und ein finsteres Gesicht zu ziehen, und damit kein besseres Ergebnis erzielt. Es war natürlich nicht so anstrengend. Dafür hatte ich dann nach dem Konzert nicht das Gefühl, alles für das Publikum gegeben zu haben.

Ich muss mir mal abgewöhnen, für das Publikum mitdenken zu wollen, denn die Leute haben meistens einen komplett anderen Geschmack als ich. Außerdem können sie selber denken und entscheiden, was sie gut finden und was nicht. Die wollen bestimmt nur ein schönes Rockkonzert sehen und könnten auf meine Meinung auch verzichten. Und wenn es unsere Band überhaupt nicht gäbe, würden sie einfach Fans einer anderen Band sein und sich genauso freuen, und ihnen würde nichts fehlen. Den ganzen Bands, die sich gar nicht erst gegründet haben, weint ja auch niemand nach, obwohl diese sicherlich viel bessere Musik als wir gespielt haben könnten, wenn es sie gäbe. Es ist so wie mit den Kindern, die nie geboren wurden. Barack Obama und Angela Merkel könnten theoretisch gesehen ein Kind miteinander bekommen. Da das aber wahrscheinlich nicht mehr passieren wird, fehlt dieses Kind jetzt gewissermaßen auf der Welt. Ich überlege, ob dieses Kind mit all den anderen, die vergeblich auf ihre Geburt warten, schon bereitsteht, also ob die Möglichkeiten ihres Wesens schon festgelegt sind. Dabei wird mir wieder einmal klar, welchem Glücksfall ich es verdanke, dass es mich überhaupt gibt. Aus der Fülle der Menschheit mussten sich meine Eltern treffen. Das war gar nicht so einfach, da meine Mutter aus Polen geflüchtet ist, während mein Vater in Thüringen wohnte. Getroffen haben sie sich dann wohl in Berlin. Da muss es in den sechziger Jahren sehr lustig gewesen sein. Wenn meine Eltern Geschichten von ihren Partys und verrückten Freunden erzählen, klingt das nicht nach grauem Osten. Das klingt eher so, als hätte ich eine Menge verpasst. Jedenfalls sind meine Eltern sich nähergekommen, was für mich sehr günstig war. Dann wurde ein Kind geboren, aber das war noch nicht ich, sondern mein Bruder. Ich habe mich oft gefragt, warum ich nicht als Erster geboren wurde, sondern erst drei Jahre danach. Und warum bin ich nicht mein Bruder und er nicht ich? Ich würde gerne wissen, warum ich so anders bin als mein Bruder, obwohl unsere DNA doch eigentlich fast gleich sein müsste. Und was wäre passiert, wenn meine Eltern noch ein Kind bekommen hätten, wäre das vielleicht ich gewesen oder einfach mein kleiner Bruder? Eigentlich tun mir die Kinder, die nicht geboren wurden, total leid. Aber ich weiß natürlich, dass eher diejenigen mein Mitgefühl verdienen, die schon geboren wurden und denen es im echten Leben schlechtgeht. Ich versuche ja, mit der Band und der Musik einigen von ihnen ein gutes Gefühl und etwas Lebensmut zu vermitteln. Oder ich rede mir das nur ein, weil ich nicht zugeben will, dass ich zu bequem bin, um aktiv den Kindern zu helfen, denen es nicht gutgeht. Immerhin denke ich darüber nach. Das ist ja bekanntlich der erste Schritt zum Handeln. Und immer, wenn ich jemanden treffe, der ehrenamtlich tätig ist, stelle ich fest, dass dieser Mensch damit selbst ganz glücklich ist. Also diese Menschen wirken glücklicher als diese ganzen wichtigen Künstler, die von ihren Projekten und Deadlines erzählen.

Jetzt ist *Du hast* zu Ende, und für mich kommt wieder eine Stelle zum Umziehen. Aber wie gesagt, zwischen den Liedern ist es dunkel, und so muss ich mich die Treppe hinabtasten. Dabei ziehe ich mir die Jacke aus. Paulo steht bereit, um mir zu helfen, aber das Ausziehen geht alleine am schnellsten. Erst die Jacke, dann setze ich mich hin und ziehe mir die Schuhe aus. Neben der Treppe stehen schon die Watstiefel aus dem Anglerbedarf bereit. Vielleicht heißen sie auch Wattstiefel. Damit können die Angler stundenlang bis zum Bauch im Wasser stehen, ohne nass zu werden. Es gibt diese Stiefel nur in grüner Farbe, aber wir haben sie schwarz angesprüht. Durch den Lack sind sie aber so labberig geworden, dass wir sie oben Stück für Stück kürzer geschnitten haben. Während ich meine Füße in die Stiefel fädele, kommt mir aus ihnen ein ganz böser Geruch entgegen, der mich gut auf das nächste Lied einstimmt. Dann lege ich mir das SM-Besteck um. Dabei hoffe ich, dass Tom oder Paulo wirklich den Ball desinfiziert haben, den ich in den Mund nehme. Selten, aber immerhin doch manchmal kommt es vor, dass wir uns in der Hektik eines Konzertes anschreien, und mir den dreckigen Ball in den Mund zu stecken wäre ein guter Weg, sich zu rächen, da ich keine Zeit mehr hätte, irgendetwas daran zu ändern.

Heute schmeckt der Ball normal, eben nach dem Gummi, den oder das ich schon Hunderte Male im Mund hatte. Ich klinke die Hundeleine an meinem Halsband ein und stolpere auf die Bühne. Till ergreift gleich vor der ersten Strophe die Leine, um mich daran über die Bühne zu zerren. Nicht nur Frauen beherrschen das Multitasking, auch Till singt und schubst mich gleichzeitig herum. Kurz bevor der erste Refrain kommt, tritt er mich kraftvoll zu meinem Instrument, damit ich wieder mitspielen kann. Zur zweiten Strophe zerrt er mich nach vorne. Diesmal lässt er mich nicht mehr los, sondern holt schon beim Singen seinen riesigen Schwanz heraus. Das ist zwar nicht sein echter, aber das sieht man nur, wenn man wie ich direkt davorsteht. Genau genommen sehe ich seinen Schwanz jetzt auch nicht, denn ich versuche vor ihm, also Till und dem Schwanz, wegzukriechen. Das schaffe ich natürlich nicht, da Till mich am Halsband und am Hosenbund festhält. Aber da fällt mir ein, dass ich den Schwanz natürlich schon öfters gesehen habe, denn ich bin dabei, wenn Till ihn sich in der Garderobe anlegt. Da muss er auch genau mit der Reihenfolge aufpassen, denn es muss noch ein Schlauch durch sein Hosenbein gelegt werden. Damit verrate ich zwar wahrscheinlich ein Geheimnis, aber wer denkt schon im Ernst, dass Till zwei Minuten lang ununterbrochen ejakuliert. Die ganze Zeit steht Tom unter der Bühne und pumpt eine Flüssigkeit aus einer Art Druckbehälter.

Wir haben lange experimentiert, bis die Flüssigkeit so aussah wie Ejakulat. Für unsere erste Mischung benutzten wir Milch. Das Problem war, dass die Milch sehr schnell sauer wurde. Wir spielten ja nicht jeden Tag, und wenn wir freihatten, lag die Gerätschaft im Truck, im Sommer in großer Hitze. Es ist unvorstellbar, wie schlimm schlechte Milch riechen kann. Da entsteht wohl die berühmte Buttersäure. Damit kann man ein Stadtviertel lahmlegen. Ganz so schlimm war es bei uns nicht, aber es gab auch mal Ärger.

Wir sollten in einem richtigen Hollywoodfilm mitspielen. In einer Szene sollte eine dekadente Party stattfinden, bei der wir das Lied *Bück dich* spielen würden. Wir waren da schon etwa zehn Tage in Amerika, weil wir auf einem Festival aufgetreten waren. Dann verbrachten wir ein paar Tage in Los Angeles und freuten uns auf den Film. Also auf die Dreharbeiten, denn der fertige Film fand keinen Verleih und wurde daher auch nie gezeigt. Es ist nicht zu fassen, dass manche Filme ganz für umsonst gedreht werden. Aber das wussten wir damals noch nicht.

Als wir am Drehtag am Set waren, also an dem Ort, wo die Szene gedreht werden sollte, fing Tom sofort hektisch an, die Apparatur für den spritzenden Pimmel, wenn ich das mal so ausdrücken darf, zusammenzubauen. Die ganze Zeit liefen viele ausgesprochen schöne Menschen an uns vorbei, und alle waren aufgeregt und wichtig. In angemessenem Abstand warteten die Stars. Ich kann mich noch an Michael Caine erinnern. Das war der einzige Name, der mir bekannt vorkam. Dann probten wir die Szene einige Male zusammen mit den Schauspielern. Davon waren sehr viele da, weil es eine große Party sein sollte. Da klappte alles sehr gut. Aber erst, als wirklich gedreht wurde, sollte Till mit seinem Pimmel losspritzen. Den Darstellern wurde noch ans Herz gelegt, diese Spermadusche richtig zu genießen und ruhig einige Schlucke zu trinken.

Dann fingen wir an zu spielen, und im zweiten Refrain ging wie geplant der Pimmel los. Schon als Till mich von hinten anspritzte, merkte ich, dass etwas überhaupt nicht in Ordnung war. Es fing so zu stinken an, dass ich sofort von Brechreiz überfallen wurde. Ohne sich etwas anmerken zu lassen, drehte Till sich um und sein Strahl legte sich über die Schauspieler. Ich konnte in ihren Gesichtern die Überraschung gut erkennen, aber weil sie Profis waren, spielten sie ihre Rollen weiter, als wäre es ganz normal, mit verdorbener Milch überschüttet zu werden. Alle brachten die Szene gut zu Ende, und dann ging das Geschrei los. Das Schlimme war, dass alle Sachen den Geruch so stark angenommen hatten und dass die Schauspieler in ihnen noch den ganzen Tag verbringen mussten. Mindestens. Da war ich ihnen gegenüber im Vorteil, denn ich hatte schon gelernt, mit dem Gestank umzugehen. Trotzdem stanken meine Sachen noch wochenlang. Die gesamte Filmcrew schimpfte fürchterlich mit uns Deutschen. Tom wiederholte ungerührt, dass die Milch ganz frisch gewesen sei.

Wir zitieren ihn seitdem immer mit den Worten »Die Milch war nicht sauer!«, wenn wir damit ausdrücken wollen, dass die Tatsachen sehr deutlich gegen eine Aussage sprechen. Nach mehr als fünfzehn Jahren fragen wir Tom manchmal noch, ob die Milch wirklich frisch war, und er hat sich noch nie widersprochen. Aber er muss selber lachen.

Jedenfalls dachten wir nach diesem Zwischenfall über Alternativen zur Milch nach und kamen dann auf Pernod, weil der sich auch so milchig verfärbt, wenn er mit Wasser gemischt wird. Das wussten wir, weil wir das nach der Wende wie die Blöden in diesen neueröffneten Cafés getrunken haben. Wir mussten ja die ganzen Getränke ausprobieren, die wir nur aus Filmen oder Büchern kannten. Richtig gut geschmeckt haben uns diese neuen Drinks nicht, besonders der Tequila war ganz schön eklig. Ich fand, er schmeckte wie Marienkäferpisse. Aber es erschien uns zumindest weltmännisch, Pernod mit Wasser zu bestellen. So wussten wir auch, dass dieses Gemisch viel frischer als Milch roch. Die Fans drängen sich nach dieser Entscheidung extra nach vorne, um auch einen Schluck abzubekommen. Es brennt zwar etwas im Po, aber Alkohol soll desinfizierend wirken, und da nimmt man das gerne in Kauf. Till imitiert ja auch nur den Geschlechtsverkehr, zumindest ist es so abgesprochen.

Den Polizisten in Worcester reichte bei einem Konzert aber schon diese Andeutung des Geschlechtsverkehrs oder vielmehr das Zeigen von Geschlechtsorganen, egal ob sie nun echt waren oder nicht, um uns zu verhaften. Als ich duschen gehen wollte, standen die Polizisten in unserer Garderobe. Ich dachte, das sind Fans, und hielt ihr Geschimpfe für eine lustige Art, uns zu begrüßen. Als sie uns verbieten wollten zu duschen, weil sie Till und mich gleich mitnehmen wollten, zeigte ich auf meine zerlaufene Schminke und ging einfach trotzdem unter die Dusche. Die Polizisten fingen an zu zetern, und einer stellte sich direkt vor die Dusche, damit ich nicht davonlief. Das war völlig überflüssig, denn wo hätte ich in

Worcester, Massachusetts, hinlaufen sollen? Außerdem fand ich ja alles ungeheuer spannend. Sogar als sie uns zu einem Hundefänger führten und uns darin mit den Handschellen an eine Stange schlossen, freute ich mich noch, weil alles wie im Film war. Natürlich war es auch sehr beruhigend, dass Till mit mir verhaftet worden war, aber es hätte mich noch mehr gefreut, wenn unser Tourmanager oder ein anderer Verantwortlicher mitgekommen wäre, um uns gleich wieder herauszuholen, denn wir wollten ja eigentlich noch an der After-Show-Party teilnehmen.

Stattdessen warteten wir ewig in der Aufnahmezelle, bis wir aufgerufen wurden. Die Polizisten ließen sich Zeit. Und ständig kamen neue Leute in unsere Sammelzelle. Alle, die an diesem Freitagabend verhaftet wurden, versammelten sich bei uns. Einer war von einem Polizisten angeschossen worden und blutete stark. Ein anderer versuchte, irgendwie Kontakt zur Außenwelt zu bekommen, damit seine Kühe gemolken würden und sie sich nicht so quälen müssten. Es wurde langsam richtig eng. Ganz gemütlich ließ der Beamte sich die Gefangenen einen nach dem anderen vorführen. Während der Befragungen wurden sie mit Handschellen an den Schreibtisch gekettet. Auch für uns wurde keine Ausnahme gemacht. Der Tisch war an dieser Stelle, wo die Arme der Gefangenen liegen mussten, schon ganz abgewetzt. Zu uns war der Polizist sehr freundlich und kramte alle deutschen Wörter heraus, die er kannte: Leberwurst, Sauerkraut, Volkswagen und vielleicht noch Autobahn und Beckenbauer. Er schrieb sich unsere Namen auf und faselte ein bisschen vor sich hin. Ich verstand sehr wenig davon. Dann schrieb er auf einer alten Tafel hinter die Spalte Nr. 10 meinen Namen. Ich dachte zuerst, dass es sich um den Schichtplan der Polizisten handle. Aber als ich meine Schuhe und die Brille abgeben musste und aufgefordert wurde, einem riesigen Polizisten zu folgen, wurde mir doch klar, dass ich jetzt in die Zelle Nummer 10 kam.

Die Zellen waren voneinander mit Gittern und Plexiglasscheiben abgeteilt. Die Klimaanlage lief mit voller Kraft, und ich ärgerte mich, dass ich nur ein T-Shirt anhatte. Da hätte ich nun wirklich dran denken können. Wenn wir dort etwas essen gingen oder mal ins Kino wollten, nahm ich mir auch immer einen dicken Pullover mit, weil ich sonst so sehr fror. Mir ist rätselhaft, wie die Amerikaner das überleben, ohne ständig krank zu sein. Ich habe mal den Fehler gemacht, nur im T-Shirt zum Abendbrot zu gehen, was da Dinner genannt wird, und habe dann beim Essen so gefroren, dass ich immer wieder vor die Tür gehen musste, um mich aufzuwärmen.

Hier im Gefängnis brauchte ich wohl nicht zu fragen, ob ich mal vor die Tür könne. Ich brauchte dafür auch niemanden fragen, wenn ich aufs Klo musste, denn ich hatte eine eigene Innentoilette. Wenn auch ohne Klobrille. Und im Spülkasten war gleich das Waschbecken. Sehr praktisch. Sofort stellte ich mich so hin, dass ich durch das Gitter etwas verdeckt war, und pinkelte hinein. Das hatte ich die ganze Zeit ja nicht gekonnt. Als ich auf die Spülung drückte, brach ein großes Geschimpfe aus. Ich hatte selbst nicht erwartet, dass die Klospülung derart laut sein würde, und erschrak mich fürchterlich. Jetzt hatte ich alle geweckt, die schon eingeschlafen waren. Da hatte ich mir gleich zu Beginn keine Freunde gemacht. Ich sammelte in meinem Kopf alles, was ich so über Gefängnisse wusste oder zu wissen glaubte. Dass ich in einer Einzelzelle war, sah ich erst mal als ein gutes Zeichen, denn das versprach etwas Sicherheit vor den Mithäftlingen, aber das musste ja nicht so bleiben. Um mich aufzuwärmen, machte ich ein paar Liegestütze. Nach dem vierten hatte ich keine Puste mehr und hörte auf. Die Gefangenen, die mich sehen konnten, starrten mich verständnislos an. Ich konnte ausdruckslos zurückstarren, denn ich hatte keine Brille auf. Till war leider weit weg von mir.

Da brach wieder ein gewaltiges Geschrei los, und ein 200-Kilo-Mann wurde von sechs Polizisten an meiner Zelle vorbei durch den Gang geprügelt. Das war für die Polizisten richtig körperlich schwere Arbeit, denn der Mann wehrte sich mit Händen und Füßen. Er kam in meine Nachbarzelle, da war ich sehr froh über die dicken Gitterstäbe. Der Mann brüllte so laut, als wäre sein Mund genau an meinem Ohr. So war es im Prinzip auch, es war ja nur das Plexiglas dazwischen. Ich begann über die nächsten Stunden nachzudenken. Da sie mich jetzt in eine richtige Zelle gesteckt hatten, sollte ich wahrscheinlich eine Weile hierbleiben. Nach 24 Stunden muss ja eigentlich ein Haftrichter darüber entscheiden, ob ich länger in Haft bleibe. So war es zumindest im *Tatort*. Arbeitet der Haftrichter überhaupt am Wochenende, oder kommt er erst am Montagvormittag gut ausgeruht von seiner Datsche? Die Leute hier nannten das natürlich nicht Datsche, weil das ja ein russisches Wort ist, aber Wochenendhäuser wird es wohl auch in Amerika geben. Ich machte mir Sorgen. Mit etwas Pech musste ich jetzt hier im Gefängnis bleiben. Die Amerikaner verstehen manchmal bei bestimmten Sachen nicht so viel Spaß. Es gibt ja solche Filme, bei denen alles ganz harmlos anfängt, und plötzlich ist man in einen Bandenkrieg im Knast verstrickt. Nachts werden einem die Zähne ausgeschlagen und verschiedene Sachen in den Hintern gesteckt. Na ja, das kenne ich ja von den Konzerten. Wahrscheinlicher war es aber, dass nichts passierte und ich einfach nur warten musste.

Es wurde mir langweilig in der Zelle, und so versuchte ich wenigstens ein bisschen zu schlafen. Es war ein sehr unangenehmes Gefühl zu wissen, dass ich nicht einfach gehen konnte, wenn mir schlecht werden würde oder so. Ich bin ja auch ein großer Freund von frischer Luft. Ich nahm mir fest vor, nicht mehr in eine Situation zu kommen, in der ich hilflos den Umständen oder den Gefängniswärtern ausgeliefert war. All diese Gedanken und ein fieses Summen hinderten mich lange am Einschlafen.

Als ich aufwachte, stand ein Mann in meiner Zelle und führte mich zum Empfangstresen, wo mir ohne viele Worte meine Brille und meine Schuhe wieder ausgehändigt wurden. Auf einem Flur zwei Türen weiter warteten Till und unser Tourleiter Nicolai auf mich. Till kuckte auch sehr erleichtert, während Nicolai uns mit schnellen Schritten zum Bus brachte, der mit laufendem Motor vor dem Haus wartete. Wir mussten uns beeilen, um noch pünktlich zum Konzert nach Montreal zu kommen. Während der Fahrt erzählte uns Nicolai von seinem Kampf um unsere Freilassung. Eigentlich hätten wir im Gefängnis bleiben müssen, aber da die Konzerte nicht ausfallen sollten, durften wir ausnahmsweise da hinfahren und spielen. Wir sollten uns aber an den freien Tagen im Gericht melden. Deshalb mussten wir immer wieder dort hinfliegen. Wieder verpassten wir einige Partys, aber immerhin saßen wir stattdessen im Flugzeug und nicht im Hundefänger, was ja schon ein Fortschritt war.

Im Gericht trafen wir uns dann auch mit unseren Anwälten, die ja in Worcester gemeldet sein mussten. Mein Anwalt erklärte mir gutgelaunt, dass ich vor Gericht nichts sagen sollte. Das war mir nur recht. Nicht so günstig war hingegen, dass die Verhandlung erst einige Wochen nach der Tour stattfinden würde und wir zwei bis dahin das Land nicht verlassen durften. Da war der Rest der Band schon wieder gemütlich zu Hause.

Trotzdem habe ich in der ganzen Zeit nicht an unserer Show gezweifelt, sondern eher an der Toleranzgrenze der Amerikaner. Wir haben in Salt Lake City aus Respekt vor der Religion der Mormonen auf das Zeigen echter oder eben falscher Haut oder Geschlechtsorgane verzichtet. Aber warum wurden wir in Worcester verhaftet, wo uns alles eher an Mecklenburg erinnerte? Da hatten wir nun wirklich nicht mit Schwierigkeiten gerechnet. Mir ist später zu Ohren gekommen, dass die Tochter des Bürgermeisters oder des Polizeipräsidenten im Publikum war, und da musste die Polizei handeln.

Bück dich nimmt gerade überhaupt kein Ende. Ich knie immer noch auf dem Boden und spüre, wie die Brühe meinen ganzen Körper runterläuft. Der Pimmel spritzt mit gutem Druck. Jetzt hört Till auf, mich vollzuspritzen, und richtet den Strahl auf das Publikum. Die Leute reißen ihre Münder auf und drängeln sich nach vorne, um etwas abzubekommen. Da sind sogar ältere Leute und richtig schöne Frauen dabei. Mit dem Text hat das alles überhaupt nichts mehr zu tun. Die Show entspringt mehr unserer Freude am Unfug. Jetzt am Schluss lasse ich sinnlos einen Ton mit dem Pitch-Rad auf- und abjaulen, während Till immer noch restlos glücklich den Leuten ins Gesicht spritzt. Dann richtet er den Strahl auf seinen eigenen Mund und kuckt ganz begeistert.

*

Die erste richtige Tour durch Amerika machten wir als Vorband von KMFDM. Das war eine deutsche Band, die nach Amerika ausgewandert war und sich dort einen beachtlichen Fankreis aufgebaut hatte. Wir wussten aber nicht, ob deren Fans unsere Musik gefiel und ob sie zu uns wiederkommen würden. Das zeigt sich erst, wenn eine Band alleine spielt. Das wagten wir aber noch nicht.

Stattdessen fuhren wir danach zusammen mit vier anderen Bands durch die USA. Dort ist es nicht unüblich, dass mehrere Bands gemeinsam auf eine Tournee gehen. Die Tour, an der wir teilnahmen, hieß Family Values Tour. Wir wunderten uns anfänglich etwas, weil fast jeden Tag ein Konzert angesetzt war. Aber wir waren dadurch nicht mehr so aufgeregt, weil jeder Abend in etwa gleich ablief. Da die Konzerte meistens in den Sporthallen, die vor der Stadt lagen, stattfanden, sah es dort jeden Abend auch fast identisch aus, und unsere Garderoben waren immer an der gleichen Stelle. Wir brauchten wirklich nicht mehr über irgendetwas nachzudenken. Noch nicht einmal über das Essen, denn wir hatten einen Koch mit. Bei unseren früheren Besuchen in Amerika hatten wir die Erfahrung gemacht, dass es dort nicht so einfach war, sich lecker und gesund zu ernähren. Jetzt wurde jeden Morgen der örtliche Runner losgeschickt, um Lebensmittel für uns einzukaufen, außerdem noch Schlüpfer, Briefmarken, Batterien und Tabletten. Aber hauptsächlich Basismaterialien zum Kochen. In unserem Lkw hatten wir einen Gasherd, und unser Koch fing dann an, mit den eingekauften Lebensmitteln unser Essen zuzubereiten. Der Geruch zog sich durch den ganzen Backstage-Bereich, und die anderen Bands kamen vorbei, um zu sehen, was die fucking Germans da wieder Leckeres kochten.

Jeden Abend spielten die Bands in derselben Reihenfolge. Als Erstes trat Orgy auf, eine lustige junge Band, die über ein unwahrscheinliches Selbstbewusstsein verfügte, obwohl es die erste Tour in ihrem Leben war. Danach kamen Limp Bizkit, von denen ich noch nie etwas gehört hatte, obwohl sie da schon weltberühmt waren. Ihr Auftritt war unbeschreiblich gut. Am Anfang stand das Raumschiff von *Mars Attacks!* auf der Bühne, aus dem dann die Band kletterte. Der Gitarrist hatte ein aufgemaltes Skelett auf dem Körper. Die Musik war so mitreißend, dass alle im Saal tanzen mussten, ob sie nun wollten oder nicht. Sie wollten natürlich. Diese Band war hundertmal besser als wir, eigentlich hätte sie niemals vor uns spielen dürfen. Dann war Ice Cube dran. Das war ein Rapper, bei dem die Crew hauptsächlich aus Bodyguards bestand. Ice Cube ließ sich auch die 200 Meter vom Hotel bis zur Konzerthalle in einer riesigen Limousine chauffieren. Er hatte einen Mitsänger, der sich WC nannte. Ich fragte ihn mal, ob er wüsste, was sein Name bei uns bedeutet. West Coast, war seine Antwort, und immer wenn er mich sah, freute er sich und formte die beiden Buchstaben mit seinen Fingern. Nach Ice Cube, unter Freunden einfach Cube genannt, was wohl nichts anderes heißt als Würfel, durften wir auf die Bühne.

Wir waren auf dieser Tour nicht so gut in Form, da wir die meiste Zeit heillos betrunken waren. Wir dachten, die anderen Bands würden auch so viel trinken, schließlich waren wir in Amerika. Aber alle anderen waren viel vernünftiger. Sie wussten natürlich, wie anstrengend solche langen Touren durch Amerika sind. Das war nicht mit ein paar Konzerten in Saalfeld und Lobenstein zu vergleichen. Und den Fehler, auf einer Tour zu viel zu trinken, hatten wir davor schon mal gemacht, als wir mit Clawfinger unterwegs waren.

Diese Band hat ganz vorschriftsmäßig an den Off Days, also den spielfreien Tagen, Alkohol getrunken. Wir haben jeden Tag etwas getrunken, nur an den freien Tagen eine Pause gemacht, damit sich unsere geschundenen Körper erholen konnten. So konnten wir aber nie mit den Leuten von Clawfinger zusammen feiern. Feiern ist ja inzwischen ein Synonym für Alkohol- und Drogenmissbrauch. Aber so etwas festigt und vertieft Freundschaften. Also entschieden wir uns dazu, auch an den Off Days mit Clawfinger zu trinken. Man kann sich vorstellen, wie wir nach dieser Tour aussahen.

Und diesmal war es noch schlimmer, da wir in Amerika so weit weg von zu Hause waren und uns unbeobachtet fühlten. Trotzdem haben die anderen Bands uns nie spüren lassen, dass wir schlecht spielten. Oder wir haben es nicht mitbekommen. Es war eben schwierig, sich mit uns zu verständigen, wir machten es ihnen mit unserer steifen deutschen Art nicht leicht, und immer wenn jemand mit einer Kamera und einem Mikrophon kam, rannten wir weg. Das war in etwa das Gegenteil von dem, was die Amerikaner taten. Natürlich tauchen wir deswegen auch in keiner Dokumentation über die Tour oder einem anderen Film oder Beitrag auf. Im Nachhinein sieht es so aus, als wären wir gar nicht dabei gewesen.

An einem Tag schickte ich meiner Mutter eine Postkarte, auf der eines der Stadien abgebildet war, in denen wir gespielt hatten. Ich schrieb ihr, dass wir da vor ausverkauftem Haus gespielt hatten, und verschwieg dabei, dass es auch ausverkauft gewesen wäre, wenn wir nicht mitgespielt hätten. Die Leute waren nämlich wegen Korn da, die nach uns spielten. Das war so ziemlich die angesagteste Band in dieser Zeit. Sie brachten die Halle erst richtig zum Toben, und wir kamen uns noch ein bisschen kläglicher vor. Wir hofften dann, wenigstens mit bei ihnen auf die After-Show-Party zu können. Denn dort waren die schönsten Frauen aus dem Publikum, die während des Konzertes schon von extra mitgebrachten Fachkräften ausgesucht worden waren.

Meistens feierten wir aber mit Orgy in unserem Bus. Vielleicht waren noch ein paar Mädchen dabei, die auch nicht auf die Party durften. Wir spielten im Bus immer nur zwei Lieder: *Blue Monday* von Orgy und *Stripped* in unserer Version. Und dann wieder *Blue Monday*. Dadurch, dass es wirklich immer dieselben Lieder waren, gerieten wir geradezu in Ekstase. Wir tanzten, bis der Bus wackelte. Davon wachte irgendwann der Fahrer auf, schrie uns wütend an, warf alle, die nicht zu uns gehörten, aus dem Bus und fuhr los zur nächsten Stadt. Betrunken, wie wir waren, merkten wir das oft nicht mehr.

Manchmal gingen auch alle Bands zusammen in einen Strip Club. Da konnte man sich von den Frauen auf einem Stuhl sitzend antanzen lassen, eine Zeremonie, die mich sehr ratlos zusehen ließ. Man durfte die Frauen auf keinen Fall anfassen. Die Frauen schienen aber ganz wild darauf zu sein, die Musiker der anderen Bands kennenzulernen, was wohl auch typisch amerikanisch war. Hauptsache, es waren Musiker. Ich konnte das nicht immer nachvollziehen, da einige der Musiker, vorsichtig ausgedrückt, charakterlich sicherlich noch ausbaubar waren.

Dann stiegen wir wieder in unseren Bus. Wir hatten einen schlüpferblauen Nightliner, und direkt vor uns waren die Spice Girls mit diesem Bus gefahren. Die hatten in denselben Betten geschlafen wie wir, da waren wir natürlich ganz aufgeregt. Anfangs roch es sehr gut im Bus. Da standen Ledersofas drin, und hinten war eine richtige Lümmelecke, und überall waren Fernseher mit Videorecordern. Aber das Beste war, dass man die Tür einfach auf- und zuknallen konnte. In den deutschen Bussen waren das diese Drucklufttüren, die sich nicht mehr öffnen oder schließen ließen, wenn der Bus eine Weile stand und der Motor aus war. Hier in Amerika konnte das nicht passieren, denn der Motor des Busses lief wegen der Klimaanlage Tag und Nacht durch, was etwas gewöhnungsbedürftig war, aber den Türen war das egal, weil es Klapptüren waren, und man konnte die Schiebefenster ganz einfach auf- und zuziehen. Da mir nichts über frische Luft geht, hatten die Busse damit mein Herz gewonnen.

Bei den riesigen Entfernungen war es allerdings auch lebensnotwendig, einen guten Bus zu haben. Früh am Morgen lagen wir träge auf dem Sofa. An unseren Füßen steckten Hausschuhe, dazu trugen wir sogenannte Bushosen, das waren besonders bequeme und schlabberige Jogginghosen. Niemand würde uns je so zu Gesicht bekommen. Nur wenn der Bus nachts an einer Raststätte hielt und wir aufs Klo mussten, huschten wir in unseren Sachen hinaus. Der Busfahrer bemerkte manchmal nicht, dass einer von uns fehlte, und fuhr nach dem Tanken einfach wieder los. Er hatte keine Lust, immer in jedes Bett zu kucken, um nachzuschauen, ob noch alle da waren. Wenn derjenige, der an der Tankstelle zurückblieb, Glück hatte, stand er nicht bloß im Schlüpfer da, sondern wenigstens in der Jogginghose. Und während unserer ersten Touren in Amerika hatten wir noch keine Handys, da musste man ganz schön kämpfen, um wieder zur Band zu stoßen. Da half dann nur Trumpen, ich meine Trampen, aber da empfahl es sich auch, rasch wegzukommen, denn die Busse fuhren ziemlich schnell, und die Entfernungen waren weit. Im Bus hat meistens niemand bemerkt, dass einer fehlte, weil wir manchmal auf langen Fahrten einfach im Bett blieben.

Die anderen saßen stumpf auf den Sofas und sahen sich einen Film nach dem anderen an. Dazu machten wir uns in der Mikrowelle schauderhaftes Fertigessen warm, das Hungry Man hieß, oder schmierten uns eine Stulle, so gut das eben mit den amerikanischen Zutaten im Bus möglich war. Die ganzen Verpackungen landeten im riesigen eingebauten Mülleimer. Wir mussten nur einen großen Deckel am Küchentresen anheben. Als wir erfuhren, dass angeblich jeden Tag ein riesiges Containerschiff aus New York mit Müll nach Westafrika fährt, wo das ganze Zeug wieder auseinandersortiert und nach brauchbaren Gegenständen durchsucht wird, warfen wir noch ganz viele CDs und andere Sachen, die noch in Ordnung waren, hinein. Auch die ganzen Büchsen mit Root Beer. Wir waren wirklich die meiste Zeit betrunken.

So kamen wir auch nach Las Vegas. Ich konnte nicht fassen, was ich da sah. Es gab eigentlich nur eine Straße, in der die ganzen Hotels mit den Casinos waren, und gleich dahinter begann die Ödnis. Aber auf dieser einen Straße bewegte sich ein ständiger Strom aufgeregter Leute. Auf den meisten T-Shirts stand »Las Vegas – The best day of my life«. Da wollte ich nicht die weniger guten Tage sehen.

Nach zwei Stunden hatte ich die Stadt soweit verstanden und wollte weg. Aber wir hatten ja abends noch ein Konzert. Da kam Schneider auf die Idee, uns ein Auto zu mieten und nach Death Valley zu fahren. Bei Dreamcars bekamen wir eine offene Corvette und eine schlecht kopierte Seite aus einem Straßenatlas. Ich sollte navigieren und verschätzte mich sofort mit den Entfernungen. Wir bogen bald auf einen Schotterweg ab und quälten uns mit Schrittgeschwindigkeit durch die Wüste. Dann hörten die Häuser komplett auf, dafür sahen wir ein paar Autowracks mit Einschusslöchern. Wir fanden, dass es jetzt genauso aussah wie in einem Film, was Blödsinn ist, denn es soll ja im Film aussehen wie in der Wirklichkeit. Die Sonne schien so intensiv auf uns herab, dass wir das Dach zuklappen mussten. Als wir endlich realisierten, dass wir falsch waren, drehten wir um, nahmen aber irgendwo eine Abzweigung in die verkehrte Richtung und verloren völlig die Orientierung. Langsam bekamen wir Durst, und dann wussten wir wirklich nicht weiter. Wir überlegten, was die Leute im Film immer machten, und entschlossen uns einfach, so lange geradeaus zu fahren, bis wir wieder auf eine richtige Straße kommen würden. Die müsste dann logischerweise bald kommen. In Amerika kann man erstaunlich lange geradeaus fahren, ohne dass irgendetwas kommt.

Als wir endlich die ersehnte Asphaltstraße erreichten, hatten wir schon keine Lust und erst recht keine Zeit mehr, um weiter nach Death Valley zu suchen. Wir hatten genug damit zu tun, den Rückweg zu finden. In der Autovermietung angekommen, wurden wir völlig entsetzt empfangen, weil das Auto so schlimm aussah. Es war völlig verstaubt, und die ganzen kleinen Steine von der Schotterstraße sind unten gegen den Wagenboden geflogen. Wir mussten eine hohe Strafe bezahlen, und in Death Valley war ich bis jetzt noch nie. Brauche ich auch nicht mehr, ich wäre so schon fast gestorben. Auch wenn das übertrieben ist, war ich zumindest in Amerika die meiste Zeit stark erkältet. Da fiel mir auf, dass es an den Raststätten große Tüten mit Tabletten gab. Als ich mir das Etikett durchlas, schien es mir so, als würden alle meine Probleme bald der Vergangenheit angehören. In diesen Tabletten waren nämlich alle Arten von Vitaminen und Mineralien, die mein Körper brauchte, um gesund zu bleiben, und vor allem, um voller Power zu sein. So stand es drauf. Die verschiedenen Pillen waren in Tagesrationen abgepackt. Pro Tag sollte ich zehn oder zwölf Tabletten nehmen. Weil ich nicht damit zurechtkam, welche ich früh, mittags oder abends nehmen sollte, schluckte ich morgens mit etwas Überwindung die ganze Tüte. Ziemlich schnell bekam ich orangefarbenen Durchfall und pinkelte grün. Dann fing mein Herz an zu rasen. Das Schlimmste aber war, dass ich einfach nicht mehr schlafen konnte. Ich dachte, das liegt an dem Bus, zumal ich nicht der Einzige war, der nachts stumpf auf dem Sofa hinter dem Fahrer saß und sich bis zur Besinnungslosigkeit betrank. Es dauerte einige Wochen, bis ich meine Symptome auf die lustigen Pillen zurückführte, und als ich sie einfach absetzte, ging es mir langsam wieder besser. Da war die Tour dann auch vorbei.

Danach oder davor begleiteten wir Kiss durch Südamerika. Ich fragte meinen Freund Paulo, ob er mitkommen wolle, da die Tour durch seine Heimat Chile gehen sollte, und wir flogen gutgelaunt los. Das Konzert in Chile fand aber nicht statt, da jemand die Kasse geklaut haben soll. Das sei in Chile nichts Besonderes, versicherte mir Paulo.

Also ging es nach Argentinien weiter. Da die Städte, in denen wir beziehungsweise Kiss spielen sollten, so weit auseinanderlagen, bekamen wir keinen Bus, sondern flogen alle Etappen mit dem Flugzeug. Wir wohnten dann in Hotels, was für uns noch ungewohnt, aber sehr angenehm war. In Buenos Aires schlenderten wir durch die Stadt und freuten uns des Lebens. Olli vergaß sogar seinen eigenen Geburtstag. Wir dachten natürlich auch nicht daran. So etwas war damals möglich, weil wir noch keine Handys hatten. Eine unschuldige Zeit, denn in Südamerika zu spielen hieß, wirklich weit weg von zu Hause zu sein. Ich habe es in der ganzen Zeit nur einmal geschafft, von unserem Hotel aus kurz zu Hause anzurufen.

Wir spielten im River-Plate-Stadion und wurden zwei Tage später auch in dieses Stadion zum Fußballspiel eingeladen. Kiss natürlich auch, aber die kamen nicht mit, sondern äußerten den Wunsch, zum Flamencokonzert zu gehen. In Argentinien gibt es keinen Flamenco, da spielen die Leute Tango. Oder umgekehrt. Ich hätte die Leute von Kiss mal gerne außerhalb der Bühne gesehen. Aber auch ohne sie war das Fußballspiel ein unvergessliches Erlebnis, obwohl ich die Tore verpasste. Da war ich ganz kurz abgelenkt. Ich fand wohl die Bratwürste, die es dort gab, wichtiger. Eine Viertelstunde vor dem Spielende wurden wir leider aus dem Stadion geführt, weil sonst niemand für unsere Sicherheit garantieren konnte.

In Brasilien eskortierten uns auf dem Weg zum Stadion berittene Polizisten. Da die offizielle Straße von den Fans verstopft war, brachte man uns auf einem Sandweg durch die Favelas dorthin. Ganze Familien standen auf der Straße und starrten uns an. Wahrscheinlich wollten sie mal einen Blick auf Kiss werfen. Wer weiß schon, wie die ohne Maske aussehen? Das hätten auch wir sein können. So sonnten wir uns kurz im unverdienten Ruhm.

In São Paulo spielten wir da, wo auch die Formel-1-Rennen stattfinden. Also direkt auf der Rennstrecke. Wir waren noch beim ersten Lied, als ein ohrenbetäubender Lärm losbrach. Ich konzentrierte mich auf mein Instrument und wunderte mich nur, dass der Beifall an völlig ungewohnten Stellen zu hören war. Ich blickte auf die Bühne und sah, wie Till ununterbrochen mit Flaschen, vollgepinkelten Bierbüchsen und anderen gerade greifbaren Gegenständen beworfen wurde. Jeder Treffer rief einen Beifallssturm hervor, und der Lärm sollte uns wahrscheinlich dazu bringen, sofort die Bühne zu verlassen. Wir duckten uns etwas weg und versuchten, den anfliegenden Ziegenköpfen und Feuerlöschern auszuweichen. Jeder aus dem Publikum, der in unserer Nähe war, versuchte uns zu bespucken. Sie alle hatten offenbar gut geübt. Als wir mit gemischten Gefühlen die Bühne verließen, kam uns freudestrahlend der Veranstalter entgegen, um uns zu gratulieren. Er prophezeite uns riesigen Erfolg in Südamerika. Wir sahen das in dem Moment anders und wollten eigentlich sofort nach Hause fahren, aber der Veranstalter war ganz begeistert. Noch nie in seinem Leben hatte es eine Vorband bei einem Kiss-Konzert in diesem Stadion so lange auf der Bühne ausgehalten. Die Kiss-Fans zeigen ihre Verehrung, indem sie die Vorband am Weiterspielen hindern und sozusagen fertigmachen. Keine Band soll an Kiss herankommen. Jede Band, die sich anmaßt, sich mit den Göttern gleichzustellen, muss bestraft werden. Das war gar nicht persönlich gegen uns gerichtet. Und die Leute spuckten uns auch nicht an, erklärte der Veranstalter weiter, sondern die wollten uns nur küssen und kamen nicht an uns ran. Deshalb schickten sie den Kuss auf die Reise. Aha. So konnte man die Sache natürlich auch sehen, und natürlich spielten wir weiter auf dieser Tour mit. Wir sahen das pragmatisch und dachten an die langen Flüge und die Instrumente, die nun schon mal da waren.

Verblüffenderweise behielt der Veranstalter sogar recht. Ein paar Jahre später sollten wir wegen irgendeiner Platte eine Autogrammstunde in einem Plattenladen geben. In der Innenstadt von Mexico City. Wir waren kaum aus dem Hotel gefahren, da sahen wir ganz viele Polizeibusse. Wir kuckten interessiert und dachten, dass in der Stadt wieder irgendwelche Unruhen sind. Dann mussten wir über Schleichwege weiterfahren, denn alle großen Straßen waren abgesperrt. Als wir am Kaufhaus, in dem der Plattenladen war, ankamen, sahen wir erst, was los war. Der ganze Platz davor war mit Fans verstopft. Die Polizisten versuchten eine Gasse zu bilden, damit wir in das Kaufhaus kamen. Wir schafften es zwar bis zur Tür, aber einige von uns büßten ihre Sonnenbrillen ein. Die Fans griffen uns einfach in die Gesichter, und dann fiel Till hin, weil unser Securitymann ungünstig über ihn stürzte.

Als wir in der Plattenabteilung des Kaufhauses waren, kam aber niemand, um sich unsere Unterschrift zu holen. Die Türen sollten überhaupt nicht geöffnet werden. Die Leute drehten total durch. Ich will nicht wissen, wie weit die alle gereist waren, um uns zu sehen. Jedenfalls fingen sie an, den Platz gründlich zu verwüsten. Ich sah kleine Bäumchen, Bänke und Papierkörbe durch die Gegend fliegen. Um die Situation zu beruhigen, schickten die Polizisten uns aufs Dach. Von dort oben sollten wir zu den Leuten sprechen. Als wir die Dachluke öffneten und herauskrabbelten, sahen wir Menschen. Eine Unzahl von Menschen, und sie waren überall. Auf allen anderen Dächern, in allen Treppenhäusern, sie klebten an den Balkons und Dachrinnen, sie schauten aus den Fenstern, keine Ahnung, wie sie in die Wohnungen gekommen waren, und unten auf dem Platz war eine wogende Menge ohne Ende. Ich weiß nicht, wie viele Tausend das gewesen sind. Und wir haben nicht einmal ein Konzert gegeben, es ging wirklich nur um ein paar Autogramme. Da konnten wir sehen, dass der Begriff Fan von fanatisch kommt.

Auf der Tour mit Kiss spielten wir unser letztes Konzert auch in Mexico City, aber da kannte uns noch kein Mexikaner. Bei diesem Auftritt sind wir mal nicht beworfen worden, und angeblich haben sich Kiss in ihrer Garderobe eine Übertragung unseres Auftrittes angesehen. Sie brauchten ja zwei Stunden, um sich zu schminken und anzuziehen, und da wir genau in dieser Zeit spielten, konnten sie uns nie live sehen.

Am Tag davor hatten wir uns die Pyramiden angesehen. Dafür mussten wir etwa zwei Stunden fahren, während uns der Fahrer instruierte, wie wir uns verhalten sollten. Tom, der mit vorne saß, drehte sich immer zu uns um und übersetzte: »Wenn euch jemand an den Pyramiden etwas anbietet«, schrie er, »dann sagt ›nicht danke‹«. Ein wertvoller Tipp. Aber es dauerte seine Zeit, bis ich kapierte, was der Fahrer eigentlich gemeint hatte. No, thank you. Wieso ich jetzt darauf komme? Ach so, wegen Kiss.

Als ich einmal keinen freien Tisch in der Kantine fand, setzte ich mich zu zwei alten Hausmeistern an den Tisch. Sie grüßten mich sehr freundlich und aßen gemütlich weiter. Kurz und gut, das waren jedenfalls Gene Simmons und Ace Frehley oder Paul Stanley von Kiss. Ich hatte sie nicht erkannt.

*

Wir spielen jetzt *Ich will.* Anscheinend haben wir Schwierigkeiten, gute Namen für unsere Lieder zu finden. *Ich will* ist ja eigentlich kein richtiger Name für ein Lied. Eigentlich für gar nichts. Eine Elektrofirma hat das mal als ihren Werbespruch benutzt. Das stand auf allen ihren Tüten drauf. Ich bin dann mit so einer Tüte herumgelaufen, um für unser Lied Werbung zu machen. Sozusagen kostenlos. Dabei hatte ich mit diesem Lied immer meine Schwierigkeiten. Das liegt nicht am Lied, sondern an mir. Ich habe es irgendwie rein musikalisch nicht verstanden. Es klang zwar nicht schlecht, aber ich wartete jedes Mal darauf, dass das richtige Lied anfängt. Der Rest der Band war von Anfang an begeistert, und sie freuten sich schon beim Aufnehmen auf die Reaktionen des Publikums, wenn wir das Lied dann live spielen würden. Und damit hatten sie absolut recht.

Vor den Refrains kommen Betonungen durch das Schlagzeug, die wir mit Bomben unterlegt haben. Also wir nennen es Bomben, der Fachbegriff dafür ist Bühnenknall, Blitzschlag oder so. Die Knaller sind auf der Bühne viel lauter als die ganze Musik, und ich erschrecke mich natürlich wieder. Dann kommt der Knall als Echo durch die Halle zurück und dadurch kann man schnell aus dem Takt kommen. Am besten ist es, so zu tun, als würde es gar nicht knallen, und sich aufs Spielen zu konzentrieren.

Kürzlich haben wir dieses Lied bei einer Probe mal ohne die Bomben gespielt. Es wäre ja Quatsch, bei den Proben alle Bomben zu zünden, so krank sind wir nun auch nicht. Da konnte ich mir das Lied in Ruhe anhören und fand es richtig gut. Mit Bomben ist es natürlich auch gut. Zudem weiß ich ja, dass es das letzte Lied vom Hauptteil ist, das heißt, im Großen und Ganzen haben wir es schon wieder geschafft. Es ist nicht so, dass ich nur das Ende des Konzertes herbeisehne, aber ich freue mich natürlich, wenn alles funktioniert hat. Ich tänzele also gutgelaunt noch etwas auf der Bühne herum und imitiere Till, wie er sich mit der Faust auf die Oberschenkel haut. Das gefällt ihm nicht, und so versucht er, mich von der Bühne zu schubsen.

Ein paar Bomben später ist das Lied zu Ende. Das Konzert auch, also gehe ich von der Bühne. Lange habe ich ja gedacht, dass ein Konzert wirklich zu Ende ist, wenn die Musiker von der Bühne gehen, und nur weil das Publikum so begeistert nach Zugaben ruft, lassen sich die Musiker umstimmen und kommen ausnahmsweise zurück und spielen spontan weiter. In ganz seltenen Fällen war es auch so, dass das Konzert wirklich schon nach dem ersten Abgang zu Ende war, aber dann hatte sich die Band wahrscheinlich gestritten, oder der Zeitplan war so eng gestrickt, dass für Zugaben kein Platz mehr blieb. Ansonsten kommt die Band immer wieder auf die Bühne zurück und spielt meistens dann erst ihre größten Hits. Das kam mir komisch vor, denn ohne die Zugaben hätten sie die überhaupt nicht gespielt, und weshalb sollte eine Band gerade auf die Lieder verzichten, die am besten beim Publikum ankommen.

Bei Feeling B brauchten wir keine Zugaben, da wir es meistens nicht mal schafften, unser Konzert überhaupt einigermaßen würdevoll zu Ende zu bringen. Und bei den ersten Konzerten mit Rammstein hatten wir einfach nicht genug Lieder, um Zugaben einzuplanen. Wenn die Leute noch mehr wollten, nachdem wir alle Lieder vorgetragen hatten, die wir spielen konnten, mussten wir dann eben auf dieselben Lieder zurückgreifen und ein paar davon noch einmal spielen. Bei den besten Konzerten spielten wir ein Lied dreimal. Aber irgendwann kam auch für uns der Tag, an dem wir uns extra Lieder für die Zugabe zurückhielten, um sie dann sozusagen als Überraschung zu spielen. Wir konnten uns ja immer nach dem regulären Konzert treffen und darüber beratschlagen, ob wir weiterspielen wollen oder nicht.

Für heute sind drei Lieder als Zugabe eingeplant. Da brauchen wir jetzt nicht zu diskutieren, denn die drei Lieder stehen schon in ihrer Reihenfolge auf der sogenannten Setliste. Es kommt nämlich vor, dass man mal im Konzert plötzlich nicht weiß, welches Lied das nächste ist, und deshalb kleben uns die Backliner immer gut sichtbar einen Zettel mit der Reihenfolge vor die Nase.

Im ersten Lied der Zugabe soll ich auf einem Klavier spielen, da habe ich also noch mindestens so viel Zeit, wie die Leute brauchen, um dieses auf die Bühne zu stellen und anzuschließen. Da kann ich mich gemütlich ausruhen. Das Publikum sieht auch, dass ein Klavier auf die Bühne gestellt wird, daran erkennen sie eindeutig, dass das Konzert weitergeht. Sie bräuchten also eigentlich gar nicht nach Zugaben zu rufen, aber vielleicht kucken sie gar nicht nach vorne, oder sie rufen einfach aus Spaß und damit sie das Gefühl haben, selbst ein wenig zu diesem schönen Abend beigetragen zu haben.

Ein Bühnenarbeiter kommt mit einer Zigarette auf mich zu. Er hat sie schon extra für mich angezündet. Das finde ich sehr nett, und obwohl ich aufhören will zu rauchen, bedanke ich mich freundlich und nehme sie ihm ab. Ich kann ihn damit nicht stehen lassen, wie sähe das denn aus? Außerdem ist überall Rauchverbot. Die Zigarette schmeckt noch schlimmer als am Nachmittag. Ich bin völlig außer Atem und bräuchte eher etwas Gesundes für meinen Körper. Nach dem Sport schmeckt die Zigarette ja auch nicht. Ich weiß zwar nicht, woher ich das weiß, da ich keinen Sport treibe, aber offensichtlich ist diese Zigarette jetzt wirklich recht hart für mich. Aber es sieht cool aus. Das bilde ich mir zumindest ein. Dabei bin ich nicht zu sehen, weil ich hinter der Treppe kauere. Der Techniker hebt triumphierend sieben Finger in die Luft, das bedeutet, dass wir nur noch sieben Konzerte vor uns haben. Ich wedele freundlich mit der Hand. Ich freue mich wieder, dass heute nichts schiefgegangen ist.

Bei der letzten Tour bin ich ja noch mit dem Schlauchboot gefahren. Davor hatte ich immer gewaltige Angst. Jetzt kann man sich fragen, wo ich denn mit dem Schlauchboot herumgefahren bin, da es doch in den Konzerthallen überhaupt kein Wasser gibt. Ja, so pervers das auch klingt, ich fahre mit dem Boot über Menschen. Beziehungsweise fuhr. Das kam so. Bei dem letzten Konzert einer Tour machen die Techniker mit der Band immer einige harmlose Späße. Das ist ein bisschen so wie im Ferienlager, wo in der letzten Nacht die große Kissenschlacht stattfindet. Während wir den *Seemann* spielten, ließ sich Tom auf einem kleinen Badeboot, das auf einem sogenannten Hund stand, also auf einem Brett mit vier Rädern, auf dem man die schweren Boxen fahren kann, über die Bühne ziehen. Dazu machte er alberne Paddelbewegungen. Till, der an der Bühnenkante stand, bemerkte ihn erst nicht, aber als er ihn sah, packte er das Schlauchboot, schüttelte Tom herunter und warf das Boot ins Publikum. Jetzt konnten wir alle sehen, wie das Boot über die ausgestreckten Arme der Menschen fuhr. Da dachten wir uns, dass es doch schön wäre, wenn wir das Boot bemannen würden. Ich war dann der Einzige, der für diese Aufgabe in Frage kam, da ich an dieser Stelle gerade nicht spielen musste. Außerdem bin ich schön leicht. War ich zumindest damals.

Ab da fuhr ich also Boot. Die Leute reichten mich auch gut herum, aber ich hatte nicht bedacht, dass sie ja nach vorne kuckten, um zu sehen, was auf der Bühne passierte, und mich dabei weiter nach hinten reichten. Irgendwann standen dann da keine Leute mehr, und ich stürzte ab. Am Anfang konnte ich mich nicht gut abstützen und fiel ungebremst auf den Kopf. Dann musste ich den Weg zur Bühne zurücklaufen. Natürlich durch die ganzen Leute. Dabei verlor ich oft noch meine Schuhe und andere Teile der Garderobe. Auf der Bühne angekommen, versuchte ich herauszubekommen, wo ich mich verletzt hatte und wie ich weiterspielen konnte.

Einmal setzte mir die Crew, natürlich wieder an einem letzten Tag, als kleinen Gag ein Mädchen im Bikini mit ins Boot. Das konnten die Leute nicht mehr halten, und ich fiel mit dem Rücken auf eine Strebe vom Absperrgitter. Dann zuckte ich nur noch so komisch. Ich wurde ins Krankenhaus gebracht, wo schon ganz viele Fans darauf warteten, behandelt zu werden. Sie freuten sich sehr, als sie mich sahen, und ließen mich vor. Es war nur eine schwere Prellung, aber es tat richtig doll weh. Aber es war ja wie gesagt das letzte Konzert der Tour, und da war es egal.

Als wir auf der nächsten Tour den *Seemann* nicht mehr spielten, setzten wir das Boot einfach in einem anderen Lied ein, denn wir wollten auf so einen lustigen Effekt nicht verzichten. Leider war dieses Lied viel schneller und aggressiver, so dass ich jetzt immer richtig durchgeschüttelt wurde. Manchmal war die Begeisterung so groß, dass ich den Rang hochgeschoben wurde und dann wie auf einer Rutschbahn wieder heruntersauste. Unten angekommen klappte das Boot um. Dann saß ich wieder beim Arzt, wenn die Band am nächsten Tag zum Strand fuhr.

Ich bin also sehr froh, dass das Boot gerade nicht im Programm ist. Ich stehe zufrieden auf, drücke die Kippe ordentlich aus und gehe auf die andere Seite der Bühne, um die Band zu suchen und herauszubekommen, ob sich etwas geändert hat oder sonst etwas Interessantes passiert ist. Gemütlich stehen alle in einer Ecke. Jeder trinkt etwas. Ich rieche sogar Ingwertee. Es ist eine freundliche Unterhaltung im Gange. Ich kann sie leider nicht verstehen, weil ich noch die Stöpsel im Ohr habe, will sie aber nicht herausnehmen, da sie gerade so gut sitzen. Also lächele ich debil und nicke freundlich zu allem, was sie sagen. Meistens mache ich sonst den ganzen

Tag lang auch nichts anderes. Ich bekomme ohne Stöpsel im Ohr genauso wenig mit, was daran liegen kann, dass ich nicht mehr so gut höre. Da gibt mir Nicolai wieder ein Zeichen mit seiner Lampe, und ich gehe über die andere Seite auf die Bühne, da da da, nein das ist ein da zu viel, jetzt das Klavier steht. Geplant ist, dass ein Scheinwerfer mir auf dem Weg zum Klavier folgt, damit das Publikum mich sieht und vor allem, damit ich sehen kann, wo ich hintrete, aber der Spotfahrer, wie der Mann hinter dem Scheinwerfer genannt wird, wahrscheinlich einer der Truckfahrer, der sich so etwas dazuverdient, hat nicht bemerkt, dass ich auf die Bühne gekommen bin, weil es ja dunkel ist. Aber dann, als ich am Klavier angekommen bin, hat er mich eingefangen, und ich fange an zu spielen.

Das Lied heißt *Mein Herz brennt.* Wir spielen heute nicht das Originallied, sondern eine Version, die ein Freund für das Video komponiert hat. Er hat aus unserem Rocktitel, was jetzt ganz unglücklich klingt, also aus dem Lied, so wie die Band es spielte, eine Klavierversion gemacht, das heißt ein Lied, das nur aus dem Gesang mit Klavierbegleitung besteht. Da ich der Keyboarder der Band bin, bietet es sich an, dass ich Klavier spiele. Wir haben die Saiten und die echten Tasten aus dem Klavier ausgebaut, weil es sonst viel zu schwer wäre, um es mit auf Tour zu nehmen. Dafür liegt eine neue Tastatur im Klavier und der Klang kommt aus einem Sampler, der wiederum Klaviertöne ausspuckt, und zwar die, die ich auf der Tastatur spiele.

Dieses Stück zu lernen fiel mir nicht leicht. Eher sehr schwer. Es ist das erste richtige Klavierstück, das ich auf einer Bühne spiele. Und ich bin schon fast fünfzig. Aber ich habe einen ganz guten Trick entdeckt, ich muss einfach ruhig weiteratmen und darf nicht darüber nachdenken, dann spielen die Hände von ganz alleine.

Jetzt steigt Till mit ein. Es klingt wunderschön. Bei so einem Lied kann man seine Stimme richtig gut hören. Ich glaube, das Publikum freut sich auch, wenn die Band nicht immer mit voller Lautstärke spielt. Man hört sie mitsingen, und es entsteht eine richtig feierliche Stimmung.

Es erinnert mich daran, wie ich früher, wenn ich nachts mit meinen Freunden *Rockpalast* gekuckt habe, Gänsehaut bekommen habe, wenn das ganze Stadion bei einer Ballade mitgesungen hat. Mir kam es auch so vor, als ob die großen Hits immer langsame Lieder waren. Da spielen dann Streicher oder wenigstens ein Klavier mit. Auf Platz 1 der Hitparaden war immer so eine Schnulze. Die Lieder, die ich gut fand, kamen erst ab Platz 3. Wahrscheinlich hatten diejenigen, die auf harte Musik standen, nicht so viel Geld, um sich oft Platten zu kaufen. Und selbst Lieder wie *We are the Champions* sind ganz langsam.

Jetzt spielen wir eben auch ein langsames Lied, sogar mit Klavier, und es ist trotzdem kein Hit. Dafür schön gefühlvoll. Als Jugendlicher hätte ich schon allein dieses Wort nicht ertragen. Das war etwas für alte Leute. Was sollte ich mit Gefühlen? »Ich kriege Gefühle!«, schrien die Jungs auf dem Schulhof, wenn sie ein schönes Mädchen sahen, und meinten damit, dass sie sexuell erregt waren oder vielmehr, dass sie geil wurden, wie wir es später nannten.

Ich glaube, in meiner Jugend wurde mehr schnelle Musik im Radio gespielt als heute. Das Lied, das wir gerade spielen, würde aber sicherlich zu keiner Zeit im Radio gespielt werden. Das liegt weniger an der Musik als daran, dass dieses Lied von uns ist. Es ist auch generell schwer für mich, einen Sender zu finden, der die Musik spielt, die mir gefällt. Wahrscheinlich gehe ich einfach abends zu früh ins Bett, denn ich kann mich noch an Zeiten erinnern, in denen ich nachts vor dem Kassettenrecorder kniete, um Musik aufzunehmen. Ich wusste, wenn ich die Chance verpasste, würde ich einige dieser Lieder vielleicht nie wieder hören.

Das Lied, das wir jetzt spielen, werde ich mit Sicherheit noch öfter hören, denn es ist ja in unserem Programm. Es sei denn, heute ist aus irgendeinem Grund unser letztes Konzert. Es kann ja immer etwas passieren. Mir wird sofort ganz schlecht vor Angst. Wenn es jetzt wirklich das letzte Mal ist, hätte ich das ruhig etwas mehr genießen können. Da ärgert man sich über Kleinigkeiten, obwohl es doch so einen Spaß machen könnte, mit einer Band vor so vielen Leuten zu spielen. Hoffentlich können wir das noch öfter machen. Ab jetzt werde ich mich bei jedem Konzert freuen. Und wenn kein Konzert mehr stattfindet, weil wir vielleicht mit einem Flugzeug abstürzen, ist es egal, denn da interessiert mich nicht mehr, ob ich noch Konzerte spiele oder nicht. Bei diesen Gedanken ist auch dieses Lied zu Ende gegangen.

Ich lasse es noch ausplätschern, stehe auf und sause hinter der Bühne auf meine Seite. Blitzschnell ist das Klavier wieder weggeräumt, und Schneider fängt mit dem nächsten Lied an. Er spielt wie eine Maschine. Nur besser. Es ist eine Freude. Zu unserem großen Glück haben wir einen Trommler, der sich nicht in jedem Lied verwirklichen will. Es gibt ja Trommler, die versuchen, möglichst viele Schläge in einem Takt unterzubringen. Oder ganz komplizierte Rhythmen zu spielen. Aber der Trommler ist das Herz der Band. Er hält die Band und das Lied zusammen. Und das geht mit einfachen, klaren Rhythmen natürlich am besten. Schneider besitzt die dafür nötige

Disziplin. Das kann auch daran liegen, dass er als Einziger von uns zur Armee gegangen ist, das war aber mehr ein Versehen von ihm. Da er in dieser Zeit nicht in Berlin lebte, fehlte ihm das Umfeld, was ihn dabei hätte unterstützen können, sich vor der Armee zu drücken. Er sagte, als er am ersten Abend als Soldat seine privaten Anziehsachen in einen Pappkarton packte, um sie nach Hause zu schicken, merkte er, dass er einen riesigen Fehler gemacht hatte. Aber da war es zu spät.

Und jetzt kommt ihm sein Durchhaltevermögen wieder zugute. Bei uns anderen kann man beobachten, was aus Leuten wird, die sich nie unterordnen mussten. Uns fällt es manchmal schwer, eine auf den ersten Blick sinnlose Tätigkeit auszuführen. Aber gerade das muss man ab und an machen, damit ein gutes Lied entsteht. Und um ein Lied auch richtig sauber zu spielen. Dieses Lied heißt *Sonne* oder *Hier kommt die Sonne*. Manchmal wäre es schön, wenn man die Lieder nicht benennen müsste. Unter den Bildern von einigen Künstlern steht ja einfach ohne Titel. Es wäre lustig, wenn der Moderator im Radio sagte: Der nächste Titel ist *Ohne Titel.* Na ja. So lustig nun auch wieder nicht. Wir nennen das Lied einfach *Sonne.* Ich bin so beschwingt, dass ich das Laufband einschalte, obwohl es gar nicht nötig wäre. Direkt nötig ist es natürlich nie, aber wenn wir so viel Geld für den Bau des Laufbandes ausgegeben haben, müssen wir es auch benutzen. Sozusagen ablaufen. Ich bin mal gespannt, wann sich das Laufband amortisiert hat.

Es läuft jetzt schön langsam, da ist es nicht so anstrengend und passt gut zu der Schwere des Gitarrenriffs. Ein Riff ist eine sich ständig wiederholende Gitarrenfigur, die das Grundgerüst eines Liedes bildet. Heavy-Metal-Musik besteht hauptsächlich aus Gitarrenriffs. Nur die Schnulzen nicht, und die gibt es natürlich in jeder Musik. Wir haben auch Schnulzen, aber selbst in denen kommt meistens irgendwann das Gitarrenriff, und das ist auch ein Grund dafür, dass selbst diese Lieder nicht im Radio gespielt werden. Gitarrenriffs gelten als zu hart für normale Menschen. Zumindest in Deutschland. Trotzdem spiele ich diese Musik gerne, weil so ein Riff sehr kraftvoll ist und den Zuhörer förmlich mitreißt. Gerade dieses spezielle Riff empfinde ich als sehr gelungen und laufe fröhlich vor mich hin. Meine Aufgabe in der Strophe ist recht einfach. Ich muss mit dem Finger einen einzigen Ton auf dem Klavier spielen. Und zwar ein D, falls es jemanden interessiert. Also es klingt wie ein Klavier, aber ich spiele auf meinem Sampler. Das habe ich ja eben erklärt. Ich hebe die Hand ganz hoch und lasse dann meinen Finger wie ein Habicht auf die entsprechende Taste fallen. Im Refrain spiele ich die unvermeidlichen Chöre. Und im allerletzten Braten, wie wir das voll gespielte Riff nennen, schlagen wirklich von allen Seiten Flammen auf uns ein. Es ist die heißeste Stelle im Konzert, und manchmal kommt es vor, dass einer von uns nicht mehr weiterspielen kann und wie eine verbrannte Mücke zu Boden geht. Wir nennen diese Stelle die Grillstube. Heute musste ich mich auch mal wegducken und blind mit dem Finger auf der Tastatur die Töne suchen.

Schade, dass auch dieses Lied schon wieder vorbei ist. Ich spiele es nicht jedes Mal so gerne wie heute, denn wir spielen es fast auf jeder Tour. Also damit auch bei fast jedem Konzert. Die sogenannten Hits sind ja immer im Programm. Da ist es für uns ein bisschen schwierig, jeden Abend dieselbe Begeisterung aufzubringen, aber ich kann die Leute verstehen, denn wenn sie uns schon mal auf der Bühne sehen, wollen sie auch die Lieder hören, die sie gut finden. Die Rolling Stones haben bestimmt auch keine Lust, immer *Satisfaction* zu spielen. Als ich einmal auf deren Konzert war, habe ich mich aber auch total gefreut, dass dieses Lied doch kam, denn ich war wie gesagt nur einmal da und werde es wahrscheinlich auch kein zweites Mal mehr schaffen, weil die Bandmitglieder schon so alt sind. Wir sind zwar noch nicht so alt, aber spielen trotzdem lieber die Lieder, die die Leute hören wollen.

Ich weiß nicht, ob das auch für das Lied gilt, was wir jetzt spielen, um das Konzert zu beenden. Es handelt sich um *Pussy*. Dieses Lied ist das Einzige von uns, das es in Deutschland auf Platz 1 der Charts geschafft hat. Das Lied ist etwas poppiger als unsere anderen Lieder, das heißt, es ist nicht ganz so hart. Damit bestätigt sich meine Theorie, dass die softeren Lieder die erfolgreicheren sind. Vielleicht finden die Deutschen aber auch einfach das Wort Pussy so schön. Oder ihnen gefällt, dass der Text halb auf Englisch ist. Oder dass es um Sextourismus geht?

Für dieses Lied nehme ich ein kleines Keyboard in die Hand und komme mit an die Bühnenkante. Leider verklemmt sich das Kabel an einer Kante, und ich muss ein bisschen daran herumzerren. Manchmal reißt dabei der Stecker aus dem Keyboard, und wenn ich losspielen will, kommt kein Ton heraus. Jetzt kann ich mich aber selbst spielen hören, und beruhigt kucke ich ins Publikum, um mal zu sehen, wer heute so da ist. Einige Leute erkenne ich sogar wieder. Die müssen ganz schön viel Zeit haben, wenn sie zu so vielen Konzerten kommen können. Aber es macht bestimmt Spaß. Ich freue mich auch, dass ich viele verschiedene Städte sehen kann. Dazu muss man ja kein Musiker sein, um so herumzureisen. Das geht auch als Teil der Crew oder als Fan.

Viele Leute singen begeistert mit. Ob sie wissen, worum

es geht? Und ob sie wissen, dass das das letzte Lied ist? Jetzt kommt der C-Teil, wie oft muss ich das wohl noch sagen? Aber es ist ja das letzte Lied, und es brennt ausnahmsweise mal nichts. Dafür wirft Till das Mikrophon weg, nachdem er es aus dem Ständer gerissen hat. Dann nimmt er den Mikrophonständer und verbiegt ihn scheinbar mühelos zu einer Art Brezel. Das Ergebnis stopft er in eine Box, die daraufhin explodiert. Da wünsche ich mir immer, dass die Leute im Publikum das zum ersten Mal sehen und überrascht sind. Was mögen die bloß von uns denken? Die ganze Aktion ist so richtig schön sinnlos. Bloß was mag man sich denken, wenn man diese Showeinlage schon oft gesehen hat? So etwas jeden Abend aufzuführen, ist ja noch sinnloser.

Wenn ich mir ein Konzert einer Band ankucke, blende ich komplett aus, dass diese Band gestern schon gespielt hat und auch morgen wieder auftreten wird. Ich will das Gefühl haben, bei einem einmaligen Ereignis dabei zu sein. Und dieses Gefühl versuche ich auch als Musiker den Zuschauern unserer Konzerte zu vermitteln. Das ist für uns nicht so einfach, erst recht nicht, weil unsere Show den Eindruck erwecken soll, dass wir ganz spontan aufeinander reagieren. Oder dass Till in einem Wutanfall wirklich durchdreht. Natürlich wird niemand glauben, dass Till mich bei *Mein Teil* im Kessel kochen und essen will. Oder vielleicht doch? Es gibt ja Tage, an denen ich das selber glaube. Damit also diese ganzen Effekte richtig zur Geltung kommen, steigere ich mich in all das derart hinein, dass ich nicht so tun muss, als wäre ich völlig überrascht. Wie gesagt, manchmal glaube ich mir selber. Und ich kann ehrlich sagen, dass ich mich jedes Mal sehr freue, wenn wir eine bekloppte Aktion auf der Bühne zeigen.

Bei *Pussy* geht es damit auch gleich weiter. Till steigt auf eine riesige Schaumkanone, auf der ein richtiger Sattel befestigt ist. Also ein Sattel für ein Pferd. Die Kanone soll natürlich einen Penis darstellen, da gibt es gar nicht so viele Deutungsmöglichkeiten. Schon kommt Schaum aus der Kanone geschossen. An manchen Abenden mehr, an anderen weniger. Das hängt von vielen Faktoren ab. Je weniger Schaum kommt, desto schlechter ist nach dem Konzert Tills Laune. Derjenige, der für eine abgeklemmte Druckleitung oder ähnliche Fehlerquellen verantwortlich ist, macht sich dann nach dem Konzert unsichtbar. Und plötzlich, eigentlich viel zu früh, ist das Konzert zu Ende.

Ich wollte früher ja sehr lange Konzerte spielen, weil ich dachte, dass die Leute für ihr Eintrittsgeld auch ganz viele Lieder hören sollten. Paul kam mit dem Gegenargument, dass Brötzmann immer nur eine Dreiviertelstunde spielt. Die Musik und die Konzerte von Caspar Brötzmann Massaker finden wir alle gut, und so konnten wir erst einmal nichts erwidern, obwohl mir jetzt einfällt, dass sich niemand die Mühe gemacht hat, Pauls Behauptung zu überprüfen.

Als Marilyn Manson in Berlin einmal nur vierzig Minuten spielte, wurde er ausgepfiffen, und das Publikum war sauer.

Aber für heute hat das Publikum offensichtlich genug. Es ist ja auch anstrengend, die ganze Zeit mitzubrüllen und zu tanzen. Ich glaube, die Leute sind noch erschöpfter als wir. Auch die, die nur hinten saßen, haben ja stundenlang ihr Handy hochgehalten, um das Konzert zu filmen. Den Leuten tut bestimmt der Arm weh. Wenn sie mal pinkeln gehen müssen, hält die Freundin das Handy hoch. Meistens achtet sie aber nicht genug auf die Filmerei und nimmt ein paar Minuten lang den Rücken des Vordermannes auf. Das macht aber nichts, denn niemand wird sich diesen Mitschnitt je ansehen.

Mir kann das zwar egal sein, aber ich finde es traurig, denn diese Leute achten dann oft gar nicht mehr auf das Konzert, sie haben ja alles gefilmt.

Jetzt rufen sie auch nicht mehr nach Zugaben, sie wissen aus dem Internet von den vielen anderen Fans, die in den Tagen davor schon mitgefilmt haben, dass wir nicht weiterspielen werden. Das wäre dann wirklich etwas ganz Besonderes. Sollten wir noch eine Zugabe machen wollen, müsste das die Crew bis zum Mittag des Konzerttages erfahren, damit keine Bühnenteile im Weg stehen und das Licht für dieses Lied eingestellt werden kann. Außerdem fängt die Crew sonst schon an, die Sachen in die Trucks zu räumen. Man glaubt nicht, wie schnell alles weg ist. Also machen wir, wenn an einem Abend die Stimmung extrem gut ist, erst am nächsten Abend die Zugabe. Da sind wir dann aber ganz woanders.

Heute ist nach *Pussy* wirklich Feierabend. Ich liebe das Wort Feierabend. In Amerika wollte ich dieses Wort immer sagen und habe nach einer Übersetzung gesucht, aber nie eine gefunden. Feierabend ist ein ganz spezielles Wort, denn da ist irgendwie die Freude über den Arbeitsschluss mit drin. Ich würde auch wohlwollend über einen Freund, wenn er gestorben ist, sagen: Jetzt hat er Feierabend. Das ist so wie: Ruhe in Frieden. Nur noch etwas gemütlicher. Mit Pantoffeln an. Das würde ich auch bei Leuten sagen, die ihr ganzes Leben so hektisch waren.

Damit wirklich alle merken, dass jetzt Schluss ist, spiele ich ein paar Akkorde, die heroisch klingen sollen. Die Band geht nach vorne zur Bühnenkante und verbeugt sich gemeinsam. Das haben wir vor ein paar Jahren schon gemacht, und da haben alle noch komisch gekuckt, weil man so etwas bisher nur aus dem Theater kannte. Inzwischen habe ich es bei vielen

Bands gesehen. Ich würde ja mit nach vorne kommen, um mich zu verbeugen, aber wer soll dann die Hintergrundmusik dazu spielen? Vielleicht bin ich aber auch ganz froh darüber, denn ich mache nicht gerne etwas, nur weil alle anderen das machen. Ich habe da so ein kindisches Ablehnungsverhalten. Außerdem denke ich, dass das Publikum nichts davon hat, wenn ich mich vorne auf der Bühne verbeuge. Die Leute würden sich mehr freuen, wenn wir noch ein Lied spielen würden, anstatt uns selbst zu feiern. Till hat sich auch schon bedankt. Da ich immer noch meine Sonnenbrille aufhabe und es jetzt dunkel ist, sehe ich überhaupt nichts und taste mich die Treppe herunter von der Bühne.

III

Ich bin der Letzte und haste durch die Gänge, um die anderen einzuholen. Ich höre sie weit vorne lachen und laufe schneller. Endlich habe ich sie eingeholt. Vorneweg läuft unser Sicherheitsmann, um die Leute, die in den Gängen stehen, dazu zu bringen, zur Seite zu gehen.

Sie winken uns zu und rufen etwas, was wie Great Show klingt. Wir lächeln freundlich und winken zurück. Im Gang steht ein Tisch mit einer Karaffe voller Saft. Den haben uns die Küchenleute gemixt, weil sie der Meinung sind, dass uns ein paar Vitamine nicht schaden können. Wir bleiben also erst mal alle hier stehen und trinken unseren Becher Saft. Olli fragt, wer morgen mit zum Schwimmen kommen will. Der hat Nerven. Wie soll ich das jetzt schon wissen?

Dann sind wir in unserer Garderobe, und die Tür fällt hinter uns zu. Zufrieden summend setzen wir uns hin. Till macht die Musik an. Er hat extra einen Musikmix für die Zeit nach dem Konzert zusammengestellt. Das ist eigentlich der schönste Moment des Abends. Denn jetzt ziehe ich mich Stück für Stück aus. Erst mal nehme ich die Brille ab. Es ist wirklich sehr hell hier in der Garderobe. Dann nehme ich mein Halsband mit den Ohrstöpseln ab. Jetzt kann ich wieder richtig Luft holen. Die Fickhose ist natürlich klatschnass. Das ist ja klar, wenn Till da die ganze Zeit draufspritzt. Die ist nicht einmal bei der sogenannten Grillstube getrocknet. Die Hosen sind aber auch aus einem komischen Material, was schlecht trocknet. Ich glaube sogar, sie sind aus Leder. Ich kann mich noch an das Gefühl erinnern, wenn ich als Jugendlicher mit meiner Thälmann-Jacke in den Regen gekommen bin. Die war dann tagelang nass und roch scharf. Ich konnte sie kaum anheben, weil sie so schwer war. Trotzdem zog ich sie immer wieder an. Meine Frau hat sie dann zum Glück weggeschmissen. Sonst würde ich damit immer noch rumlaufen und mich lächerlich machen. Auch wenn ich mich wahrscheinlich jung und schräg fühlen würde.

Jetzt ziehe ich mir die Stiefel aus. Es riecht nach totem Hund. Die Socken sind so eklig, dass ich sie am liebsten wegwerfen würde. Aber so etwas gibt es bei uns nicht. Schon kommt Paulo und sammelt die Bühnensachen ein. Er bräuchte dafür so einen Stock mit Klemme, wie die Leute ihn haben, die in den Parks das Papier aufheben. Mein Anzug ist nicht mehr da. Den habe ich ja schon hinter der Bühne ausgezogen. Der wird später in den Schrank gehängt in der irrigen Hoffnung, dass er morgen wieder trocken ist.

Ich gehe zur Dusche. Olli ist schon da. Wie schafft er das bloß, jeden Abend vor mir da zu sein? Er steht vor dem Spiegel und wischt sich mit einem Abschminktuch die Farbe aus dem Gesicht. Ich tue es ihm gleich. Früher habe ich versucht, mir einfach das Gesicht mit Seife zu waschen, aber so geht es viel schneller. Trotzdem geht nicht die ganze Schminke ab, besonders an den Stellen, an die man nicht so gut herankommt wie in den Ohren, bin ich meistens am nächsten Tag noch weiß. So lange, wie wir auf Tour sind, ist das ja egal, genau genommen bräuchte ich mich gar nicht abzuschminken, dann würde ich mir sogar abends das Schminken sparen. Leider ist die Schminke ziemlich klebrig, wahrscheinlich würde ich mir meine Sachen damit versauen. Außerdem schimpft die Band immer mit mir, wenn im Flugzeug jemand sieht, dass ich noch ganz weiß bin. Also wische ich mir mit dem Tuch hektisch über das Gesicht und hoffe, dass nicht schon alle Duschen besetzt sind, bevor ich damit fertig werde.

Diese Sorge war unberechtigt, denn da wir heute in einer Sporthalle spielen, gibt es genug Duschen für alle. Der Mechanismus des Duschhahns ist nicht so einfach zu verstehen, es gibt immer wieder ungeahnte Möglichkeiten, das Wasser warm zu stellen. Ich schaue zu, wie es die anderen machen. Dann kommt auch bei mir warmes Wasser. Das Gel auf meinen Kopf ist inzwischen bretthart geworden, aber mit dem Shampoo geht es ganz gut raus. Ich habe schon darüber nachgedacht, ob ich das Gel bis zum nächsten Konzert drauf lasse, aber als ich es einmal wirklich versuchte, waren meine Haare so hart, dass ich richtig Angst bekommen habe, dass sie abbrechen würden. Es hätte da reichen können, dass ich mir den Pullover über den Kopf ziehe. Und nachts liege ich ja mit meinem schweren Kopf auf den Haaren. Nur in Afrika soll es einen Stamm geben, bei dem die Leute nachts den Kopf hochhalten, damit ihnen die Ameisen nicht in die Ohren laufen. Das muss man aber von der Kindheit an lernen. Ich übe das manchmal beim Mittagsschlaf.

Plötzlich wird das Wasser kochend heiß, und ich schrecke zurück. Irgendjemand hat kaltes Wasser aufgedreht, um sich zu erfrischen, oder weil das nach dem Duschen bei uns so üblich ist. Da wurde das Wasser bei mir schlagartig ganz heiß. Er hätte ja vorher Bescheid sagen können. Ich fühle mich wie ein Krebs. Zumindest sehe ich so aus. Ich schimpfe vor mich hin, denke aber immerhin daran, selber Bescheid zu sagen, als ich das Wasser kalt stelle. Da steht aber natürlich keiner mehr unter der Dusche, wahrscheinlich wischen sie sich gerade die Schminke ab, oder sie seifen sich ein. Ich trockne mich ab und freue mich, dass mein Lieblingsdeo auf dem Schminkkasten steht. Das heißt Brut, und es gibt nur noch wenige Plätze in der Welt, wo man dieses Zeug finden kann, wahrscheinlich auch, weil es so gesundheitsschädlich ist. Als ich es das erste Mal kaufte, konnte ich nicht glauben, dass es sich dabei um ein Deo handeln soll. Ich dachte, der Verkäufer hat mich nicht richtig verstanden, als ich nach Deo gefragt habe. Es war sehr dunkel und vollgerümpelt in diesem Laden, und als ich die Packung aufschraubte, roch es auch nicht nach Deo, aber auf eine eigene Art gut, ich würde den Geruch unter hundert anderen sofort erkennen. Wenn ich mich damit eingesprüht, der Fachmann sagt eingedieselt, habe, fühle ich mich unverwundbar. Dann putze ich mir die Zähne, weil ich noch mit vielen Leuten reden muss, und da die Musik immer so laut ist, kommen alle beim Sprechen so dicht an mich ran. Für diejenigen, die keine Zeit zum Zähneputzen haben, liegt auch eine Packung Kaugummis bereit. Die werden von uns Social Gums genannt, weil wir uns mit deren Hilfe ins Getümmel, also ins soziale Leben stürzen. Parfüm steht auch noch da, aber das benutze ich heute lieber nicht, da ich schon mit dem Deo so großzügig umgegangen bin. Mit meinem Handtuch um die Hüften tapse ich wieder in die Garderobe.

Dort sind neben den Leuten, die vor dem Konzert schon da waren, noch etliche neue Gäste eingetrudelt. Warum kann ich mich des Eindrucks nicht erwehren, dass sich bei uns in der Garderobe eher die kriminelle Prominenz einer Stadt versammelt? Sind das die Einzigen, die auf unsere Musik stehen? Machen wir etwa Musik für kriminelle Elemente? So hieß das in der DDR. Oder liegt es daran, dass die Leute, die Drogen und Frauen mitbringen, viel leichter in den Backstage-Bereich kommen als die, die mit uns über Bücher und soziale Hilfsprojekte reden wollen. Die haben wahrscheinlich auch keine Lust, in einer Garderobe zu sitzen. Diejenigen, die es geschafft haben, hier reinzukommen, amüsieren sich dagegen prächtig. Da es im Konzert so laut war, schreien sie immer noch, wenn sie etwas sagen wollen. Till dreht deswegen die Musik lauter.

Ich sehe mich um und kucke, wer noch so alles da ist. Die berühmten Leute erkennt man ja meistens nicht, weil die in echt ganz anders aussehen als im Film oder in der eigenen Vorstellung. Robert de Niro ist zum Beispiel ganz klein. Das habe ich zwar nicht überprüfen können, da ich ihn nie gesehen habe, aber das erzählt wirklich jeder, wenn die Sprache auf dieses Thema kommt. Jetzt erkenne ich wieder niemanden. Obwohl ich mir die kleinen Leute in groß vorstelle. Also kann ich mich erst mal anziehen.

Ich taste mit meinen Augen die Wand ab. Richtig, da hängt eine Plastetüte, auf der mein Name steht. Also der Name steht auf dem Gaffaband, mit dem die Tüte an die Wand geklebt wurde. Ich ziehe sie vorsichtig ab, denn ich brauche sie später noch. Ich hole die zwar frisch, aber auch schon sehr oft gewaschenen Schlüpfer und Socken aus der Tüte und ziehe sie an. Bei jedem Waschen werden sie ein bisschen kleiner und labbriger. Trotzdem ist es ein erhebendes Gefühl, diese frischen Sachen anzuziehen. Glücklicherweise habe ich meine frischen T-Shirts und die Hose unter einem Stuhl versteckt. Bei dem Getümmel achtet sowieso niemand auf mich, und so kann ich mich in Ruhe anziehen. Jetzt bekomme ich langsam Hunger. Ein paar Nüsse sind noch da. In die Nussschale hat schon jemand reingeascht, falls es dieses Wort gibt. Die meisten unserer Gäste, besonders die, die schon vorher hier drin waren, sind sehr betrunken und schreien durcheinander, die anderen kucken recht ratlos, so, als ob sie überlegen, was sie hier in der Garderobe wollen. Einige Frauen könnten sich wegen Till hierherverirrt haben, aber er kann sich jetzt nicht um sie kümmern. So versuchen sie durch lautes Lachen und Quieken auf sich aufmerksam zu machen. Andere versuchen, still ihre körperlichen Vorzüge zur Schau zu stellen. Um ihr Aussehen zu überprüfen, rennen sie immer wieder ins Bad.

Als ich auch noch mal ins Bad gehe, um mir die Haare zu kämmen, riechen meine frisch gewaschenen Sachen schon wieder nach Zigarettenrauch. So mache ich mir doch noch einige Spritzer Parfüm auf die Sachen. Zurück in der Umkleide, kann ich jetzt ebenso gut auch eine Zigarette rauchen. Ich habe mich kaum hingesetzt und suche gerade mein Feuerzeug, als eine Frau kommt und mich fragt, ob sie den Stuhl haben kann. Ich habe keine große Lust, mit ihr darüber zu diskutieren, wer jetzt auf dem Stuhl sitzen kann, und stehe langsam auf. Sie fragt mich noch aus Höflichkeit, wo ich denn herkomme und ob ich die Musik von Rammstein auch so gut finde. Wahrheitsgemäß antworte ich, dass ich aus Berlin komme und die Musik von Rammstein auch so gut finde. Da hat sie sich schon längst abgewandt und unterhält sich wieder mit ihrer Freundin.

Ich trudele etwas ziellos durch die Garderobe und überlege, wo ich hingehen kann, um eine Zigarette zu rauchen. Meine Kollegen rauchen nicht, und da will ich ihnen nicht die Bude vollqualmen. An der Tür zum Flur werde ich erkannt, und blitzschnell übergeben mir einige enthusiastische junge Männer ihre CDs mit der dringenden Bitte, sie mir anzuhören.

Da ich sie weder belügen noch enttäuschen will, wackele

ich mit dem Kopf. Ich bin nicht oft in der Stimmung, mir solche CDs anzuhören, und selbst wenn mir die Musik gefallen sollte, weiß ich nicht, wie ich diesen jungen Leuten helfen könnte, aber ich denke mir, wenn ich die Musik gut finde, wird sie auch anderen gefallen, und dann wird die Band schon irgendwie zu ihrem Erfolg kommen. Da mache ich mir aber wohl etwas vor, eigentlich ist mein Geschmack eher nicht so verbreitet, aber auch das müsste die Bands beruhigen, denn das hieße, wenn mir die Musik nicht gefällt, hat sie durchaus Chancen, erfolgreich zu werden. Aber das Einfachste wäre natürlich, mir die CDs erst gar nicht zu geben, dann kann man auch nicht verwirrt werden.

Ich nehme sie trotzdem an mich und lege sie in die Schlüpfertüte. Ich kann sie mir ja nach der Tour beim Autofahren anhören. Ich packe noch einen neuen Krimi aus meinem Schrankfach zu den CDs. Jetzt fangen schon wieder alle in der Garderobe an, sich zu fotografieren, und ich flüchte auf den Gang.

Ob das mit den Fotos irgendwann wieder in Vergessenheit gerät? Werden vielleicht schon bald keine Selfies mehr gemacht? Nach Autogrammen fragt schließlich auch fast niemand mehr. Und wenn ich erzähle, dass wir früher wirklich säckeweise Fanpost ins Büro geschickt bekommen haben und die Briefe auch alle geöffnet und gelesen wurden, fragen sich die Leute, was dieser Opa schon wieder für Geschichten von kurz nach dem Krieg ausgegraben hat. Aber es gibt eben so viele Sachen nicht mehr, die für uns selbstverständlich waren. Und umgekehrt gibt es jetzt Sachen, die es früher noch nicht gab.

Das war damals auch das Thema auf der Mittelseite der *Atze*, einer Kinderzeitung aus der DDR. Auf dieser Mittelseite war eine Bildergeschichte aus der Vergangenheit, in der ein moderner Gegenstand versteckt war. Meistens so etwas wie eine Armbanduhr. Wenn man den Gegenstand gefunden hatte, konnte man an die Zeitung schreiben und etwas gewinnen. Ich glaube, ein Abo für die Zeitung. Das werden nicht viele gemacht haben, denn die Zeitung war nicht so beliebt. Dafür kostete sie nur zehn Pfennig.

Von der *Mosaik* abgesehen, war es die einzige Zeitung mit Bildergeschichten, den Begriff Comic gab es in der DDR nicht. Die Bilder in den Kinderzeitschriften waren aber natürlich auch gezeichnet. Da gab es zum Beispiel noch die *Bummi*. Die Zeitung war für Kinder im Kindergartenalter gemacht und handelte davon, dass die Bären Bummi, Maxl und Mischka mit Kindern aus der Sowjetunion spielten und unbedingt zur NVA wollten, um mit dem Panzer zu fahren. Nur konnten die Kinder das noch nicht lesen, und welcher Erwachsene las ihnen so einen Schwachsinn vor?

Die Kinder, die schon lesen konnten, griffen eher zur *ABC-Zeitung*. Darin war hauptsächlich von Pionieren die Rede. Damit konnten wir auch wenig anfangen, da wir alle mehr oder weniger in der ersten Klasse gezwungen worden waren, da mitzumachen. Insofern waren wir alle Pioniere, ohne dass dadurch irgendetwas anders war als vorher. Das Einzige für mich Verwendbare aus dieser Zeitung waren die Bastelbögen, da konnte man sich ein Feuerwehrauto oder ein Müllauto zusammenbauen. Ich schaffte das aber meistens nicht, schon weil ich nicht verstand, wie man die Klebefalze vor dem Knicken anritzen musste. Dafür war der Papierklebstoff gut. Mit diesem Klebstoff und etwas Klopapier versuchte ich mal Pappmaché herzustellen, aber nachdem ich dieses Gemisch eine Weile mit Wasser unter ständigem Umrühren gekocht hatte, musste ich eine ebenso lange Zeit von den eingeatmeten Dämpfen qualvoll brechen. Ein kleines Boot habe ich mir trotzdem zusammengemanscht. So war das eben früher, wenn wir ein neues Spielzeug haben wollten.

*

Nachdem unsere zweite Platte etwas mehr Aufmerksamkeit als die erste bekommen hatte und wir mit den Liedern der ersten beiden Platten überall gespielt hatten, wo es uns möglich war, begannen wir fast automatisch an Liedern für eine dritte Platte zu arbeiten.

Uns wurde allmählich klar, dass die Arbeit eines Musikers anscheinend daraus besteht, sich Lieder auszudenken, diese aufzunehmen und dann live zu spielen. Das hatte ich als Kind gar nicht so vor Augen gehabt, da dachte ich, alles ist eine riesige Party, und man kauft sich jede Woche einen Rolls Royce, den man dann in den Swimmingpool fährt. In Wirklichkeit saßen wir im Proberaum, japsten nach Luft und überlegten, wo wir mittagessen gehen sollten. Und dann waren wir wieder müde. Es zog sich alles ziemlich hin.

Daraufhin verfielen wir mehr und mehr der Angewohnheit, ständig Meetings abzuhalten, um nicht in den Proberaum zu müssen. Irgendwelche Themen fanden sich immer, notfalls saßen wir im Büro herum und tranken Kaffee. In der kleinen Büroküche stand eine Kaffeemaschine, und da die Zeit nicht vergehen wollte, tranken wir so viele Tassen davon, dass wir richtig aufbrausend wurden. Sonst tranken wir ja grundsätzlich nur aufgebrühten Kaffee, für den wir einfach Wasser auf den Kaffee schütteten. Nach einer Minute schlugen wir dann die Kaffeetassen hart auf die Tischplatte, damit die Kaffeekrümel auf den Boden sanken. Unsere Plattenchefs aus Hamburg mutmaßten, dass wir Ostler deshalb so braune Zähne hätten. Aber so schmeckt mir der Kaffee einfach am besten.

Wir stellten aber schnell fest, dass ein Meeting noch viel anstrengender als eine Probe war. Manchmal brachte jemand eine CD mit, die ihm gefiel, meistens aber stritten wir uns um unwichtige Sachen, von denen sowieso niemand von uns richtige Ahnung hatte. Ich fing bald vom Kaffee und der Aufregung an zu schwitzen und bekam Kopfschmerzen. Wenn ich dann nach Hause kam, hatte ich keine Lust mehr, auch nur ein Wort zu sagen, weil ich im Büro schon die ganze Zeit aufgeregt vor mich hin geschimpft hatte.

Wir suchten krampfhaft nach einer Idee, wie die *Mutter*-Platte aussehen könnte. Wir hatten gerade zum ersten Mal etwas von Corporate Identity gehört, das bedeutet, dass die Platte, das Bühnenbild, die T-Shirts und die Eintrittskarten dasselbe Thema haben. Also dass man erkennt, dass alles zusammengehört. Bis dahin hatten wir einfach alles so gemacht, wie es uns gerade eingefallen war. Niemand von uns wäre auf die Idee gekommen, dass wir selbst bestimmen könnten, wie die Eintrittskarten aussehen. Früher kamen die Eintrittskarten einfach von der Rolle, wo sie an den vorgestanzten Stellen abgerissen wurden.

Dann brachte jemand von uns eine Zeitschrift namens *Max* mit, die damals recht originelle Beiträge beinhaltete. Inzwischen gibt es diese Zeitschrift nicht mehr. In besagter Ausgabe war ein Beitrag von dem Fotografenehepaar Geo und Daniel Fuchs, die sich auf Fotos von Präparaten spezialisiert hatten. Also Fotos von in Alkohol oder Formalin eingelegten Tieren oder Körperteilen. Natürlich waren die Tiere tot. Auch Missbildungen waren vertreten. Diese Fotos gefielen uns gut, besonders das von drei eingelegten Eisbärenembryonen. Unser Manager besorgte das Fotobuch der beiden und stellte den Kontakt zu ihnen her. Schon hatten wir einen neuen Anlass für ein Meeting.

Die beiden Fotografen waren zum Glück sehr nett. Die folgende Idee war nun, uns als Präparate zu fotografieren. Sie waren durch die Aussicht, endlich mal etwas Lebendiges zu fotografieren, ganz aus dem Häuschen, und wir freuten uns, weil wir uns nur tot zu stellen brauchten und einmal nicht mächtig oder gefährlich wirken mussten.

Bei der Realisierung dieses Projekts taten sich dann einige Probleme auf. Nirgendwo stand ein Aquarium zur Verfügung, das groß genug war und das man von allen Seiten beleuchten konnte. Schließlich wurde in einem Hamburger Filmstudio ein Plexiglasbecken aufgebaut, nachdem das erste Becken dem Wasserdruck nicht standgehalten hatte und geplatzt war. Einer nach dem anderen stiegen wir nun hinein. Da wir komplett unter Wasser sein sollten, denn das stellte ja die Präparationsflüssigkeit dar, waren wir gezwungen, die Luft anzuhalten. Wir verhakten unsere Füße an Gewichten auf dem Boden, und für Porträtaufnahmen legten wir uns zusätzlich einen Bleigürtel um. Jeder von uns war etwa vier Stunden ununterbrochen im Wasser, von denen er bestimmt zwei Stunden die Luft anhalten musste. Als wir alle durch waren, stellten die Fotografen fest, dass die Trübung des Wassers so stark zugenommen hatte, dass die Bilder zu unterschiedlich waren. Also mussten zwei Mann von uns noch mal in die trübe Brühe, die aber zum Glück angewärmt war. Sie waren extra als Erste ins Wasser gegangen, um schnell fertig zu werden.

Zum Schluss machten wir noch die Gruppenfotos, was ziemlich schwierig war, da wir unter Wasser die Regieanweisungen nicht so gut verstanden, und einer von uns immer im entscheidenden Moment auftauchen musste, um Luft zu holen. Erschwerend kam hinzu, dass es barbarisch stank, wenn jemand mal pupste, weil sich die Wolke lange im Becken hielt, was aber für große Heiterkeit sorgte. Wir hatten auch sonst viel Spaß, wenn wir wie die Rentner den ganzen Tag im Bademantel durch das Studio wandelten.

Letztendlich kamen diese Fotos wirklich auf das Cover unserer dritten Platte, die *Mutter* hieß, und vorne drauf war das Foto von einem Baby. Das war natürlich auch von den beiden Fotografen. So kamen wir langsam zu unserem oder unserer Corporate Identity. Unsere Bühne für die anschließende Tour sollte dann nämlich auch so aussehen. Dazu konnten wir schön viele neue Meetings anberaumen. Ich weiß gar nicht, seit wann wir das unselige Wort Meeting benutzen. Früher haben wir das einfach nicht gebraucht, da haben wir alles Wichtige während der Proben entschieden. Aber die Sache hatte auch etwas Gutes. Jetzt fing bei uns wirklich alles an zusammenzupassen.

Die Bühne hatte die Anmutung eines Operationssaals, und von der Decke hingen richtige OP-Lampen. Die hatten wir in einer alten Klinik abgebaut. Da sie aber aus ziemlich massivem Eisen waren, ersetzten wir sie später durch Sperrholzlampen, wenn ich mich nicht täusche. Ich spielte auf einem umgebauten Zahnarztstuhl Keyboard. Also nicht direkt auf dem Stuhl, der steht noch irgendwo bei uns herum, sondern auf diesem Arbeitstisch, wo beim Zahnarzt die Bohrer und die Lampen dran sind. Da gibt es ja auch so einen Tisch an einem beweglichen Arm, und darauf stand mein Keyboard. Dazu war ich wie ein Arzt verkleidet. Da erschien es den Leuten fast logisch, mich mit Herr Doktor anzureden.

Ich hatte den Namen mal viel früher aus Versehen angegeben, als wir einen Namen für unsere GEMA-Mitgliedschaft eintragen sollten. Ich dachte, da muss man irgendetwas Originelles machen. Seitdem steht auf allen Platten Doktor Lorenz oder so etwas. Hätte ich einfach mal meinen Namen genommen. Jetzt wollten alle wissen, warum ich mich Doktor nenne. Es stimmt wirklich, dass ich als Kind mal Chirurg werden wollte. Aber ich wollte auch Feuerwehrmann, Pilot, Erfinder oder Musiker werden. Zumindest das, was ich mir unter einem Musiker so vorgestellt habe.

*

Laute Musik schlägt mir entgegen. Sie kommt aus dem so genannten Partyraum. Darin steht ein DJ, der in einer ohrenbetäubenden Lautstärke einige ratlose Fans beschallt. Die haben eben erst ein Konzert überstanden, das nicht gerade leise war, und jetzt geht es mit voller Kraft weiter. Von der Band ist niemand zu sehen. Ich stehe auch nur in der Tür. Trotzdem werde ich entdeckt, und sofort recken sich mir die Handys wie kleine hungrige Tierchen entgegen. Im Flur ist es dafür viel zu dunkel, man würde auf den Fotos nichts erkennen. Ich verspreche, gleich wiederzukommen, und verschwinde im Gang.

Habe ich früher auch so oft gelogen? Aber es muss ja jetzt keine Lüge gewesen sein, wenn ich etwas gegessen habe, kann ich wirklich noch ein paar Fotos machen. Ich muss ja nicht darüber nachdenken, ob sich irgendjemand die Fotos ansehen wird oder was sonst damit passiert. Es sind schließlich nicht meine Handys. Und auf meinem ist schon ganz viel Mist drauf. Manchmal lösche ich einige meiner Fotos schon, bevor sie ein Mensch zu Gesicht bekommen hat. Manchmal sogar, bevor ich sie mir selbst ansehe. Aber vielleicht trauen sich die Leute einfach nicht, Fotos zu löschen, auf denen jemand von der Band drauf ist. Das ist ein bisschen so, als würde man den dann töten. Als ein Freund von mir gestorben ist, habe ich auch sehr lange gezögert, seine Nummer aus meinem Handy zu löschen. Denn ab diesem Moment war er noch etwas mehr verschwunden.

Die Köche vom Catering sind auch verschwunden. Zwar nicht für immer, aber für heute. Ich blicke mich nach Essensresten um, aber es ist alles schon aufgeräumt. Sie hatten ja das ganze Konzert über Zeit dafür. Vielleicht schaue ich mal in den Garderoben der Kollegen nach, ob ich noch etwas finde. Ich habe aber keine Lust, noch mal am Partyraum vorbeizukommen, und suche mir einen Weg durch die Halle. Die erkenne ich überhaupt nicht wieder. Es ist kein einziger Mensch aus dem Publikum mehr da, und auch die Bühne ist schon abgebaut. Die Ordnungskräfte sind fast damit fertig, den Boden auszufegen. Einige Kisten von uns stehen noch auf dem Boden. Ihre Zahl nimmt schnell ab, da sie im Laufschritt von den örtlichen Helfern zu den Lkws geschoben werden. Jede Kiste hat ihren festen Platz. Das hat sich der Stage-Manager vor der Tour genau ausgedacht. Jetzt wacht er mit Argusaugen darüber, dass keine in den falschen Truck kommt. Deshalb hat er alles mit Farben kennzeichnen lassen. Das Licht gelb, der Ton rot, die Bühne orange oder so ähnlich. Ich weiß gar nicht, was Argusaugen sind.

Ich kannte mal einen Hund, der Argos hieß, vielleicht hatte der Name etwas damit zu tun. Besagter Argos hat im *Untergang* Hitlers Hund gespielt. Also in diesem Film mit Bruno Ganz. Der echte Hund hieß angeblich Blondi. Als der Film dann abgedreht war, brauchten sie den Hund nicht mehr, denn es war eher unwahrscheinlich, dass noch ein zweiter Teil vom *Untergang* gedreht werden würde. Es sei denn, jemand käme auf die verrückte Idee, dass Hitler sich nicht wirklich umgebracht hat, sondern noch unter uns weilt. Und dann plötzlich wieder da ist. Aber selbst in diesem sehr unwahrscheinlichen Fall bräuchte man einen neuen Hund, da Blondi inzwischen an Altersschwäche gestorben wäre.

Jedenfalls fand man für Argos keine Verwendung mehr und er sollte eingeschläfert werden. Da nahm sich ein junger Mann des Hundes an. Wie es der Zufall wollte, war dieser Mann ein Koch. Ein Freund von ihm kannte uns wiederum, und wir wollten uns in ein Haus an der Ostsee begeben, um in Ruhe und Abgeschiedenheit die Lieder für die dritte Platte vorzubereiten. Weil wir so tief in unsere Musik versunken waren, brauchten wir einen Menschen, der sich in dieser Zeit um unser leibliches Wohl kümmerte. Das klingt jetzt gut, ist aber nur die halbe Wahrheit. Wir waren einfach zu faul, um uns unser Essen selbst zu kochen und dann noch abzuwaschen. Und einzukaufen. Aber hauptsächlich abzuwaschen. So kam der Koch mit Hitlers Hund zu uns. Und er besorgte vom Fischer Leckereien wie Dorschleber und frische Heringe. Ich freue mich ja schon so immer auf das Essen, aber als wir diesen Koch hatten, wurde es noch extremer. Ich konnte an nichts anderes mehr denken. Und wenn ich morgens das Frühstück, bestehend aus besagter Dorschleber, frischen Brötchen, drei Spiegeleiern, Mozzarella-Salat, einem Matjes oder Brathering und noch einem Stück Kuchen hinterher gegessen hatte, war ich so satt, dass ich mich gleich wieder ins Bett legen konnte. Böse Musik und ein guter Koch passen nicht so richtig zusammen.

Ich kann ja bei Argos und bei Argus nachkucken, wenn ich wieder im Internet bin.

Dazu muss ich erst mal im Hotel sein und nicht in den leeren Saal starren. Also los, ich gehe in die Garderobe von Paul und Olli. Da hat sich nicht viel geändert. Es läuft immer noch sehr entspannte Musik, und die Jungs bereiten sich gemütlich auf die Party vor. Ich überblicke schnell das Essen. Bananen sind immer gut. Ein paar Nüsse sind auch noch da, die scheinen niemandem so richtig zu schmecken. Mit den Bananen in der Hand gehe ich in die nächste Garderobe. Auch hier läuft Musik, wenn auch etwas lauter. Und hier steht eine Schale mit Süßigkeiten, da nehme ich mir mehrere von diesen Riegeln mit. In der Werbung wird ja gesagt, dass da ganz viele Vitamine drin sind und eigentlich kein Zucker.

Dann gehe ich noch mal ins Sackhausbüro und frage da nach etwas zum Essen. Ich bekomme ein altes belegtes Brötchen und ziehe mit meiner Beute wieder in meine Garderobe ab. Da packe ich die Sachen zusammen mit den letzten Wasserflaschen, die ich unter dem Tisch finde, in meinen Schlüpferbeutel. Das Pflaster mit meinem Namen drauf bekomme ich leider nicht ab, aber so kann jeder wenigstens gleich sehen, wer ich bin, und muss mich nicht extra fragen, wenn er mich ansprechen will.

Bei uns in der Garderobe sind die Gäste endgültig vom Sprechen ins Schreien übergegangen. Vielleicht sollte Till die Musik etwas leiser stellen. Vielleicht bin ich aber nur alt und empfindlich geworden. Das kann ja auch sein. Ich will das nicht immer auf die anderen schieben. Also beschließe ich, zum Hotel zu fahren. Ich gehe wieder in die Nachbargarderobe, um zu fragen, ob jemand mitfahren würde, wenn ein Shuttle zum Hotel führe.

Mir fällt auf, dass ich hier ganz schön viel hin und her laufe. Manchmal erzählt ja eine Verkäuferin von der unwahrscheinlich großen Strecke, die sie jeden Tag zurücklegt. Zwanzig Kilometer oder so. Es kann auch sein, dass ich Krankenschwestern meine. Das glaubt man dann immer nicht, weil die in so kleinen Räumen arbeiten, aber es ist wahr. Sie haben es mit einem Schrittzähler nachgewiesen. Ich habe mir auch mal so ein Ding gekauft. Erst habe ich nicht glauben können, dass es wirklich zuverlässig funktioniert, und dann war ich nach einer Wanderung ganz enttäuscht, dass der gelaufene Weg angeblich so kurz war. Ich war völlig erschöpft und dachte, ich wäre viel weiter gelaufen. Außerdem zeigte das Gerät nur die Schritte an, und ich konnte das nicht in Meter umrechnen, weil ich keine Strecke fand, die genau einhundert Meter lang war. Dann war das Ding plötzlich weg, und ich habe es nie wiedergefunden.

Jetzt muss ich schon wieder weiterlaufen, denn in der Garderobe ist niemand mehr. Ich schlendere vorsichtig zum Partyraum. Die anderen Bandmitglieder sind jetzt dort angekommen und lassen sich erst mal mit jedem Gast fotografieren. Da sie wahrscheinlich nicht den Raum verlassen, geschweige denn mit mir losfahren wollen, bevor sie damit fertig sind, kann ich ebenso gut mitmachen. Obwohl ich wie auf der Bühne eine Brille aufhabe, erkennen mich jetzt, da die anderen da sind, die wenigsten Leute, und ich habe nicht so viel zu tun. Aber es sind wirklich ein paar sehr schöne Mädchen dabei. Das kann ich nicht leugnen. Warum waren die früher nicht da, als wir grenzenlos geil durch die Gegend rannten. Als wir überhaupt nichts gebacken bekamen, wie man so schön sagt. Als wir uns so doll nach weiblicher Bestätigung gesehnt haben. Wo waren die da alle? Noch gar nicht geboren, wenn man es genau nimmt.

Wir haben uns früher ja extra bei den Bands, die uns als Vorband spielen ließen, in die Garderobe gedrängelt, um einige von ihren Frauen abzukriegen. Wir haben jegliche Würde abgelegt. Alles vergebens, nichts hat geklappt. Und jetzt, wo die Frauen mal da sind, sind wir vergeben, zumindest teilweise.

Als ich mich an die Kollegen herangearbeitet habe, frage ich sie, ob sie mit ins Hotel kommen wollen. Wie ich mir schon gedacht habe, wollen sie nicht. Na gut, dann bleibe ich auch noch ein bisschen hier, denn sonst ist der Shuttle, womit der Kleinbus gemeint ist, der zwischen Hotel, Halle und Flughafen fährt, ja weg, wenn die Kollegen ins Bett wollen. Da sich die sogenannte Party durch nichts von den Partys, die gestern und vorgestern stattfanden, unterscheidet, gehe ich aber davon aus, dass ich nicht lange warten muss, bis die anderen mitkommen wollen.

Da gehe ich mit meinen Tüten wieder ins Sackhausbüro. Dort packen sie jetzt das Duschbad und das Shampoo weg, die Bürsten und Kämme, ich sehe auch die Desinfektionsmittel, stangenweise Zigaretten, Massen von irgendwelchen Adaptern, weil es überall auf der Welt andere Stecker und Buchsen gibt, dazu Funkgeräte, Computer und auch sonst allerlei Zeugs. Für die Grenzer haben wir extra ein Sortiment T-Shirts zurückgelegt. Wir müssen allerdings hoffen, dass die Zollbeamten auch Fans von unserer Band sind. Manchmal gehen sie durch den Bus und suchen sich Getränke aus. Bei so einer Arbeit bekommt man ja Durst. Solange sie uns dann weiterfahren lassen, ist das in Ordnung. Wir trinken sowieso zu viel. Schon sind die Jungs mit dem Einpacken fertig.

Nach dem Konzert arbeiten alle aus der Crew ganz schnell, damit sie es noch in den Partyraum schaffen, bevor die Gäste gegangen sind. Sie wollen da ja auch schon geduscht sein.

Überall liegen jetzt Handtücher herum. Aber auch die werden eingesammelt und gezählt. Die haben wir uns nur für diesen einen Abend ausgeliehen. Ich werfe die Zigarette in einen Plastebecher. Da schwimmen schon ein paar Kippen im braunen Wasser. Alle rauchen ganz ungeniert in den Räumen. Der Brandschutz ist jetzt anscheinend völlig egal. Die Stimmung wirkt insgesamt sehr gelöst. Die Leute aus der Crew zeigen sich stolz die Sachen, die sie in der Stadt gekauft haben. Irgendwelches technische Zeug ist hier anscheinend billiger als in Deutschland.

Ich will morgen noch mal in die Stadt gehen und kucken, ob ich Brut bekomme. In die Stadt gehen klingt so, als ob ich aus dem letzten Dorf komme. Ich komme aus Berlin, aber selbst dort sage ich, dass ich in die Stadt gehe, wenn ich mich noch mehr in Richtung Stadtzentrum begebe. In Budapest wohnen wir ganz nahe an der Kettenbrücke. Also eigentlich mitten in der Stadt.

Vor dreißig Jahren übernachtete ich mit Feeling B hundert Meter von dem Hotel entfernt, in dem wir jetzt untergebracht sind. Damals schliefen wir dort in unserem umgebauten Lkw. Da wir nachts um vier ankamen, hielten wir diese Stelle für einen idyllischen Ort. Kaum hatten wir uns ins Bett gelegt, fuhr einen halben Meter von meinem Ohr entfernt die erste Straßenbahn vorbei. Ich dachte, die Welt geht unter, weil ich die Schienen nicht gesehen hatte und mir dieses Geräusch nicht erklären konnte. Langsam setzte dann der Autoverkehr ein, sowohl neben uns als auch schräg über uns, denn ständig fuhren Autos und Busse über die Brücke.

Am Tag kamen unzählige Schiffe vorbei. In mehreren Sprachen waren langatmige Erläuterungen über die Stadtgeschichte über viele Lautsprecher zu hören. Tagsüber war so viel los, dass wir nicht einmal in Ruhe pinkeln konnten. Zwischen unserem Lkw und dem jetzigen Hotel, was natürlich früher schon da stand, was wir aber nicht wahrnahmen, da wir uns da nicht hineintrauten, war eine kleine Grünfläche mit einigen kleinen Büschen, in die wir pinkeln konnten, wenn gerade niemand vorbeikam. Dort holten wir auch unser Wasser zum Kochen und Trinken. Das konnten wir uns aber nur zu den Zeiten holen, wenn der Rasensprenger lief. Damit wir nicht nass wurden, schlichen wir uns an diesen mit unseren Kanistern immer im Kreis an. Dann hielten wir mit einem beherzten Griff den Sprenger fest und stülpten den Kanister darüber. Der Wasserdruck war so hoch, dass der größte Teil des Wassers wieder rausspritzte. War der Kanister bis zu einem Viertel mit Wasser gefüllt, liefen wir mit ihm los und wurden spätestens jetzt nass. Wir ahnten nicht, dass das Wasser einfach aus der Donau hochgepumpt wurde.

Nach zwei Tagen litten wir alle unter schrecklichem Durchfall, was umso schlimmer war, weil es weit und breit kein Klo gab, das wir benutzen konnten. So rannten wir früh am Morgen panisch los, um ein Café zu finden, wo wir die Toilette benutzen konnten. Da mussten wir dann auch etwas essen. Und das war so unverschämt teuer. Außerdem hatten wir keinen Appetit, eher im Gegenteil. Es gab auch eine öffentliche Toilette, aber die fand ich nie, wenn es darauf ankam. Aber selbst, wenn ich diese Toilette gefunden hätte, wäre sie doch in diesen Tagen einfach zu weit weg gewesen, ich schaffte es genau genommen nicht einmal aus dem Schlafsack heraus. Den Rest dieser Tour deckte ich mich nachts mit der alten Decke zu, die wir mitgenommen hatten, um uns daraufzulegen, wenn wir unter das Auto kriechen mussten, falls mal wieder etwas kaputtgegangen war. Den Schlafsack warf ich nachts von der Brücke in die Donau, weil er sogar noch stank, als er draußen hinter dem Bus lag.

Jetzt freue ich mich auf mein Hotelzimmer. Wenn auch nur nach innen. Das habe ich von Oliver Kahn gelernt. Von außen sehe ich aus wie ein trauriger alter Mann, der vor einer hässlichen Wand steht. Das ist nicht meine Meinung, das sagt mir gerade unser Tonmann, der den Gang entlangkommt.

Er fragt mich, was Kondome und Keyboarder gemeinsam haben. Ich weiß es natürlich nicht. »Ganz einfach«, sagt er, »mit ist es sicherer, aber ohne macht es mehr Spaß!«

Ich muss lachen, weil es so schwachsinnig ist, aber mir will nicht einleuchten, was mit einem Keyboarder sicherer sein soll. Vielleicht kommt das noch aus der Zeit, wo die Tanzkapellen internationale Hits nachspielen wollten, da brauchte man wahrscheinlich manchmal eine Orgel, aber ich hatte noch nie das Gefühl, dass meine Anwesenheit der Band ein Gefühl von Sicherheit vermittelt.

Ich will das angenehme Gespräch nicht abbrechen lassen und versuche den Witz zu erzählen, bei dem der blinde Musiker auf der Bühne seinen Trommler fragt: »Tanzen die Leute heute gut mit?« Und der Trommler sagt: »Wieso, spielen wir denn schon?« Der war taub oder so. Nee, dann hätte er ja die Frage nicht hören können. Ich kann mir leider keine Witze merken. Schade, der war so lustig, ging aber irgendwie anders.

Da wir seit Wochen, insgesamt gesehen seit mehr als dreißig Jahren, zusammen unterwegs sind, ist es nicht immer leicht, ein neues Gesprächsthema zu finden. Der Tonmann nickt jetzt nur, und wir schlendern gutgelaunt zusammen zum Partyraum.

*

Es war heiß. Es war sehr heiß. Aber eigentlich genau richtig. Mir war einfach nicht mehr kalt. Als ich in den siebziger Jahren morgens im Winter in unser eiskaltes Bad getapst bin, konnte ich mir nicht vorstellen, dass es so einen angenehmen Zustand überhaupt geben könnte. Oder in den windigen, kalten Tagen während des Ostseeurlaubs. Aber jetzt war mir warm, ich schwitzte sogar ganz leicht. Es war sehr angenehm. Ich hatte das Gefühl, dass mein Körper überhaupt keine Grenzen mehr hatte, denn außen war es genauso warm wie innen. Ich hätte mich auch ausziehen können. Nein, das hätte ich nicht gekonnt, denn ich war schon nackt. Ich saß ganz ordentlich an einem Tisch und versuchte ein Puzzle zusammenzubauen. Ich spreche das mit u aus, denn ich habe das als Kind so gelernt. Es wurde nach meiner Erinnerung auch Pussel geschrieben, was ich zu dieser Tätigkeit sehr passend fand. Das Puzzle sollte ein Bild der Weltkarte ergeben, schön gemalt mit lustigen kleinen Besonderheiten der jeweiligen Länder.

Ich hatte den Karton mit dem Puzzle zwei Tage vorher auf der Straße gefunden. Auf dem Deckel war das Bild abgebildet, und ich hatte Lust, es zusammenzubauen. Ich hatte hingegen keine Lust zu zählen, ob noch alle Teile in der Schachtel waren, und so nahm ich es einfach mit. Also saß ich jetzt am Tisch im Hotelzimmer in Sydney und suchte verzweifelt die zweite Hälfte von Island. Aber wie war ich überhaupt nach Sydney gekommen?

Unsere dritte CD war fertig aufgenommen und abgemischt, die Single ausgesucht, und wir konnten nicht viel anderes tun, als auf das Erscheinen der CD zu warten. Denn wenn wir in Deutschland mit unseren neuen Liedern auf Tour gegangen wären, hätte da niemand mitsingen können, weil logischerweise noch keiner die Lieder kannte. Und mit dem alten Programm trauten wir uns nicht mehr, in Deutschland aufzutreten. Da kam uns die Anfrage, bei der Big Day Out Tour mitzumachen, gerade recht. Das war eine Festivaltour mit ganz vielen Bands, die jedes Jahr im Januar in Australien stattfand. Wir sehnten uns sehr nach Sonne, wir hatten den Winter in Stockholm verbracht.

Bevor wir nach Australien in die Sonne losfliegen konnten, sollten wir nur noch das Video für das Lied drehen, welches auch *Sonne* genannt wurde. Denn das sollte die Single zu unserer neuen Platte werden. Uns fehlte nur noch eine gute Idee für das Video.

Da fiel mir ein, wie wir uns einmal abends in einer tschechischen Baude eine Oper von Mozart angesehen hatten. Weil aber der Fernseher irgendwie falsch eingestellt war, hörten wir ein anderes klassisches Stück zu unserem Bild. Da ich weder die eine noch die andere Musik kannte, bemerkte ich den Fehler nicht, aber die Sendung gefiel mir außerordentlich, ich dachte, ich würde gerade eine revolutionär neue Art der Kameraführung erleben, die der Musik ungeheure Spannung verlieh. Erst als das Orchester fertig war, die Nachrichten begannen und die Musik immer noch lief, bemerkte ich meinen Irrtum.

Diesen außergewöhnlichen Effekt versuchten wir dann für uns zu nutzen, indem wir unsere Lieder zu Filmen, die gerade zufällig liefen, abspielten. In einem neuen Zusammenhang bekamen die Lieder eine völlig andere Bedeutung und wurden manchmal geradezu aufgewertet. Und Olli ließ in seinem Computer das Lied *Sonne* zu dem alten Märchenfilm von Schneewittchen laufen. Wir waren so begeistert davon, dass wir unseren Regisseur baten, uns im Video als die Sieben Zwerge darzustellen. Uns störte dabei nicht, dass wir nur sechs Leute waren, wir dachten zu Recht, dass das niemand merken würde, und nannten uns stolz die Sex Zwerge.

Im Studio wurden zwei identische Hütten aufgebaut, eine große für uns, damit wir darin klein wirkten, und eine kleine für Schneewittchen. Wie das so ist, verschob sich der Videodreh erheblich, so dass wir erst an den beiden Tagen vor dem Abflug nach Australien in Babelsberg drehten. Am Vorabend der Abreise sollte die Arbeit eigentlich gegen 18 Uhr beendet sein, aber natürlich war noch nichts fertig. Wir schafften es nicht einmal mehr, unser Gepäck von zu Hause abzuholen, und schickten Tom während des Drehs in unsere Wohnungen in der Hoffnung, dass dieser wenigstens in etwa die richtigen Sachen einsammeln würde.

Wir machten bis in die Nacht weiter und legten uns dann in das Zwergenhaus schlafen. Da waren ja Betten drin. Schnaps hatten wir logischerweise auch. Als ich nachts pinkeln oder brechen musste, das weiß man oft erst hinterher, stürzte ich über eine Strebe, mit der eine Wand des Zwergenhauses gestützt wurde, und brach mir ein paar Rippen an der nächsten Strebe. Ich konnte mich am nächsten Morgen nicht mal richtig anziehen.

Am Flughafen trafen wir Tom wieder, der uns die Überraschungstüten mitgebracht hatte. Wir konnten aber unsere sauberen Sachen kaum anziehen, denn wir hatten im Video Zwerge gespielt, die im Bergbau arbeiten, und wurden zwei Tage lang mit viel Mühe und Sachverstand schmutzig geschminkt. Auch die Fingernägel wurden extra eingedreckt. Uns zu säubern hätte Stunden gedauert.

Die Stewardessen im Flugzeug wunderten sich etwas über uns, wahrscheinlich hatten sie noch nie so dreckige Fluggäste an Bord gehabt. Die Kopflehnen wurden richtig schwarz, da auch unsere Haare nach Bergbau aussehen sollten. Sie waren aber nachsichtig, als sie den Grund erfuhren, also die Stewardessen. Wir stiegen in Los Angeles um und flogen mit einer amerikanischen Gesellschaft weiter, denen wir nicht so plausibel unseren Dreck erklären konnten. Sie fragten uns entrüstet, was wir denn in Amerika gemacht hätten und wobei wir so dreckig geworden wären, worauf ich wahrheitsgemäß erklärte, ich hätte dort nur die Toilette besucht. Und dann kamen wir immer noch dreckig in Brisbane bei etwa fünfundvierzig Grad an.

Die ganze Tour durch Australien war großartig. Mindestens zwanzig Bands spielten in riesigen Stadien auf verschiedenen Bühnen. Man schaffte gar nicht, sich alle anzusehen. Direkt vor uns spielten P J Harvey und Placebo, nach uns kam Limp Bizkit, die wir ja schon aus den USA kannten und die sich etwas wunderten, dass wir immer noch unser altes Programm spielten. Sie hatten inzwischen zwei neue Alben herausgebracht. Sie waren bei dieser Tour der Hauptact, und wenn sie auf der Bühne standen, rasteten die Leute so aus, dass sie beim Tanzen die rote australische Erde aufwirbelten. Dann standen wir alle in einer roten Wolke und konnten gar nichts mehr sehen. Eine weitere Band hieß Coldplay. Das waren vier ganz nette junge Typen, die wie Studenten aussahen.

Ich fühlte mich sofort wohl in Australien. Es hatte die Großartigkeit Amerikas, aber ohne die schlechten Seiten. Und die Kängurus gab es wirklich. Gleich am zweiten Tag sah ich eins am Straßenrand sitzen, als wir zum Hotel fuhren. Die nächsten Kängurus trafen wir auch am Straßenrand, allerdings waren die schon tot. Sie zu überfahren war eine Art australischer Volkssport, wie es schien. Je näher wir der Küste kamen, desto mehr tote Koalabären kamen dazu. Die sahen selbst überfahren noch ganz süß aus. Ich dachte vorher, die würde es nur im Märchen geben. Und auf den Jacken der Umweltschützer. Oder sind das Pandabären?

Jetzt wollten wir diese ganzen Tiere auch mal lebendig kennenlernen und gingen in einen Wildpark. Da konnte ich mich dann wirklich zwischen ziemlich große Kängurus kuscheln, die einfach auf einer Wiese hockten. Die Strauße oder Emus waren sogar größer als wir. So nah hatte ich solche Tiere noch nie gesehen. Dann drängelten wir uns zur Fütterung der Krokodile durch. Das Knacken der Knochen verfolgt mich jetzt noch. Und die Hauptattraktion war ein Gehege mit Aborigines. Ich konnte es nicht fassen. Da waren wirklich Menschen in einem Gitter, die tanzten und Feuer machten. Natürlich spielten sie auch Didgeridoo. Ich musste daran denken, dass in Berlin einst auch Indianer als Attraktion ausgestellt worden waren. Sie starben schon nach kurzer Zeit, weil es ihnen in Deutschland zu kalt war. Auch in warmen Ländern ist es natürlich keine gute Idee, Menschen in den Zoo zu sperren. Ich hoffte natürlich, dass die Aborigines nach Feierabend gehen durften. Wurde nicht ganz Australien früher als Gefängnisinsel genutzt? Wir sahen es eher als Urlaubsland. Wir waren aber eigentlich ja nicht als Touristen da, sondern sollten die Konzerte spielen.

Die Tour wurde von mehreren Stimmungsmachern begleitet, die nur dazu da waren, die Bands bei bester Laune zu halten. Nach jedem Konzert organisierten sie eine riesige Party mit freiem Alkohol, es gab so viel, wie man nur wollte. Eigentlich sogar noch mehr. Ich wurde zusehends verwirrter. Dann verliebte ich mich in PJ Harvey, in ihre Gitarristin oder in den Sänger von Placebo, das weiß ich nicht mehr so genau.

Die lustigste Band auf der Tour waren für mich die Happy

Mondays. Wenn wir zum nächsten Konzertort fliegen wollten, tranken sie schon vor dem Start einige Flaschen Wodka und mehrere Liter Bier. Sie rochen nach Tod. Das ganze Konzert über saß der Sänger auf dem Schlagzeugpodest und las ab, was seine Frau ihm auf einem uralten Computer an Texten vorscrollte. Manchmal kam die Frau nicht hinterher, dann sang der Sänger eben nicht. Der Gitarrist verlor sein Plektrum und bückte sich, um es aufzuheben. Dabei sah er seine Bierflasche und trank einen Schluck. Als er sich aufrichtete und weiterspielen wollte, merkte er wieder, dass er kein Plektrum hatte, und bückte sich erneut. Dabei stellte er fest, dass nun seine Bierflasche fast leer war, und bat um eine neue. Vorsichtshalber blieb er gleich auf dem Boden sitzen.

Auf einer After-Show-Party goss ich ihm einmal einen halben Liter Bier in den Mund, als er schlief. Ganz nüchtern war ich da auch nicht mehr. Am nächsten Morgen saß er im Flugzeug schräg vor mir und sah mich immer an. Er versuchte sich zu erinnern, woher er mich kannte, aber es fiel ihm nicht ein. Ich bin dann einmal mit laufender Kamera durch das ganze Flugzeug gegangen, und alle bewarfen mich mit Bierbüchsen und Unrat. Den Film habe ich aber nie wiedergefunden.

Die Veranstalter hatten auch die großartige Idee, hinter jeder Bühne einen Swimmingpool aufzubauen, in den die Musiker gleich nach ihrem Konzert springen konnten. Wir behielten da sogar unsere Bühnenklamotten an. Es war heiß, wir waren jung und hatten unglaublich gute Laune.

Als wir in Melbourne mal einen Tag freihatten, kauften wir uns auf einem Trödelmarkt für dreißig Dollar zwei Fahrräder. So wollten wir die Stadt erkunden. Wir kamen uns mit diesen Krücken wie Einheimische vor, wenn wir an den Strandcafés anhielten. Am Abend fuhren wir mit unseren Rädern ins

Hotelfoyer, um sie beim Concierge abzugeben. Dann rief uns die Frau von der Rezeption alle halbe Stunde an und fragte, was sie mit den Fahrrädern machen sollte. Ich legte den Hörer unter das Kopfkissen. Diese Tricks kenne ich aus dem Fernsehen.

Abends ging ich immer baden. Ich fand, dass dieser wunderschöne Strand auffallend leer war. Natürlich habe ich nicht auf irgendwelche Fahnen oder hochgezogene Körbe geachtet, und durchgelesen habe ich mir erst recht nichts. So ist mir völlig entgangen, dass der Strand nicht nur wegen Haiattacken, sondern auch wegen der giftigen Quallen gesperrt war.

An einem anderen Tag schnorchelten wir an der Steilküste. Dabei bekam ich dann auch ein winziges Stück von einer Qualle an den Arm und wunderte mich, dass so etwas wirklich so doll weh tut. Später wunderte ich mich noch mehr, weil es die ganze Tour über mit den Schmerzen nicht besser wurde.

*

Auf der Party haben sich die ersten Paare gefunden, einige Gäste sind aber auch schon gegangen, die meisten von ihnen, weil sie ihre Freunde, die nicht mit hineindurften, nicht so lange warten lassen wollten. Da der DJ sich selbst mit einer Frau unterhalten will, hat er die Musik ein bisschen leiser gemacht.

Meine Kollegen sind auch nicht mehr da, also gehe ich wieder mal in Richtung Garderobe. Unsere Garderobe ist abgeschlossen, und die anderen Räume sind leer. Habe ich Trottel die Abfahrt des Shuttles verpasst? Ich flitze mit meiner

Tüte auf den Hof. Ein Glück, der Kleinbus steht noch da. Da kommen die Jungs aus dem Produktionsbüro. Jetzt geht es wirklich los.

Der Fahrer will uns zeigen, wie fit er ist, und fährt erstmal durch alle Absperrungen. Die Ordnungskräfte schimpfen und wollen uns stoppen, aber der Fahrer hält einfach nicht an. Dieses Phänomen ist bei fast allen Shuttlefahrern zu beobachten. In der kurzen Zeit, die sie mit uns zusammen sind, wollen sie möglichst einen bleibenden Eindruck hinterlassen. Einige haben uns so schon in lebensgefährliche Situationen gebracht.

Ein Fahrer blieb mal mitten auf der Autobahn stehen, und wir sahen, wie hinter uns die Autos heranrasten. Ich weiß nicht mal, warum er stehen blieb. Ich glaube, er kannte den Weg nicht und wollte auf das Auto mit dem Gepäck warten. Wir schrien vor Angst, und er fuhr dann gemütlich wieder los. Wie durch ein Wunder schafften es die nachfolgenden Autos zu bremsen.

In Mexiko hatten wir einen Fahrer, der in schneller Frequenz abwechselnd auf das Gas und auf die Bremse drückte. Wir nannten ihn gleich den Paddler. Davon wurde uns allen übel, und ich wollte aussteigen. Der Fahrer wollte jedoch um jeden Preis verhindern, dass ich irgendwo in Mexico City aussteige, weil ihm das zu gefährlich erschien. Er fühlte sich wohl für uns verantwortlich, was allerdings seinem Fahrstil nicht anzumerken war. Als er an einer Kreuzung nicht aufpasste, sprangen wir zu dritt aus dem Auto und machten uns erleichtert zu Fuß auf den Weg. Schnell stellten wir fest, dass wir wirklich nicht wussten, wo wir waren oder in welche Richtung wir gehen sollten. Als uns nach drei Ecken eine Gruppe abgerissener Jugendlicher folgte, verstanden wir auch, was der

Fahrer gemeint hatte. Wir wurden unauffällig immer schneller, die Jugendlichen holten uns aber scheinbar mühelos ein. Sie hegten allerdings keine bösen Absichten. Vielmehr hielten sie mir ein dreckiges Tempo-Taschentuch und einen Bleistift hin. Mit dem Stift sollten wir auf dem Taschentuch unterschreiben. Sie wollten wirklich nur ein Autogramm.

Unser jetziger Fahrer will einfach nur schnell sein. Wenn sich uns Polizisten in den Weg stellen, redet er mit einer Affengeschwindigkeit auf sie ein, bis sie uns fahren lassen. Das Einzige, was wir verstehen, ist das Wort Rammstein.

Jetzt ist der Zeitpunkt gekommen, wo alle gemütlich ihre Stullen auspacken. Ich bekomme auch noch eine ab. Vergnügt kauen wir vor uns hin. Budapest bei Nacht ist vor allem dunkel. Trotzdem sieht man an jeder Ecke und selbst an kleinen Details, was das für eine wunderschöne Stadt ist. Vielleicht gerade, weil es so dunkel ist. Dunkelheit ist für mich vor allem etwas Gemütliches. Richtig hässlich werden Städte meistens durch helle Bürogebäude, in denen niemand ist und wo keiner weiß, wozu die da sind. Hier hingegen kann man die Vergangenheit fast riechen. Man sieht die Einflüsse der Römer und der Türken. Die dicken Steinwände der Häuser atmen noch die Wärme des letzten Tages aus. Das würden die Wände natürlich auch in westlicheren oder hässlicheren Städten machen, aber vielleicht auch nicht, denn dort sind sie selten aus so dickem Stein gebaut wie hier. In diesen stillen Straßen wirkt es besonders gemütlich, und ich muss an meine Kindheit denken. An die Zeit, in der ich mit meinem Bruder in den endlos scheinenden großen Ferien durch Berlin stromerte und dabei immer wieder an neue, unerwartet schöne Plätze kam.

In Berlin-Mitte gab es da noch große Lücken zwischen den Häusern, wo entweder Unkraut und Kamille wuchsen oder die Reste alter Fundamente lagen. Dort stand auch diese wohltuende Hitze zwischen den unverputzten Hauswänden. Liefen wir dann an den offenen großen Haustüren vorbei, streifte uns ein kühler Hauch von gelagerten Kohlen und Kartoffeln. Dieser Geruch gefiel mir sehr. Mich sprechen viele Gerüche an, die vielleicht für andere Menschen eher unangenehm sind. Wenn eine Straße repariert wird und der heiße Teer ausgewalzt wird, könnte ich da stundenlang stehen bleiben. Wahrscheinlich auch nur, weil ich das aus meiner Kindheit kenne. Da denke ich gleich auch an die heißen Sommertage auf der Greifswalder Straße. Den Geruch von Kittifix, das war ein Klebstoff, mit dem wir als Kinder die Zelte für unsere kleinen Indianer zusammenklebten und später dann die Schiffe für die Piraten, werde ich auch nie vergessen. Diesen Klebstoff hätte ich mir gerne als Parfüm hinter den Ohren aufgetragen, aber dann wären mir wahrscheinlich die Ohrläppchen angeklebt. Das wäre gar nicht mal so schlecht, denn ich bin als Kind oft wegen meiner abstehenden Ohren gehänselt worden.

Als ich einen Unfall hatte und fast überfahren worden wäre, wollten mir die Ärzte im Krankenhaus gleich die Ohren anlegen, einfach weil ich ja nun schon mal da war. Das konnte ich mit ganz viel Mühe noch abwenden. Jedenfalls roch der Klebstoff richtig gut. Vielleicht habe ich den deshalb immer eingeatmet. Als ich als Kind zum ersten Mal in Budapest war, kam ein ganz besonders erregender Geruch aus den U-Bahn-Schächten. Ich bin dann extra solche Wege gelaufen, die mich an möglichst vielen U-Bahn-Eingängen vorbeiführten.

Erst Jahre später entdeckte ich diesen Geruch wieder. Da hatte ich mein erstes Westauto. Aus unerfindlichen Gründen war ich der Meinung, dass im Differential das Getriebeöl fehlte, und so kroch ich unter das Auto, um es nachzufüllen. Als ich die Ölflasche geöffnet hatte, kam dieser schöne Ungarngeruch plötzlich wieder. Ich habe häufig darüber nachgedacht, aus den Gerüchen, die ich mag, Parfüm herzustellen, aber das ist schwierig, weil ich den Grundstoff mancher Gerüche nicht kenne. So rochen zum Beispiel die Westindianer, die man auseinandernehmen konnte, total gut. Ich kann mir aber keine Indianer hinter das Ohr schmieren. Dafür habe ich dann ein Lampenöl mit Grasaroma gefunden, das dem Geruch der Indianer ziemlich nahekam. Mir fehlt jetzt leider der direkte Vergleich, da es diese Indianer nicht mehr gibt.

Die guten Sachen, wegen denen wir in den Westen wollten, gibt es zum Teil ja gar nicht mehr. Dafür gibt es die Sachen aus dem Osten auch nicht mehr.

Letztens wollte ich im Baumarkt mattweiße Farbe kaufen und die gab es einfach nicht. An der Stelle war das Regal leer. Auch beim nächsten Mal. Und ich habe gedacht, im Westen gibt es immer alles. Da habe ich mich ein bisschen gefreut, dass es wieder so war wie früher. Da bin ich auch einige Male vergeblich in die Läden gerannt. Umso schöner war es dann, wenn es irgendwo doch mal etwas gab. Und beim Schlangestehen traf ich die interessantesten Menschen. So kann man vielen Sachen noch etwas Angenehmes abgewinnen. Außer den dringenden körperlichen Bedürfnissen.

Da fällt mir jetzt auf, dass ich schon wieder pinkeln muss. Irgendwas ist wirklich immer. Wann erreiche ich mal das Stadium, wo wirklich alles gut ist. Wahrscheinlich gibt es diesen Zustand nicht, denn wenn man darüber nachdenkt, ob alles perfekt ist, kann man diesen Moment schon nicht mehr voll genießen. Oder sind die kleinen Sorgen und Kümmernisse sogar nötig, um ein glückliches und spannendes Leben zu führen? Ich glaube, ja. Warum muss ich jetzt über solche Sachen nachdenken? Ist es wirklich so, dass man nach einem Konzert ein bisschen komisch wird? Ich wusste nie, was manche Musiker meinten, wenn sie erzählten, dass sie nach dem Auftritt in ein tiefes Loch fallen. Andere müssen ganz viel Alkohol trinken, damit sie wieder herunterkommen. Ich glaube, das brauche ich nicht, denn ich komme wohl gar nicht erst hoch.

Natürlich habe ich früher auch massenhaft Alkohol nach den Konzerten getrunken. Aber den hätte ich auch ohne die Konzerte getrunken. Dieser Alkohol sollte mir den Mut verleihen, die Mädchen zu fragen, ob sie mit mir schlafen wollen. Das mit dem Fragen hat dann soweit ganz gut geklappt, nur fielen die Antworten dementsprechend aus. Wie sollte ich denn mutig und dennoch attraktiv auftreten? Das war ein ganz schmaler Grat. Wenn eine Frau überraschenderweise doch einmal nicht nein sagte, lag das größtenteils daran, dass sie noch betrunkener war als ich. Ich glaube, das ist wesentlich besser, als wenn einer der beiden nüchtern ist. Wenn es dann wirklich mal zu sexuellen Abenteuern kam, hatte sich der ganze Alkohol der letzten Tage sozusagen amortisiert. Aber sonst hatte ich keinen Grund, nach dem Konzert zu trinken. Es war mir völlig egal, ob ich dann alleine oder unter Leuten war.

Inzwischen will ich nach einem Konzert am liebsten nach Hause. Wenn wir in der Gegend um Berlin spielen, ist das auch kein Problem. Wobei da die Grenze auch schwer auszumachen ist. Dresden ist nah bei Berlin, München schon nicht mehr so, aber im Vergleich zu Moskau gleich um die Ecke. Da schaffe ich es locker, in vier Stunden wieder auf Bude sein, wie ich das früher nannte. Es soll auch Musiker geben, die nach einem Konzert sogar in ihrer Heimatstadt im Hotel wohnen, damit sie sich gut fühlen. Sie wollen mit ihrer Leere nach dem Konzert die Familie nicht belasten. Sagen sie zumindest. Aber vielleicht wird man wirklich nachdenklich, wenn das Konzert vorbei ist und alle Leute gegangen sind. Dann ist ja alles, wofür man berühmt ist, schlagartig vorbei. Man ist dann nur noch ein kleiner Mensch. Mit klein meine ich jetzt natürlich nicht die physische Größe, sondern eher die Unwichtigkeit in der Masse. Trotzdem denke ich nach einer Tour auf der Straße in jedem Menschen einen aus unserer Crew zu erkennen und bin dann ganz traurig, wenn ich meinen Irrtum einsehen muss. Ich fühle mich also doch ein bisschen nackig oder zumindest alleine ohne die ganze Bande um mich herum. Das ist ja gerade das Schöne an einer Band, immer gehört man irgendwo dazu, und immer sind auch andere da, die irgendwie dasselbe Ziel und dieselben Sorgen haben.

*

Wir hatten gerade in Wien ein Konzert gespielt, und ich saß in meinem Hotelzimmer und sah fern. Ich wollte gerne einen Film sehen und dann einschlafen, aber ich konnte mich nicht konzentrieren. Also schaltete ich mit der Fernbedienung herum, um etwas weniger Anspruchsvolles zu finden. Vielleicht eine Talkshow. Da hörte ich ganz böse Musik. Dazu sah ich düstere Bilder. Einige offensichtlich gestörte Typen prügelten sich im Schlamm. Dann krochen sie wie Hunde über die Straße. Es sah alles krank aus. Dann erkannte ich erst die Musik. Es war *Mein Teil*! Unser Lied. Ich hatte es eben noch auf der Bühne gespielt, aber so klang es ganz anders, viel viel böser. So wie von einer sehr bösen Band. Ich war begeistert. Ich hätte nie gedacht, dass MTV dieses Lied zeigen würde. Es war das Video zur ersten Single unserer neuen Platte, und wir hatten es erst vor kurzem gedreht.

Nach der Veröffentlichung des Albums *Mutter* hatten wir lange gespielt und uns dann so viel Zeit für die nächste Platte genommen, dass drei Jahre vergangen waren, und so mancher Fan befürchtete schon, dass wir uns aufgelöst hätten.

Im Musikgeschäft fragten mich die Verkäufer, wozu ich denn noch das Kabel bräuchte, was ich kaufen wollte. Dabei hatten wir wie die Verrückten ganz viel Energie in die neuen Lieder gesteckt, bis sie nun endlich fertig waren.

Jetzt sollten sie auf die Platte mit dem wunderschönen Namen *Reise Reise* kommen. Wir wollten mit einem Knüller zurückkehren, wobei dieses Wort heutzutage bestimmt auch nicht mehr benutzt wird. Höchstens von Discountfirmen für Preisknüller. Unser Knüller also sollte *Mein Teil* werden. Die musikalische Grundidee verdankten wir Paul, und am Anfang benutzten wir noch einen Arbeitstext, in dem die Welt unterging und niemand überleben würde, und ich fand, es klang so absichtsvoll böse. Ich machte mich darüber lustig und beschwerte mich immer wieder. Bei uns muss man alles ganz oft und immer wieder sehr laut sagen, wenn man Beachtung finden will. Till erbarmte sich und brachte uns dann den Text über den vermeintlichen Kannibalen von Rothenburg, aus der Sicht des Opfers erzählt. Alle waren begeistert. Wir brauchten nur noch das Video.

Sehr lustig fanden wir die Idee, als Schiffbrüchige auf einer Insel zu landen, um dann von den Einheimischen mit Till als Häuptling in einem riesigen Topf gekocht zu werden. Daher rührt auch der Kochtopf, der bei dem Lied auf der Bühne steht. Aber dann wären wir als Band wieder getrennt gewesen und damit hatten wir beim Video von *Engel* schon schlechte Erfahrungen gemacht.

Der Regisseur wollte dann Außerirdische auf unserer einsamen Insel landen lassen, die wie im Film *Mars Attacks!* alle Menschen erschießen und uns entführen würden. Das hätte durch die benötigten Computeranimationen unwahrscheinlich viel Geld gekostet. Als Alternative schlug er ein gruseliges Video in einer Fleischerei vor, wo ein dicker Fleischer immer Wurst abschneidet und sich dann herausstellt, dass alle Überlebenden nacheinander missbraucht und dann zu Wurst verarbeitet werden. Sozusagen ein Zitat des Filmes *Delicatessen*. Das erschien uns aber als zu normal.

Wir sprachen mit einem anderen Regisseur. Dieser wollte uns in einem Bus durch die Landschaft fahren lassen, wir würden eine Panne erleiden und auf eine japanische Schulklasse treffen, die erst Autogramme verlangen, uns dann aber die Finger abbeißen und uns schließlich aufessen würde. Es sollte natürlich auch Sex im Spiel sein. Wir fanden das nicht schlecht, hätten deswegen aber extra nach Thailand fliegen müssen, und das schafften wir irgendwie nicht.

Ich hörte in dieser Zeit oft die White Stripes und ertappte mich dabei, wie ich bei der Musik selbstvergessen in meiner Wohnung vor mich hin tanzte. Eigentlich ist das eine sehr private Sache, und ich stellte mir vor, wie interessant ein Video wäre, in dem einfach jemand, der sich unbeobachtet fühlt, wirklich ehrlich und selbstvergessen, ohne jegliche Choreographie zu einem Lied tanzt. Weil das irgendwie echt wäre.

Als ich das im nächsten Meeting vortrug, war die Band nicht abgeneigt, zumal man dieses Video ohne Kulisse und praktisch ohne Geld drehen konnte. Das dachten wir zumindest. Der Regisseur machte gerne mit. Das Busvideo drehte er dann mit einer anderen Band, ich glaube mit den Fantastischen Vier. Uns alle einfach tanzen zu lassen erschien ihm allerdings zu langweilig, aber die Idee, dass jedes Bandmitglied etwas machen sollte, ohne dass die anderen etwas davon wussten, und dass sie auch nicht dabei sein dürften, wenn ein anderer etwas machte, fanden alle gut. Jeder sollte sich selbst ausdenken, was er machen wollte, und darüber nur mit dem Regisseur sprechen.

Alle ließen sich etwas Gutes einfallen, aber das Beste kam von Schneider, der eine böse Frau darstellte, die Pralinen isst. Trotzdem hatte der Regisseur immer noch Bedenken, dass diese Szenen nicht stark genug wirkten, und er flocht noch einen Kampf im Regen in einem Schlammbad ein. Die Kosten stiegen astronomisch. Besonders wegen des Schlamms und des Regens. Das Wasser musste dann ja irgendwohin laufen. Deshalb sieht man so selten eine Bühnenshow mit echtem Wasser. Aber egal. Wir legten los. Ach so, als Hunde sollten wir auch noch durch die Straßen geführt werden. Schon das Fitting dafür war sehr lustig, denn wann wurde man schon mal als Hund geschminkt? Der Dreh begann. Sofort merkten wir, dass die gewünschte private Atmosphäre für die Tanzszenen nicht einzuhalten war. Hinz und Kunz trieben sich auf dem Dreh herum. Wir waren irre aufgeregt, aber in der Schlammschlacht entlud sich die Spannung und alles ging gut. Leider bestand der Schlamm aus scharfkantiger Blumenerde, und ich verletzte mich so an den Knien, dass ich am nächsten Tag als Hund große Schwierigkeiten hatte zu kriechen.

Vor der Deutschen Oper in Berlin führte Schneider uns aus. Er als Frau verkleidet, und wir waren als Hunde geschminkt und ließen uns von ihm an der Leine führen. Natürlich auf allen vieren. Es machte sehr viel Spaß. Die Passanten konnten es nicht fassen. Eine Hundebesitzerin, die so aussah wie Schneider als Frau, begann mit ihm über Hunde zu fachsimpeln. Die Autos überfuhren uns fast, weil wir in einer Grünphase nicht schnell genug über die Straße kamen. Danach ging ich noch in eine Kneipe, ohne mich vorher abzuschminken, und wunderte mich, dass die Kellnerin so angeekelt war. Ich hatte vergessen, dass meine Zähne zu braunen Stummeln geschminkt waren. Viel brauchte da allerdings nicht geschminkt zu werden.

Als ich nun in Wien im Hotel das Video zum ersten Mal im Fernsehen sah, schrie ich vor Begeisterung. Und die Platte lief auch gut. Es war weiterhin wie im Märchen, und manchmal hatte ich Angst, ich würde aufwachen und hätte mir das alles nur ausgedacht. Oder wir würden als Betrüger entlarvt und dürften keine Musik mehr machen, sondern müssten in einer Fabrik arbeiten gehen.

*

Und schon kommen wir im Hotel an. Im Foyer stehen einige Rentner herum. Ich weiß natürlich nicht, ob es Rentner sind und ob nur Leute Rentner heißen, die auch Rente bekommen, aber auf jeden Fall sind die Leute alt.

Ab dem Moment, wo wir etwas erfolgreicher wurden, brachte uns das Management in teureren Hotels unter. Es ist ein Trugschluss zu denken, dass teurere Hotels auch gemütlichere Hotels sind. Teurere Hotels sind oftmals einfach nur teurer. Und es kann sein, dass die Gäste unangenehmer werden, denn Leute, die so viel Geld für ein Hotel ausgeben können, sind nicht unbedingt nett. Das wird wohl auch auf uns zutreffen.

Die meisten Gäste sind zumindest ein bisschen älter, denn sie mussten ja das viele überflüssige Geld erst mal verdienen, was ja auch auf uns zutrifft. Manche Leute betrachten es als Luxus, extra viel Geld für etwas auszugeben, das das Geld gar nicht wert ist. Kein Ferrari, Bentley oder Lambo, ich weiß nicht, wie das geschrieben wird, rechtfertigt seinen unverschämten Preis. Jedenfalls in meinen Augen. Oder irgendwelche Uhren. Trotzdem werden sie gekauft. Ähnlich ist es mit unseren Hotelzimmern.

Jetzt sind das sogenannte Suiten, das heißt, es gibt zusätzlich ein großes Zimmer mit Schreibtisch und Sofa. Das bräuchte ich eigentlich nicht, denn ich will hier nur schlafen. Dafür ist das Schlafzimmer winzig klein. Also lege ich mich im Wohnzimmer aufs Sofa, um da zu schlafen. Das wäre in einem billigen Hotel einfacher gewesen.

Einmal musste ich sogar mit Licht schlafen, weil die Steuerung mit der Fernbedienung und Berührungsschaltern so kompliziert programmiert war, dass ich sie nicht bedienen konnte. Und das war in Frankfurt, wo ich ja die Sprache verstehen müsste.

Unser Hotel hier in Budapest ist zum Glück ganz alt. Und es gibt für die Zimmertüren noch richtige Schlüssel. Richtig mit Bart. Wie meine Witze. Ich nehme die Schlüssel lieber immer mit, wenn ich aus dem Haus gehe, denn es kann sein, dass keiner da ist, wenn ich so spät wiederkomme, oder dass ich den Ausweis zeigen muss, wenn ich den Schlüssel wiederhaben will. Außerdem kann ich mir nicht immer meine Zimmernummer merken, und dann werden die Leute an der Rezeption misstrauisch.

Ich fahre zu meinem Zimmer und schließe auf. Ich habe das Fenster offen stehen lassen, damit die Luft schön frisch ist, und die kleine Stehlampe habe ich auch brennen lassen, damit ich nicht hinfalle, wenn ich ins dunkle Zimmer stürze. Es kann ja sein, dass ich ganz schnell aufs Klo will. Das ist ökologisch gesehen eine Sauerei von mir, und ich werde auch direkt bestraft, denn durch das Licht sind die Mücken angelockt worden, die jetzt auf mich warten. Mein ökologischer Fußabdruck ist ja auch so schon durch die Band größer als der von Godzilla. War das der Affe mit der Frau in der Hand, der am Empire State Building erschossen wurde? Oder war das King Kong? Ich habe jedenfalls den Größeren.

Das Musikerleben muss mir doch aufs Hirn geschlagen sein, denn sonst würde ich nicht so blöde Gags machen. Ich ziehe mir die Schuhe aus und setze mich aufs Bett. Soll ich den Fernseher anmachen? Lieber nicht. Ich hatte als Kind und Jugendlicher keinen Fernseher und habe dadurch nie gelernt, vernünftig mit diesem Medium umzugehen.

Wenn ich ihn erst einmal angeschaltet habe, kucke ich auch alles zu Ende, schon weil sich die Leute ja mit den Filmen und Sendungen so große Mühe gegeben haben, da wäre es mir unangenehm, das einfach mittendrin abzuschalten. Wenn ich Pech habe, lande ich dann bei *Lanz* oder so. Mit noch mehr Pech kommt überhaupt kein Sendeschluss, und es geht immer weiter. Mit etwas Glück wiederum kommt eine alte Serie. Für mich ist die ja neu, da ich sie damals nicht sehen konnte. Also *Bonanza*, *Lassie*, *Magnum* oder *Trio mit vier Fäusten*. Oder war das ein Film? *Sledge Hammer!* und *MacGyver* habe ich aber mitbekommen, die wurden anscheinend nach der Wende noch mal für die Ostler gezeigt. In der Zeit habe ich ja auch nicht gearbeitet, sondern bei einem Freund auf dem Sofa gesessen, Schnaps getrunken und ferngesehen. Da konnte ich mir aber nicht merken, was alles in den Serien passierte, also könnte ich mir die eigentlich jetzt alle noch mal ankucken. Dabei war die Wende gerade erst. Vor zwanzig Jahren oder so. Manchmal ist die ganze Zeit, die inzwischen vergangen ist, wie ausgelöscht. Was kann man nur machen, damit das Leben nicht so schnell an einem vorbeisaust?

Da ich von einem Freund, der lange im Gefängnis gesessen hatte, gehört habe, dass dort die Zeit wie im Fluge verging, weil er jeden Tag dasselbe erlebte, versuche ich ganz viele unterschiedliche Eindrücke zu sammeln, um die Zeit gewissermaßen etwas zu strecken. Leider liegt in der ständigen Abwechslung wieder eine Eintönigkeit. So bewegt man sich auch als Musiker in ziemlich gleichförmigen Bahnen. Und wenn man jeden Tag in einer anderen Stadt ist, mag das nach Abwechslung klingen, das ist es aber nicht, da man regelmäßig in eine andere Stadt fährt und da im Hotel schläft. Bei so einer Tour von dreißig Konzerten hintereinander kann ich mich auch nicht an ein einzelnes erinnern, es sei denn, etwas Unvorhergesehenes ist passiert, und selbst dann habe ich mir nur diese bestimmte Situation gemerkt und nicht das ganze Konzert. Ich weiß auch nicht, warum ich mit aller Gewalt versuche, mein Leben so lang erscheinen zu lassen, denn wenn ich sterbe, ist es völlig egal, ob mir die Zeit bis dahin lang oder kurz vorgekommen ist, da ich dann nichts mehr merke. Und die Ewigkeit fragt erst recht nicht danach. Da hätte ich auch gleich nach der Geburt gestorben sein können. Der Sinn des Lebens kann eventuell darin bestehen, möglichst schnell über die Zeit zu kommen. Um dann wiedergeboren zu werden oder so.

Ich bin jetzt fünfzig und weiß nicht, ob mein Leben bis jetzt kurz oder lang war, da ich keinen Vergleich habe. Wenn ich jemanden frage, hat der ein anderes Maß für die Zeit. Außerdem kann ich mich nicht auf einen Schlag an alles erinnern, was ich bis jetzt im Leben erlebt habe, sondern die Sachen fallen mir plötzlich ein, wenn ich zum Beispiel wieder in einer ähnlichen Situation bin. Also an Weihnachten denke ich an die früheren Weihnachtsfeste und dann wieder das ganze Jahr nicht. Ist das Leben nur eine Aneinanderreihung von Weihnachtsfesten?

Dieses ganze Nachdenken scheint auch Arbeit zu sein. Jedenfalls fühle ich mich durch alle diese Gedanken nicht entspannt, sondern eher beunruhigt. Ich sollte wohl doch den Fernseher anmachen, um endlich mal nicht nachdenken zu müssen. Dazu ist das Programm wie geschaffen. Aber ich will nicht riskieren, wieder bis spät in die Nacht wach zu bleiben und dann doch nur die amerikanischen Atombombenexperimente auf NTV zu verfolgen. Oder die U-Boote im Ersten Weltkrieg. Also nehme ich mir eins meiner vielen mitgeschleppten Bücher zur Hand, um festzustellen, dass ich nicht mehr weiß, bis wohin ich das letzte Mal gelesen habe. Bevor ich den Anschluss gefunden habe, bin ich schon eingeschlafen.

IV

Was ist das für ein Lärm? Wo bin ich? Aha, in einem Bett, ach ja, ich bin mit der Band unterwegs. Ein Blick auf die Uhr, es ist halb sieben. Um zehn fahren wir erst zum Flughafen. Ich schlafe schnell wieder ein. Wie immer träume ich in den Morgenstunden eine Menge Sachen, die bestimmt für den Psychiater sehr interessant wären. Für den Rest der Menschheit gibt es wohl nichts Langweiligeres als fremde Träume. Ich habe mir mal das *Traumtagebuch* von Jack Kerouac gekauft und war erstaunt, wie wenig mich das Buch fesselte. Ich konnte es nicht einmal bis zum Ende lesen. Träume sollte man lieber für sich behalten und auf keinen Fall aufschreiben.

Dass ich aus dem Bett aufstehe, müsste ich eigentlich auch nicht aufschreiben, denn das kann man ja daraus schlussfolgern, dass ich jetzt in den Frühstücksraum gehe. Früher haben wir gesagt, ein Rock 'n' Roll-Frühstück besteht aus einer Cola und einer Karo. Das war eine ganz starke Zigarette ohne Filter. Die rauchten früher viele Blues- und Rockfans in der DDR. Die wenigsten Leute in der DDR hatten aber morgens Cola im Haus, so dass das Rock 'n' Roll-Frühstück in Kaffee und Karo umgewandelt wurde. Die Karo war auf jeden Fall der wichtigere Teil.

Der Grundgedanke war nicht schlecht, denn eine Karo macht mit Sicherheit nicht dick, und welcher Rock 'n' Roller will schon mit dickem Bauch auf der Bühne stehen. Andererseits verspricht dieses Frühstück keine sehr hohe Lebenserwartung. Aber selbst das ist für Musiker kein Problem. Manche bringen sich ja selbst um, vielleicht damit sie nicht erleben müssen, wie es langsam mit ihnen bergab geht. Gerade wenn man schon in sehr jungen Jahren berühmt wird, kann das lange ereignisarme Leben danach sehr schwierig werden.

Ich war als Jugendlicher überhaupt nicht berühmt, und mein Leben fängt jetzt gerade so richtig an, Spaß zu machen, deshalb würde ich gerne noch ein Weilchen leben, und eben darum zünde ich mir keine Karo an, sondern stelle mir wie ein Müsli mein Müsli zusammen. Nennt man diese Leute überhaupt noch so?

Früher waren eigentlich alle mit langen Haaren Müslis, wenn sie keine Gammler waren. Diesen Begriff benutzte aber zu Zeiten der Müslis schon niemand mehr. Es denkt auch niemand mehr bei dem Begriff Müsli an den Geruch von ungesüßter Buchweizengrütze oder an schwitzende Frauen in ausgeleierten Strickpullis. Die Müslis waren diejenigen, die immer in Ruhe über alles reden wollten und so verständnisvoll waren. Sie liebten alle Tiere und Pflanzen, hatten aber auch Verständnis für uns Punks. Wir Punks hegten natürlich eine tiefe Verachtung für diese Leute, nicht ahnend, dass wir ziemlich bald ganz genauso werden würden. Die Müslis haben vielleicht früher ebenfalls das verachtet, was sie später geworden sind, nämlich Politiker. Wenn auch immerhin bei den Grünen. Ich benutze das Wort Müsli immer noch nicht gerne, aber wie soll ich mein Frühstück denn sonst nennen?

Falls es jemanden interessiert, versuche ich es mal zu beschreiben. Ich schütte eine Handvoll Haferflocken in eine Schüssel und gieße kalte Milch oder heißes Wasser darauf, je nachdem, was gerade da ist. Dazu kommen Leinsamen, Körner und getrocknetes Obst wie Backpflaumen oder Aprikosenringe. Vielleicht ein paar Walnüsse, denn auf die bin ich zufällig nicht allergisch. Darauf klatsche ich ein paar Löffel Joghurt. Und noch einen kleinen Klecks Marmelade. Es sollte aber nicht zu süß sein, damit die Bauchspeicheldrüse nicht angeregt wird, und ich dann noch mehr Appetit auf etwas Süßes bekomme. Kochrezepte sind fast noch langweiliger als fremde Träume. Und Kochen ist der Sex des alten Mannes.

Also frühstücke ich und gehe dann noch mal schnell in die Stadt. Ich will mir Zigaretten kaufen und nach Brut suchen. Das ist mein Lieblingsdeo, das kann ich nicht oft genug sagen. Aus irgendeinem Grund gibt es dieses Deo nur in ganz billigen Drogerieläden. Das sind ja die einzigen Läden, in denen man noch etwas Landestypisches bekommt, in den teuren Parfümläden kann man inzwischen nicht mehr erkennen, in welchem Land man sich eigentlich gerade befindet. Außerdem kommen da immer Verkäufer auf mich zugestürzt, die wissen wollen, was ich will. Wenn ich das selber wüsste!

Das heißt, ich weiß es, aber ich habe in so einem Parfümladen noch nie einen Verkäufer gefunden, der Brut kannte. Dieses Zeug riecht so gut, dass ich sogar meinen Sohn Brut nennen wollte. Das wollte dann aber der Sohn wohl eher nicht und wurde eine Tochter. Da geht nur Bruta. Das klingt wie Bruder.

Wieder bin ich von der schönen Innenstadt von Budapest begeistert. Ich versuche immer einer Richtung zu folgen, damit ich wieder zum Hotel zurückfinde, wenn ich dann einen Kreis ziehe. Da ich beim Rückweg auf die Donau stoße, kann nichts schiefgehen. Ich muss nur die Fließrichtung beachten. Wenn ich durch fremde Städte laufe, versuche ich in die Fenster der Wohnungen zu schauen und stelle mir vor, wie es wäre, wenn ich hier wohnen würde. In Budapest könnte ich mir das sehr gut vorstellen. Hier stehen riesige, unverputzte Wohnhäuser. Aber es gibt nicht mehr so viele Leute auf der Straße wie früher. Besonders die alten Leute fehlen mir.

Ich kann mich noch gut an die alten Frauen in ihren Kittelschürzen erinnern, die sich hier gemütlich unterhielten, während ich neugierig durch die heiße Stadt streifte. Auch wenn der Wechsel hier nicht so schnell vonstattenging wie in den ostdeutschen Städten, hat doch der Kapitalismus sichtbar Einzug gehalten.

Ich finde ja, dass in der DDR weniger architektonische Verbrechen begangen wurden als in der Nachwendezeit. Die Zeit der Plastefenster. Dagegen sieht es hier in Budapest noch ganz gut aus. Es kann auch ein Vorteil sein, wenn nicht so viel Geld zum Bauen zur Verfügung steht. Ich sehe einige kleine Galerien und alternative Cafés. Hier ist jetzt sogar eine Drogerie mit ungarischen Produkten. Unten im Regal stehen völlig verstaubte Verpackungen. Und dahinter steht auch schon das Brut. Ich werde ganz zittrig vor Freude. Denn es gibt nicht nur das grüne Deo, sondern auch goldenes, und jetzt wird es ganz verrückt, auch blaues! Ich kaufe zwei von jeder Sorte. Die Verkäuferin wundert sich sehr über meine Wahl und sagt etwas, was ich nicht verstehe. Ungarisch gehört zu den schwersten Sprachen der Welt.

Da fällt mir ein, dass mir mal in London auf dem Flughafen mein ganzes Brut weggenommen wurde, das ich nach langem Suchen in San Francisco gefunden hatte. Ich hätte es natürlich nicht im Handgepäck mitnehmen dürfen. Daran habe ich einfach nicht gedacht. Mir hat mal jemand erzählt, dass im Gepäckraum der Druck nicht ausgeglichen wird und die ganzen Gefäße dann platzen. Das kann alles auch schon

Jahrzehnte her sein. Denn fliegen die großen Hunde nicht im Gepäckraum mit? Oder gibt es für die eine Extrakabine? Ich bin so froh, dass ich kein Hund bin.

In Interviews werde ich manchmal gefragt, was für ein Tier ich vom Wesen her bin. Oder gerne sein würde. Da muss ich so lange überlegen, dass das Interview dann praktisch zu Ende ist. Ich denke darüber jetzt vorsichtshalber auch nach, wenn ich nicht interviewt werde, damit es nicht so lange dauert, falls ich doch noch einmal gefragt werde. Zu einem Ergebnis bin ich noch nicht gekommen. Ich kann ja witzig sein und sagen, dass der Mensch biologisch gesehen auch ein Tier ist und ich demzufolge gerne ein Mensch wäre. Leider ist das nicht witzig, sondern geht eher in Richtung Klugscheißerei. Auf keinen Fall will ich eine Schlange sein, weil ich mich dann nicht kratzen kann, wenn es juckt. Vielleicht lieber doch ein Vogel? Dann kann ich mich mit dem Schnabel kratzen und zudem noch fliegen, ohne ewig am airberlin-Schalter zu warten. Aber wer kommt auf solche blöden Fragen?

Interviews sind für mich generell schwierig. Wenn ich die ganzen Fragen beantworten könnte, die mir gestellt werden, bräuchte ich keine Musik zu machen, um mich auszudrücken. Manchmal fragen sie mich auch, in welchen Städten oder Ländern ich am liebsten bin. Oder wo es die besten Fans gibt. Da beleidige ich alle Länder, die ich nicht gleich nenne. Ich kann ja nicht die ganze Welt aufzählen, und wenn ich sage, dass ich überall gleich gerne spiele, wirke ich unglaubwürdig und etwas schleimig. Das Klügste ist, immer den Mund zu halten, aber selbst das ist im Interview falsch. Das wirkt dann arrogant. Deshalb versuche ich Interviews zu meiden. Manchmal werde ich doch dazu gedrängt, meistens mit dem Argument, dass dieses oder jenes Interview ganz wichtig ist, aber ich habe noch nie eine positive Auswirkung eines Interviews bemerkt. Die Leute gehen ja eher zum Konzert, wenn ihnen die Musik gefällt und nicht, weil ein Musiker ein Interview im *Rolling Stone* gegeben hat. Wer liest denn heute noch Zeitschriften? Wer liest denn überhaupt noch? Ich könnte natürlich auch Fernsehinterviews geben, aber dazu bin ich leider nicht in der Lage.

Sobald eine Kamera auf mich gerichtet ist, reagiere ich verstockt und schäme mich gleichzeitig für mich selbst. Richtig schlimm wird es dann, wenn ich mir das ansehe. Merken die anderen nicht, dass ich völlig bekloppt bin? Warum habe ich das wieder getan? Mich als Zuschauer würde so ein Interview eher abschrecken. Ich verstehe immer nicht, warum alle anderen das so gut können. Ein Interview mit K. I. Z. oder Kraftklub ist richtig spannend. Selbst Tokio Hotel konnten sofort kompetent und fließend drauflosreden. Manche beherrschen diese Kunst wahrscheinlich schon, bevor sie ein Instrument spielen können.

Ich habe auch solche Leute kennengelernt, die praktisch zum Star geboren sind. Die treten mit einem so starken Selbstbewusstsein auf, dass sie damit sofort das Publikum überzeugen. Sie nehmen auch alle kleinen Gefälligkeiten selbstverständlich und so huldvoll entgegen, dass jeder im Umfeld sich gleich ein kleines bisschen wichtig fühlt. Für diese Leute sind wahrscheinlich auch diese Hotelsuiten gebaut worden. Ich beneide heimlich solche Leute. Für die ist die Welt voll in Ordnung. Ich hingegen muss laufend über etwas nachdenken. Geht das allen so?

In einem Yoga-Kurs sollte ich mich auf den Boden legen und an nichts denken. Da musste ich erst mal darüber nachdenken, wie ich an nichts denken kann. Dann habe ich darüber nachgedacht, dass ich gerade für das Nichtdenken eine Menge Geld bezahle. Und ob ich vielleicht besser Yogalehrer werden sollte. Aber ich sollte ja nicht denken. Und was passiert in der Zeit, wo ich nichts denke? Das müsste ja so sein, als ob ich tot wäre. Und wer mir erzählen will, dass er beim Sex nicht nachdenkt, lügt wahrscheinlich. Oder es liegt wirklich an mir. Es stürzen immer neue Eindrücke auf mich ein, die ich irgendwie verarbeiten muss. Die Abgase der Autos riechen hier zum Beispiel anders als in Deutschland. Was ist am russischen Benzin anders? Warum riecht das so süß? Oder ist da mehr Blei drin? Oder sind die Motoren einfach uralt?

Kurt Vonnegut hat mal gesagt, die größten Mängel des Menschen seien seine schlechten Zähne und sein übergroßes Gehirn, um überflüssige Gedanken zu entwickeln. Ich glaube, ich spüre das an mir selber. Ich bräuchte eine Beschäftigung, damit ich nicht so viel nachdenke. Bloß, was soll ich machen? Interessiere ich mich denn für überhaupt nichts mehr? Bin ich so ein Spießer, der sich nur um seine Familie und sein Auto kümmert? Bin ich etwa mein größter Feind geworden? Nein, das darf nicht sein, ich nehme noch Anteil am Leben. Und nicht nur an meinem. Und früher habe ich auch nichts Vernünftiges gemacht.

Manche Sachen, die jetzt so einfach sind, verlangten damals mehr Aufwand. Wenn ich bestimmte Musik hören wollte, musste ich nachts vorm Radio sitzen oder meine Freunde besuchen, hoffend, dass sie irgendwelche Aufnahmen hatten, die ich mir überspielen konnte. Das hat Spaß gemacht, und nichts war mit dem Gefühl vergleichbar, eine Westplatte in den Händen zu halten. Und wenn es nur für einen kurzen Moment war. Oder einfach ein unbekanntes Lied von einer Band zu hören, die man gut fand. Jetzt brauche ich nur noch den Computer anzuschalten und dann kann ich mir fast jedes Lied anhören, das mir in den Kopf kommt. Sogar die Lieder, die ich noch nicht kenne, denn die schlägt mir der Computer vor. Der kennt mich inzwischen offenbar besser als ich mich selbst. Und wenn ich die Lieder jederzeit hören kann, ist ja dafür auch morgen noch Zeit. Oder irgendwann.

Zurück im Hotel. Ich habe nur noch zehn Minuten Zeit und muss noch mal aufs Klo. Man kann sich jetzt darüber wundern, dass mir das mit dem Klo immer so wichtig ist. Das liegt daran, dass wir viel unterwegs sind. Im Nightliner ist es streng verboten, aufs Klo zu gehen, weil es danach lange bestialisch stinkt, obwohl es das eigentlich nicht darf. Im Flugzeug geht es erst recht nicht, weil das so klein ist, dass das Klo unter einem normalen Sitzplatz ist. Da muss derjenige aufstehen, der gerade dort sitzt, und dann wird das Polster hochgeklappt. Ich habe selten erlebt, dass jemand aus der Band dieses Klo benutzt hat. Wirklich nur im Notfall. Dabei ist uns voreinander eigentlich nichts mehr peinlich. In den Kleinbussen zum Flughafen und zum Hotel gibt es kein Klo. Im Flughafen selbst weiß ich dann immer nicht, was ich mit meinem Gepäck machen soll, während ich auf dem Klo bin. Also ist es wichtig, darauf zu achten, alles im Hotel zu erledigen. Ich werde jetzt auch nicht mehr davon sprechen. Ich laufe einfach schneller.

Drei Minuten vor Abfahrt des Shuttles bin ich wieder unten in der Lobby. Ich bin der Letzte. Alle sitzen schon im Bus und warten auf mich. Die anderen hatten ja auch mehr Zeit als ich, weil sie nicht in der Stadt herumgerannt sind. Ich finde es gut, dass wir alle so pünktlich sind. Da kann ich das einplanen und muss nie warten. Und es ist keine Schwierigkeit, einfach pünktlich zu kommen. Man muss nur daran denken. Und an die anderen zu denken ist generell etwas Gutes. Selbst, wenn man jetzt auf die Bandmitglieder warten müsste, wäre das nicht unbedingt verlorene Zeit, weil man sich mit denen, die schon da sind, unterhalten kann. Denn einige von uns treffen sich jetzt zum ersten Mal nach dem Konzert beziehungsweise der Party wieder. Wenn der Abend zuvor schön war, und sie vielleicht sogar eine nette Frau mit ins Hotel genommen haben, kann man das den Leuten ansehen. Selbst wenn sie müde und verkatert sind, haben sie so ein besonderes Grinsen im Gesicht. Die anderen sind ganz begierig darauf, jedes Detail der Nacht zu erfahren. Neuerdings werden sogar Handyfotos gezeigt. Sozusagen als Beweismittel. Die Bandkollegen stellen gezielte Fangfragen, um alles zu erfahren. Es ist wie beim *Tatort*. Obwohl wir uns schon so lange kennen, schafft es selten jemand, standhaft zu bleiben, und dann plaudert er alles aus.

Die Laune im Bus ist phantastisch. Es ist ein bisschen so, als wären wir auf einer Klassenfahrt, und die Lehrerin sitzt im anderen Bus und kann uns nicht hören. Jetzt sind wir schon nach zwanzig Minuten am Budapester Flughafen angekommen. Wie von Geisterhand öffnet sich ein Schiebetor, und wir fahren direkt an das Flugzeug. Ich komme mir vor wie in einem Spionagefilm. Hier stehen auch schon unsere Piloten bereit und helfen uns, das Gepäck zu verstauen. In unserem Flugzeug gibt es dafür nicht viel mehr Platz als im Kofferraum eines Autos.

Ganz liebevoll wurde ein kleiner roter Teppich vor die ausklappbare Treppe des Flugzeugs gelegt. Also mehr ein Fußabtreter. Ich steige ein und freue mich unbändig, dass ich keine Flugangst mehr habe. Solch eine Angst kann einem das ganze Leben versauen, und wie schon gesagt, sie schützt auch nicht vor dem Absturz. Ich sitze meistens auf demselben Platz, vorne auf dem Sofa. Das steht quer zur Fahrtrichtung, wenn man das so sagen kann. Die anderen Sitze stehen sich gegenüber, so dass einige von uns rückwärts fliegen, aber so kann man sich besser unterhalten. Es ist gar nicht schlimm, wenn man rückwärts sitzt, ich hätte gedacht, dass mir da schlecht würde, aber es ist bisher nichts passiert. Es gab ja mal Zeiten, in denen man dachte, dass man von der hohen Geschwindigkeit der ersten Eisenbahn wahnsinnig wird. Aber so ein Mensch hält wirklich eine Menge aus. Das merkt man auch hier im Flugzeug.

Irgendjemand aus der Band hat die Piloten mal angestiftet, einige gewagte Manöver zu fliegen, wahrscheinlich weil er mich ärgern wollte. Da hatte ich kurzzeitig das Gefühl, dass die Schwerkraft aufgehoben war. Danach wurde ich mit ungeahnter Kraft auf das Sofa gepresst und konnte mich nicht mehr bewegen, dabei war ich gar nicht angeschnallt. Ich dachte, ich sterbe sowieso. Wenn beim Fliegen etwas passiert, dann will ich bis dahin wenigstens bequem sitzen. Richtig bequem war es allerdings nicht, als der Pilot enge Spiralen flog. Ich konnte spüren, wie das Flugzeug geächzt hat, weil es so stark beansprucht wurde. Die Piloten versicherten uns danach, dass sie noch einen gewissen Spielraum hatten, bis das Flugzeug wirklich überlastet wäre. Es ist erstaunlich, aber nach diesen Aktionen hatte ich noch mehr Vertrauen in das Flugzeug und die Piloten.

Da ich ganz vorne sitze, schenke ich den Kaffee aus. Obwohl es nur löslicher Kaffee ist, schmeckt er total gut, wahrscheinlich weil es im Flugzeug so kuschelig ist. Hinten steht eine riesige geflochtene Schale mit Süßigkeiten, die hole ich mir nach vorne und esse so viel davon, wie ich schaffe, obwohl ich weiß, wie schädlich das ist. Richtiges Essen gibt es natürlich auch.

Einige von uns haben die Zeit bis zur Abfahrt zum Schlafen genutzt und demzufolge noch nicht gefrühstückt. Wenn ich jetzt schön viel esse, so dass ich richtig satt bin, brauche ich den ganzen Tag nichts mehr und gebe dann kein Geld dafür aus. Das ist natürlich nicht zu Ende gedacht, denn das Essen abends in der Halle ist ja auch schon bezahlt und verfällt dann praktisch, wenn ich noch satt bin. Wie überall liegt das Glück irgendwo dazwischen. Aber was ich gegessen habe, kann mir erst mal niemand mehr wegnehmen. Bei kurzen Strecken müssen wir uns ziemlich beeilen. Vorsichtshalber beeilen wir uns immer und haben manchmal vor dem Start schon ganz viel geschafft. In der Luft, also in großer Höhe, dehnt sich dann anscheinend der Magen aus, anders kann ich mir nicht erklären, warum es hier im Flugzeug plötzlich so fürchterlich stinkt. Es kann auch daran liegen, dass wir so gerne Hackfleisch essen. Eine unbändige Freude macht sich breit. So sehr sieht man die Kollegen den ganzen Tag nicht lachen. Zwischendurch beißen sie in ein Kissen, damit sie nicht brechen müssen. Die Piloten setzen sich ungerührt ihre Sauerstoffmasken auf. Dann steht der Kopilot auf und geht mit einer Sprayflasche durch das Flugzeug. Wir können ja das Fenster nicht aufmachen. Das Spray hilft aber nicht. Die Verursacher des Gestanks kucken ganz stolz. Ich empfinde das eher als einen Eingriff in die Flugsicherheit, aber genau dieser Einwand von mir steigert die Heiterkeit noch mal beträchtlich.

Das war schon so, als wir noch kein gechartertes Flugzeug hatten. Da bin ich auch immer gerne mit der Band geflogen. Meistens unterhielt einer von uns das ganze Flugzeug, indem er alle an seinen neuen Erkenntnissen teilhaben ließ. Besonders gerne wurde über die Vor- und Nachteile aktueller technischer Errungenschaften wie Handys oder Computer referiert. Das nötige Wissen konnte man direkt aus den vielen Zeitschriften schöpfen, die auf unseren Knien lagen. Wir kauften den Flughafenkiosk immer fast leer, aber wenn wir sehr häufig flogen, kamen wir in ernste Schwierigkeiten, Hefte zu bekommen, die wir noch nicht kannten.

Unser einer Gitarrist interessierte sich nicht so sehr für die Zeitschriften, er nahm dafür gerne eine große Gitarre als Handgepäck mit, mit der dann alle Stewardessen kämpften, wenn sie versuchten, sie unterzubringen. Dabei kamen sie zu dem Ergebnis, dass wohl ein berühmter Gitarrist an Bord sein musste. Die Frauen hatten ja sogar recht. Richard ist der einzige wirkliche Rockstar unter uns. Nur ihm stehen diese langen Mäntel, mit denen er durch die Straßen schreitet.

Von Till hingegen ließen sich früher die Stewardessen mehrmals die Bordkarte zeigen, weil sie sich absolut nicht vorstellen konnten, dass so ein Wesen eine Bordkarte für die Businessklasse in ihrem schönen Flugzeug bekommen hatte. Till brummte sie dann böse an, ließ sich in den Sessel krachen und schlief augenblicklich ein. Oder er hatte noch Geschenke bei sich, die einfach nicht in die Gepäckfächer passen wollten. Eine Stewardess wollte mal einschreiten, als ein Stück der Klappe absplitterte, aber ein Blick aus Tills blutunterlaufenen Augen ließ sie zurücktreten.

Manchmal hatte er im Flugzeug auch gute Laune, dann sang er mit Grabesstimme oder warf mit Wurstscheiben. Wir warfen höflich zurück. Ich konnte dann kurz meine Flugangst vergessen. Die restliche Zeit des Fluges saß ich völlig angespannt in meinem Sitz und versuchte zu lesen. Meistens kam ich nicht über die ersten zwei Seiten. Ich versuchte jede Möglichkeit zu nutzen, um einen Flug zu umgehen, und saß dafür tagelang in irgendwelchen Bussen. Olli, der auch nicht ganz frei von Flugangst war, kam auf die Idee, gleich in seinem Wohnbus auf Tournee zu gehen. Mir wurden dann aber meine ganzen Vermeidungsaktionen zu anstrengend, und ich gewöhnte mich langsam ans Fliegen. Manchmal ist es sogar richtig schön, wenn wir uns die Wolken betrachten oder vorne durch das Cockpit rauskucken. Meistens lese ich aber einfach. Die anderen eigentlich auch. Nur wenn es so richtig stinkt, dann freuen sich wie gesagt alle.

Die Müdigkeit ist jetzt vergessen, und dankbar werden noch mal die pikanten Details der letzten Nacht ausgebreitet. Es sieht nicht so aus, als wären wir besonders edle Zeitgenossen. Dafür aber recht lustige, jedenfalls aus unserer Sicht.

Heute landen wir in Zagreb. Nach der Landung müssen wir noch kurz im Flugzeug warten, bis ein Auto kommt und uns zwei nette Frauen begrüßen. Sie hätten gerne ein Foto mit uns, was wir ihnen gewähren. Genau genommen machen wir auf jedem Flughafen Fotos mit irgendwelchen Leuten.

Dann werden wir mit einem Flughafenbus zu einem Warteraum gefahren. Ich will mich lustig in den Sitz fallen lassen, habe dabei aber die Lehne übersehen, die mir genau zwischen die Beine knallt. Als der Bus an der Halle ankommt, muss ich den anderen, die schnell zum Klo rennen, mühsam und schmerzvoll hinterherhumpeln.

Wir haben alle im Flugzeug sinnlos viel Kaffee getrunken, und weil keiner warten kann, bis endlich eine Toilette frei wird, pinkeln wir alle gleichzeitig in ein Klo. Das nennen wir Wilkinson, wegen der vielen Klingen, die sich kreuzen. Dann warten wir auf irgendetwas. In der Zeit wollen alle Flughafenangestellten ein Foto mit uns machen. Natürlich unterschreiben wir auch die CDs, die sie mitgebracht haben. Es ist erstaunlich, wie viele Leute von unserer Ankunft wissen. Die Stewardessen, die zufällig hereinschauen, bekommen gleich eine Eintrittskarte für das Konzert. Aber die meisten Fans sind Gepäckarbeiter oder Sicherheitsbeamte.

Vor dem Flughafen warten auch wieder ganz viele Fans, und wir geben einfach weiter Autogramme und machen Fotos. Dass einige der Leute sich nur Autogramme von uns holen, um sie zu verkaufen, ist mir auch egal. Ich muss sie ihnen ja nicht abkaufen. Jetzt könnte man sagen, ich muss mir auch meine Musik nicht anhören und bräuchte mir deswegen nicht so viel Mühe damit zu geben, aber das ist etwas völlig anderes. Ich höre unsere Musik selber auch sehr gerne. Ich kenne die Lieder sogar auswendig. Ich bräuchte sie mir gar nicht mehr anzuhören, da ich sie im Kopf habe, aber ich mache es trotzdem manchmal.

Dabei überlege ich gleich, welches unserer Lieder ich zu meiner Beerdigung laufen lassen würde. Ich habe das Gefühl, dass man von mir erwartet, dass da ein Lied von Rammstein kommt. Man hat uns erzählt, dass auf einer Menge Beerdigungen unsere Musik läuft. Meistens *Ohne dich*, aber das würde ich mir nicht wünschen, da ich derjenige wäre, ohne den es ist. Einer hat sich im Radio mal *Heirate mich* gewünscht, das ist auch ein Lied von uns, und er wollte es hören, weil seine Hündin gestorben war, wie er sagte. Da habe ich den Text gleich mit anderen Ohren gehört. Sogar mit Feeling B haben wir schon ein Begräbnislied gemacht. Da haben wir vorsichtshalber den Text gleich weggelassen und es nur als Instrumental gespielt. Das hieß *Sonnenaufgang 1*.

Aber ich suche ja ein Rammsteinlied für die Beerdigung. Da fällt mir die Wahl schwer. Wir haben bis jetzt schon mehr als siebzig Lieder gemacht, und die eigene Beerdigung ist nur dieses eine Mal. Da kann ich schlecht ausprobieren, ob das Lied gut passt. Und das mit dem Sterben geht ja auch oft schneller als erwartet. Sollen sich doch die Hinterbliebenen ein Lied aussuchen. Irgendetwas, was sie gerne hören. Von mir aus Modern Talking. *Brother Louie.*

Jetzt steigen wir erst einmal wieder vertrauensvoll in den Shuttlebus, der auf uns wartet. Der Fahrer will uns etwas erklären, und wir nicken begeistert. Dabei haben wir ihn gar nicht verstanden. Das liegt aber nicht am Fahrer, der perfekt und schnell Englisch spricht, sondern an uns, die das einfach nicht verstehen können. Einfache Wörter wie yes und no verstehe ich zwar, aber für eine Unterhaltung ist das zu wenig. Ein Glück, dass Sex in so vielen Sprachen dasselbe heißt. Und Körpersprache gibt es ja auch noch. Wer weiß, was mein Körper jetzt gerade zum Shuttlefahrer sagt.

*

Der Echo im Bereich Rock Alternative National geht an, lange Pause, Rammstein!

Ich schwitzte. Jetzt schauten uns alle an. Eine große Kamera kam an einem riesigen Arm auf uns zu. Ich kuckte nach links und rechts, um zu sehen, was meine Kollegen machen. Sie machten nichts. Also grinste ich dümmlich, versuchte aber gleichzeitig so auszusehen, als würde ich jeden Tag so einen Preis überreicht bekommen.

Wir waren nicht überrascht. Schon seit einigen Tagen hatten wir gewusst, dass wir diesmal diesen Preis bekommen würden. Alle, die einen Preis kriegten, wussten das vorher. Erstens bekam man die Plätze, von denen man schnell auf die Bühne gehen konnte, und zweitens sollte man ja auch wissen, was man dann machen musste. Zufällig hatten sie sogar einen Zettel mit den Namen der Leute mit, bei denen sie sich bedanken wollten, sie könnten ja sonst jemanden vergessen. Die Bands, die keinen Preis bekamen, gingen auch meistens gar nicht erst zur Veranstaltung hin. Die kamen erst zur Party.

Als wir zum ersten Mal für den Echo nominiert gewesen waren, hatten wir das alles aber noch nicht gewusst. Wir wunderten uns damals selbst am meisten über die Nominierung, denn wir hatten gerade unsere erste Platte veröffentlicht. Und die war nun nicht gerade erfolgreich gewesen. Im Grunde genommen hatte niemand von dieser Platte Notiz genommen, und wir waren noch völlig unbekannt.

Die Abteilung, in der wir nominiert waren, hieß auch da schon Alternative. Was zum Teufel ist Alternative? Und wenn es eine Alternative ist, dann zu was? Heißt alternativ nicht, dass etwas sich von erfolgreicher normaler Musik unterscheiden will und somit auf so einer Kommerzveranstaltung wie der Echoverleihung nichts zu suchen hat? Wahrscheinlich heißt es nur, dass es um Bands geht, mit denen keiner so richtig etwas anfangen kann. Uns wurde jedenfalls begeistert von der Plattenfirma mitgeteilt, dass wir nominiert waren. Also fuhren wir nach Hamburg.

Davor gab es lange Gespräche, was wir anziehen sollten. Auf jeden Fall wollten wir alle das Gleiche tragen, schon damit man uns als Einheit erkannte. Da wir zum ersten Mal eingeladen waren, kamen wir pünktlich. Pünktlich hieß zwei Stunden zu früh.

Beim Überschreiten des roten Teppichs kam vom Publikum natürlich nicht die geringste Reaktion, was aber nicht schlimm war. Uns erkannte nur der Securitymann von den Toten Hosen, die auch nominiert waren und natürlich einen

Preis bekamen. Wir hängten uns an den Manager von Nena, den wir auf der Händlertour kennengelernt hatten. Wir standen mit ihm stundenlang im Foyer rum und hatten fürchterlichen Durst. Dann ging endlich die Veranstaltung los, und wir fanden alles sehr aufregend.

Vor uns saß Otto Waalkes, dem ich die ganze Zeit auf den Hinterkopf starrte. Ich dachte daran zurück, wie ich als Kind extra zu unseren Nachbarn gegangen war, um die Otto Show zu kucken. Jeder einzelne Gag wurde am nächsten Tag lang und breit in der Schule nachgespielt, und da wollte ich nicht wieder der Außenseiter sein. Und jetzt konnte ich ihn praktisch anfassen. Ich hatte vor Aufregung ganz feuchte Hände.

Alle Nominierten wurden mit einem kurzen Film vorgestellt. Als endlich unser Film gezeigt wurde, erscholl überhaupt kein Beifall, da uns ja keiner kannte. Da war nur gelangweilte Stille.

Ich glaube, Aerosmith bekamen den Preis, und wir stellten fest, dass wir uns ganz umsonst so schön angezogen hatten, und kamen uns dementsprechend albern vor. Zum Glück gab es dann aber die riesige After-Show-Party. Das hatten wir auch nicht gewusst. Da konnten wir so viel essen und trinken, wie wir wollten, und brauchten nicht dafür zu bezahlen. Wir waren nicht die Einzigen, die sich maßlos betranken, wer um vier noch da war, blieb bis um sechs. Moses Pelham brach Stefan Raab die Nase. Am nächsten Tag standen auf dem Bahnsteig etliche Halbleichen mit ihrem Echo in der Hand herum und warteten frierend auf den Zug. Oder eben ohne Echo, so wie wir.

Zwei Jahre später bekamen wir nun also den Preis. Wie Holzklötze standen wir auf der Bühne und wussten nicht, was wir sagen sollten. Auf keinen Fall wollten wir diese peinliche

Dankesleier von uns geben. Ich durfte dann die Rede halten, erzählte aber nur von meinem Urlaub auf Sri Lanka, weil ich erst vor zwei Tagen wiedergekommen war und noch förmlich von den Eindrücken überquoll. Außerdem hatte Ben Becker uns während der langweiligen Veranstaltung beigebracht, dass es sehr erfrischend war, Wodka mit Tonic zu trinken.

Der Preis, den wir dann in der Hand hielten, sollte wohl eine Schallwelle darstellen, ich weiß ja nicht, wie ein Echo technisch gesehen aussieht, und er war ziemlich schwer und auf der Party sehr unhandlich. So ließ ich ihn einfach irgendwo stehen.

Ich brachte insgesamt gesehen nicht viele meiner Echos mit nach Hause, obwohl wir jahrelang jedes Jahr zur Verleihung gingen und immer mal wieder einen Preis bekamen. Nur die Rubrik änderte sich. Irgendwann waren wir wohl nicht mehr alternativ und bekamen den Echo für das beste Video oder so.

Manchmal dachten sie sich auch eine Rubrik für uns aus. Den Preis als beste Band oder für das beste Album bekamen wir nie. Das war uns letztendlich aber völlig egal. Wir freuten uns einfach auf die Partys, die immer wieder ein Erlebnis waren. Ich sah die Bloodhound Gang, die einen Schlüpfer, der mir bekannt vorkam, auf einem Besen als Trophäe über die Tanzfläche trug. Wo sie den herhatten? Keine Ahnung, ich denke mal, vom Klo.

Ich sah Ben Becker dabei zu, wie er das DJ-Pult enterte, um seine neue CD einzulegen, und als Einziger dazu tanzte. Das Lied war nebenbei bemerkt zehn Minuten lang. Ich sah mich selber Campino umarmen. Die Veranstaltung selbst interessierte uns immer weniger, manchmal strahlte sie echt den Charme einer Betriebsfeier in Luckenwalde aus. Da fuhren wir lieber zur Comet-Verleihung. Das war der Preis des Musiksenders Viva.

Noch besser war natürlich das Gegenstück, nämlich die MTV Awards. Da trafen wir zum ersten und auch einzigen Mal echte Stars wie Madonna, Robbie Williams, U2, R.E.M. und so weiter. Boris Becker war auch da, ich weiß aber nicht mehr, warum. Einmal war sogar Michail Gorbatschow anwesend, was mir aber nichts nützte, da wir natürlich kein Wort wechselten oder uns überhaupt begegneten. Aber ich habe ihn immerhin mal in echt gesehen. Harald Schmidt saß sogar am Nebentisch. Ich habe ihn nicht angesprochen, und das fiel mir gar nicht leicht, ich hätte ihm gerne gesagt, dass ich seine Sendung sehr gut finde. Ich gehe aber davon aus, dass er meine Meinung nicht benötigte, um zu wissen, dass seine Sendungen gut waren. Das war eine Late-Night-Show im Fernsehen, die ich mit etwas Glück nach unseren Konzerten im Hotelzimmer sehen konnte. Die jüngeren Leute werden nicht mehr wissen, von wem ich spreche.

Wir haben auch einen Preis von der Jugendzeitung *Bravo* verliehen bekommen. Bis das geschah, hatte ich nicht gewusst, dass die *Bravo* Preise für Bands verlieh. Unser Preis ist der Silberne Otto, der sieht so aus wie ein kleiner Zeichentrickindianer.

Einige Mitarbeiter der *Bravo* fanden uns ganz gut, und sie versuchten, uns den jüngeren Leuten schmackhaft zu machen. Das hat trotz der lustigen Artikel, die über uns in der *Bravo* auftauchten, nicht gut funktioniert. Dabei haben sie sogar unter ein Konzertfoto geschrieben, dass man da sehen kann, wie Till mit Raketentreibsätzen an den Schuhen zwei Meter hoch über die Bühne fliegt.

Wenn die Jugendlichen diese Information geglaubt haben, waren sie dann sicherlich enttäuscht, wenn sie uns in Wirklichkeit auf der Bühne sahen, denn da war nichts mit Raketentreibsätzen. Den Goldenen Otto hat übrigens Robbie Williams bekommen. Ich bin gespannt, ob er das noch weiß.

Ich habe mich jedenfalls über den Preis gefreut, vielleicht so wie ich mich in der dritten Klasse über das Brandschutzabzeichen gefreut habe, aber diese Musikpreise sind mit Sicherheit nicht der Grund für mich, Musik zu machen.

Die Preisverleihungen waren nicht nur wegen der Preise so aufregend, sondern weil wir da auch auftreten konnten. Komischerweise war der Stress, dem wir ausgesetzt waren, wenn wir ein einziges Lied spielten, für uns viel größer als bei unseren normalen Konzerten. Wir waren ja keine Fernsehband und hatten demzufolge keine Erfahrungen mit Kurzauftritten. Die Bühne musste extra gebaut werden, und die ganze Geschichte sollte im Fernsehen übertragen werden. Dafür musste das Lied am Tag vorher mehrmals geprobt werden. Die Kameraleute mussten ja wissen, was sie filmen sollten. Die rannten dann mit auf der Bühne herum. Ich war auch immer aufgeregt. Wir hatten ja nur drei Minuten Zeit, um uns bestmöglich zu präsentieren, und davon war ich nur ein paar Sekunden im Bild. Außerdem spielten wir mit vielen anderen Bands zusammen, und vor denen wollten wir uns auf keinen Fall blamieren. Erstaunlicherweise waren aber diese Auftritte wirklich sehr massenwirksam. In den Tagen nach der Übertragung wurden wir auch mal auf der Straße erkannt und gegrüßt.

*

Hier in Zagreb kenne ich mich inzwischen gut aus, da weiß ich, wo ich langgehen muss. Das ist nicht immer so. Manche Städte sind eher unübersichtlich, und wenn ich das erste Mal irgendwo bin, laufe ich manchmal geradewegs in die Industriegebiete.

In Istanbul, wo ich sogar noch Besuch hatte, landeten wir in einem sehr langweiligen Viertel, ohne etwas Schönes zu entdecken. Weil wir uns den Bosporus oder die Altstadt ansehen wollten, nahmen wir schließlich ein Taxi. Der Taxifahrer sprach weder Deutsch noch Englisch, was kein Wunder war, denn wir waren ja in der Türkei. Türkisch spreche ich wiederum leider nicht. So versuchten wir dem Taxifahrer zu erklären, dass wir ins Zentrum der Stadt wollten. Und vielleicht dahin, wo ein kleiner Markt war und wir etwas Schönes einkaufen konnten.

Das Taxi sauste los und war schnell auf der Stadtautobahn. Jetzt sahen wir erst, wie groß die Stadt war. Wir sahen von weitem schöne Tempel, den Fluss und Parks. Wir zeigten dem Fahrer, wo wir hinwollten, aber er fuhr unerbittlich weiter. Der Tachometer stieg auf hundertvierzig. Es wurde richtig gefährlich, aber der Fahrer schlängelte sich gut durch. Erst nach einer gefühlten Ewigkeit, als von der Stadt schon gar nichts mehr zu sehen war, bog er von der Autobahn ab und fuhr uns in ein Gewerbegebiet, direkt vor die Tür von Ikea. Da hat der Fahrer aus unseren Wünschen nach Einkaufen und dem Stadtzentrum ein Einkaufszentrum zusammengebaut und uns dort abgesetzt. Bevor wir realisierten, wo wir waren, war er schon wieder weg, und weit und breit war kein anderes Taxi zu entdecken. So verbrachten wir einen schönen freien Tag im Ikea Istanbul. Wäre ich vom Hotel aus nur hundert Meter in eine andere Richtung gegangen, hätte ich mich im gemütlichsten Teil von Istanbul wiedergefunden. So viel zu meinem Orientierungsvermögen. Zum Glück sind wir heute in Zagreb.

Das Hotel liegt direkt am Bahnhof und ist alt und schön. Es sieht aus wie auf einer alten Postkarte. Im Foyer gibt es auch alte Postkarten, wo das Hotel drauf ist. Ich sollte mir eine kaufen und mit Kugelschreiber ein Kreuz an das Fenster machen, hinter dem ich sitze. Auf der anderen Seite des Fensters befinden sich die Bahngleise. Alte Dieselloks stehen dort und lassen ihre Motoren lange warm laufen. Ich dachte, das machen nur Dampfloks. Es riecht wie in meiner Kindheit, nur etwas schlimmer.

Ich beschließe, in die Stadt zu gehen. Als ich aus dem Hotel schieße, werde ich fast von einer Straßenbahn überfahren. Die sind hier blau. Ich nicht, aber ich habe trotzdem nicht aufgepasst. Es gibt hier ein paar Hügel, die die Stadt einrahmen. So kann ich im Wald auf dem Berg die halbe Stadt umrunden. Dabei treffe ich viele Hundebesitzer. Manchmal tue ich dann so, als hätte ich auch einen Hund, der gerade durch das Gebüsch stromert, und rufe immer laut einen Namen, den mein Hund haben könnte.

Ich sollte mal auf einen Hund aufpassen, der dummerweise Stalin hieß. Der Hund wog etwa das Doppelte von mir und hatte keine Schwierigkeiten, im Wald vor mir davonzulaufen. Die hätte er auch nicht gehabt, wenn er leichter gewesen wäre. Also lief ich stundenlang laut Stalin schreiend durch den Wald, während besagter Stalin schon bei seinem Herrchen zu Hause vor der Tür wartete. Er ist wohl von einem Parkplatz aus getrampt oder so, jedenfalls war er schneller in Berlin als ich, obwohl ich mit dem Auto gefahren bin und mich beeilt habe, als ich gemerkt habe, dass der Hund nicht zu mir zurückwill.

Als Musiker ist für mich der Besitz eines Haustieres recht schwierig, denn ich bin zu selten zu Hause. Einige amerikanische Bands nehmen ihre Hunde mit auf ihre Tourneen, da geht dann ein großes Gewusel los, wenn die Bustür aufgeht. In den Bandbussen stinkt es ohnehin, da ist das kein Hindernis. Ich komme aber auch ohne Hund ganz gut klar. So laufe ich zügig durch die Straßen, die mir sehr vertraut scheinen. Viele der Häuser sind noch nicht renoviert, und es riecht auch wie früher. Das liegt zum einen daran, dass hier noch mit Kohlen geheizt wird, und zum anderen, dass es zumindest hier im Viertel noch keine parfümierten Modeläden gibt. Und keine Teegeschäfte.

Als nach der Wende bei uns in Berlin der erste Teeladen aufgemacht hat, stank die ganze Straße nach Vanille oder Rooibos oder was immer das für Gerüche waren, jedenfalls wurde mir schlecht davon, und ich kenne auch niemanden, der diesen stinkenden Tee trinkt. Wahrscheinlich gab es da auch Räucherstäbchen. Wie Weihrauch sollten diese Kräuter wohl ursprünglich die Räume desinfizieren, damit sich die Kirchgänger beziehungsweise die indischen Pilger bei ihren Großveranstaltungen nicht alle mit ihren Krankheiten anstecken und aussterben. Dafür ertrug man dann auch gerne den Gestank. Doch wenn dieser Rauch imstande ist, Bakterien zu töten, ist er mit Sicherheit der menschlichen Gesundheit nicht besonders förderlich. Ich glaube nicht, dass die vielen Leute, die sich die Räucherstäbchen kaufen, ihre Wohnungen damit desinfizieren wollen, vielleicht freuen sie sich einfach, wenn sie den anderen Leuten damit zeigen können, dass sie so welterfahren sind und alte indische Bräuche pflegen. Oder sie haben die Räucherstäbchen geschenkt bekommen. Oder sie mögen den Geruch wirklich.

Mit solchen Gedanken lenke ich mich nur davon ab, dass ich so aufgeregt bin. In wenigen Stunden werde ich schon wieder auf der Bühne stehen. Ob heute alles gutgeht? Es ist mir ein Rätsel, weshalb bei uns nicht viel mehr schiefgeht. Wenn ich daran denke, bekomme ich richtig Angst.

Letztens, als Georg W. Bush noch im Amt war, habe ich mir vorgestellt, dass, während ich spazieren gehe, vor mir ein Hubschrauber abstürzt, in dem der Präsident der Vereinigten Staaten sitzt, oder vielmehr saß, und ich ziehe ihn aus dem Wrack und rette ihm somit das Leben. Er ist natürlich unendlich dankbar. Dann überlege ich mir, was ich für politische Wünsche an ihn richte. Ich könnte ihm alles sagen, was ich blöde finden würde, und er könnte mich nicht einsperren, da ich ihm das Leben gerettet hätte.

Aber seitdem ich *House of Cards* gesehen habe, traue ich den Politikern alle Schweinereien zu. Ich glaube, ich kucke mir auch keinen Film mit Kevin Spacey mehr an, obwohl ich weiß, dass er ja nur eine Rolle spielt. Ein Mensch, der so überzeugend darstellen kann, wie er lügt, betrügt und mordet, hat wahrscheinlich auch wirklich eine dunkle Seite in sich. Trotzdem, oder gerade deshalb reißen sich die Schauspieler förmlich danach, den Bösen zu spielen. Wahrscheinlich dürfen sie dann mal Sachen tun oder zumindest sagen, die sie sich sonst nicht trauen würden.

Ich mache es ja mit der Band genauso. Da bin ich geschminkt, mache ein böses Gesicht und wundere mich dann, wenn wir als Schockrocker bezeichnet werden. Richtig authentisch wäre die Band nur, wenn ich wirklich so ein fieser Typ wäre, wie ich ihn auf der Bühne darstelle. Wenn ich das dann ordentlich verkörpere, reagieren die Leute natürlich dementsprechend auf mich. Das will ich ja auch nicht. Andererseits finde ich unser Auftreten mit der Band gut. Ich finde es gut, wenn man sich bei dem Publikum nicht so anbiedert. Die Leute sollen ja kommen, weil ihnen die Musik gefällt und weil sie für sich etwas vom Konzert mitnehmen können, und nicht, weil wir ihnen sagen, wie toll sie sind, und dass wir nur für sie spielen. Das glaubt uns sowieso keiner. Obwohl das meistens sogar stimmt. Wir sagen dann lieber gar nichts und spielen dafür, so gut wir können, unsere Lieder. Das würde mir als Publikum auch gefallen.

Da merke ich, wie ich schon wieder in die Falle tappe, denn bei solchen Leuten wie mir schleimen wir uns ja doch durch unser Verhalten ein. Oder bin ich als Fan eine Ausnahme? Eben weil ich so sachlich liebe? Ich freue mich über jede Band, die mich nicht zum Mitklatschen animieren will. Sollte ich mal mitklatschen wollen, was selten der Fall ist, weil ich ja wie gesagt die Musik hören will, auch wenn ich jetzt selber merke, dass es so klingt, als ob hier ein Rentner sprechen würde, dann brauche ich niemanden, der mir sagt, wann ich zu klatschen habe.

Außerdem erinnert mich das Mitklatschen immer ein bisschen an den *Kessel Buntes*. Das war eine Unterhaltungssendung in der DDR, und auch wenn man das jetzt nicht denken würde, ich fand das fürchterlich. Es ist wirklich nicht so, dass ich alles aus der DDR gut finde. Das denken nur viele von mir, da ich mich immer einsetze, wenn ich höre, wie die Ostler im Rückblick dargestellt werden. Als eine Art gutgläubige Trottel, die stumpf alles nachplappern, was die Partei ihnen vorgibt. Ich bin sogar schon gefragt worden, ob wir in der DDR auch Weihnachten gefeiert haben. Manchen Leuten scheint es nicht in den Sinn zu kommen, dass Weihnachten ohne diesen Konsumterror und Medienwahnsinn auch schön sein kann. Dass das Materielle nicht so hoch bewertet wurde, ist zum Beispiel eine von den Sachen, die mir im Osten gut gefallen haben. Und dass eine Freundschaft einen anderen Stellenwert hatte als jetzt. Das kulturelle Angebot war es mit Sicherheit nicht. Obwohl, eigentlich doch. In jedem Theaterstück warteten wir gespannt auf die kleinsten Anspielungen. Auf jeder Vernissage waren wir anzutreffen. Es war völlig egal, um was es ging, wir testeten dort regelmäßig die Toleranzgrenze des Publikums und der staatlichen Behörden aus. Sogar die Lichtbildervorträge der Urania waren immer überfüllt. Und es gab Musikvorträge über Janis Joplin, bei denen in der Stadtbibliothek in andächtiger Ruhe die Platte vorgespielt und dann besprochen wurde. Aber das Schönste waren die echten Konzerte.

Ich kann mich noch gut an das Billy-Bragg-Konzert erinnern, wo wir buchstäblich jedes einzelne Wort aufgesaugt haben. Oder an all die anderen tollen Konzerte von Hard Pop, Freygang, Bayon, Die Art, DEKAdance, Ornament und Verbrechen, sogar Kevin Coyne, Tom Petty und Bob Dylan haben bei uns in Berlin gespielt. Wir haben uns bei jedem Lied direkt angesprochen gefühlt.

Das galt jetzt aber nicht für den *Kessel Buntes*, der sozusagen das Flaggschiff der DDR-Unterhaltung darstellte. Das Publikum sah schon schlimm aus. Und es klatschte völlig übermotiviert mit, selbst bei den schlimmsten Schlagern. Wahrscheinlich haben sich die Leute so doll gefreut, dass sie überhaupt Karten bekommen haben. Das muss wirklich schwierig gewesen sein, denn ich habe in meinem ganzen Leben noch nie jemanden getroffen, der wirklich dabei gewesen ist. Dabei traten da sogar Stars aus dem Westen auf.

Ich kenne jetzt nicht die Definition für einen Star, ich habe das so verstanden, dass ein Star wie ein Stern für die Leute leuchtet. Und da ein Stern so hoch am Himmel hängt, schauen die Fans zu ihm auf. Aber wer weiß schon, wie viele Leute zu einem aufschauen müssen, bis man als Star gilt? Wenn ich jetzt jemanden ganz doll gut finde und zu ihm aufschaue, dann ist er für mich ein Star und kann sich zu Recht selbst als einen bezeichnen.

Von diesem Herumgelaufe werde ich langsam hungrig. Früher war das ja sogar Sinn der Sache, ich bin vor oder nach unseren Konzerten nicht herumgelaufen, weil ich mir irgendetwas ankucken wollte, sondern weil mir vom Vorabend oder sonst wann so schlecht war, dass ich es nicht in einem geschlossenen Raum ausgehalten habe. Ich bin dann einfach in der Nähe des Clubs herumgelaufen und habe versucht, ganz viel zu atmen und durch das Laufen den Kreislauf in Schwung zu bringen. Mitunter brachte ich ihn so in Schwung, dass ich gleich ins Gebüsch kotzte. Ich setzte mir kleine Ziele, etwa bis zur nächsten Ecke zu kommen, ohne zu brechen. Und dann vielleicht eine Zigarette zu rauchen. Na, das war eher ein Fernziel. Aber nicht unerreichbar, denn mit jedem Schritt, den ich lief, ging es mir besser. Diese Methode wirkte erstaunlicherweise immer, egal, ob es warm oder kalt war, und egal, ob ich im Neubauviertel oder in einem schönen Wald war. Und auch egal, was ich getrunken und wie viele Stunden ich geschlafen hatte. Leider kam mit jedem Schritt auch ein Stück Erinnerung wieder. Da wurde mir ganz heiß, und ich lief schneller. Warum zum Teufel war ich so eklig, wenn ich etwas getrunken hatte? Alle anderen wurden einfach lustig, machten tolle Sachen und gingen dann noch mit einer schönen Frau ins Bett, aber ich begoss die Frauen lieber mit Bier und machte andere peinliche Sachen. Und dann beleidigte ich Leute, die mir überhaupt nichts getan hatten. Ich war genauso wie die unangenehmen Suffis im Film. Und dann jammerte ich noch herum. Wenn ich mich nicht besser kennen würde, würde ich nichts mit mir zu tun haben wollen. Ich versuchte förmlich, vor mir davonzulaufen. Für einen Moment funktionierte das auch, jedenfalls gelang es mir eine kurze Zeit mal, nicht über den letzten Abend nachzudenken. Und bald kam dann der Moment, an dem ich wieder umkehren konnte, um mich in die Garderobe zu setzen. Und das war meistens auch die einzige Zeit am Tag, wo ich etwas essen konnte.

Heute bin ich nicht verkatert, aber ich könnte jetzt auch was essen. Ich traue mich nur in Selbstbedienungsläden, weil da kein Kellner an den Tisch kommt, mit dem ich reden muss. Die Einführung des Euros kommt mir beim Essen dafür sehr zugute. Wahrscheinlich hat sich niemand so über den Euro gefreut wie wir Bands. Ich kann mich an Zeiten erinnern, wo wir wie die Verrückten Geld umgetauscht haben und dann bei jedem Kaffee ganz umständlich nachrechnen mussten, wie viel das kostete. Dann haben wir vergessen, das Geld zurückzutauschen. Das liegt jetzt noch in meinen Schubladen herum. Die ganzen Währungen kennt inzwischen niemand mehr. Und immer, wenn wir etwas Schönes sahen, was wir als Geschenk mitnehmen wollten, oder was uns selbst gefiel, konnten wir es nicht kaufen, weil wir die passende Währung nicht parat hatten. Oft blieb uns zu wenig Zeit in einem Land. Und wer wusste schon, ob es sich lohnen würde, für eine Stunde in der Stadt Geld umzutauschen.

Dann kam zum Glück der Euro. Sogar in recht weit entfernten Ländern. Da kann ich auf den ersten Blick sehen, ob die Sachen zu teuer sind. Das nützt mir aber nur bedingt etwas, denn ich weiß von vielen Sachen generell nicht, wie viel sie kosten. Wer weiß schon, was eine Jacke kosten darf? Und wenn ich Durst auf einen Kaffee habe, dann kaufe ich mir einen, egal ob der jetzt einen oder zwei Euro kostet. Auch wenn er drei kostet, denn die einzige Alternative wäre, keinen Kaffee zu trinken, was Quatsch wäre, wenn man einen Kaffee trinken will. Es sei denn, man zieht aus dem Sparen eine tiefe Befriedigung. Auch solche Leute kenne ich. Für die ist ein Tag gelungen, wenn sie insgesamt weniger als zehn Euro ausgegeben haben. Manche Leute sagen, Glück liegt im Verzicht. Das ist ein bisschen auch meine Meinung, nur könnte ich sogar auf den Verzicht verzichten.

Es ist noch gar nicht so lange her, da machte es mir eine große Freude, mir etwas zu kaufen, um es zu besitzen. Also nicht irgendwas, genau genommen billige alte Autos. Das fällt mir jetzt wieder ein, weil ich an einem alten Zastava vorbeikomme. Ich gehe über die Straße, um ihn mir genauer anzuschauen. Das ist an sich völlig sinnlos, denn ich kann mir keine Details oder so merken und bin jetzt genauso klug wie vorher. Ich wüsste auch gar nicht, wonach ich kucken sollte, denn ich habe eigentlich keine Ahnung von Autos. Ich sehe nur, dass dieses Auto toll aussieht. Es ist quietschgelb. In so einer Farbe würde sich heutzutage niemand mehr sein Auto lackieren lassen. Ich finde die Farbe gut, denn sie erinnert mich an die Matchboxautos, die ich als Kind hatte.

Die Oldtimer, die ich mir früher gekauft hatte, sahen auch ganz gut aus, aber Autos sind nun mal nicht zum Ankucken da, sondern zum Fahren. Und da offenbarten sich schnell die Nachteile der alten Autos. Sie hatten keine Gurte, also konnte ich die Kinder nicht mitnehmen. Bei anderen ging die Heizung nicht oder noch nicht einmal die Lüftung, so dass die Fenster beschlugen und ich nichts sehen konnte. Das Licht war auch schwach, von den Bremsen ganz zu schweigen. Trotz alldem habe ich die Autos geliebt.

Ich denke, genauso wird es den Leuten mit unserer Band gehen. Uns gibt es jetzt seit mehr als zwanzig Jahren. Viele sind auf uns gestoßen, weil ihnen ihre Eltern von uns erzählt haben. Oder weil ihre Eltern unsere Musik gehört haben. Die Musik, die wir jetzt machen, klingt zwar noch nach Rammstein, ist aber nicht mehr neu oder aktuell. Ich weiß nicht, ob jetzt noch ein Jugendlicher unsere Musik für sich entdeckt. Es ist wie mit den Autos. Erfolgreiche junge Fußballstars wie Özil oder so kaufen sich einen neuen Mercedes SLS. Die würden sich keinen Oldtimer holen, denn sie wollen das Neueste und das Beste. Als Netzer seinen Ferrari hatte, war der auch ganz neu. Trotzdem kaufen sich manche Leute auch Oldtimer. Aber sie verlangen von dem Auto nicht, dass es schnell fahren kann. Niemand achtet darauf, ob irgendwelche technischen Raffinessen eingebaut sind. Alles, was bei einem Auto normalerweise wichtig ist, ist bei Oldtimern egal. Man freut sich einfach, wenn man noch mal ein Exemplar sieht, das noch da ist. Ist das der Grund, weshalb die Leute jetzt zu unseren Konzerten gehen? Ist es schon so weit mit uns gekommen?

In den Städten des ehemaligen Ostblocks gefällt es mir immer auf Anhieb gut, und ich bewege mich selbstverständlich durch die alten Straßen. Es sind gar nicht so sehr die Häuser und Geschäfte, die mich an meine Kindheit erinnern, vielmehr die Art und Weise, wie die Leute dort leben. Hier gibt es so schöne Brachen, die einfach überhaupt nicht genutzt werden, hier sind die Parkplätze zwischen den Häusern nicht asphaltiert und stauben im Sommer gewaltig, die Bürgersteige sind nicht mit diesen unsäglich hässlichen Betonsteinen gepflastert, die so ineinandergreifen, abends wird es auch noch richtig dunkel, und den Leuten scheint scheißegal zu sein, was die Nachbarn von ihnen denken. Und hier ist nichts von dieser beflissenen falschen Freundlichkeit zu spüren, die mich in diesen Dienstleistungsgesellschaften so stört. Die Leute tun nicht so überlegen wie in manchen westlichen Städten. Ich fühle mich hier wirklich geborgen. Vielleicht denke ich, dass ich als Ostler noch dazugehöre.

Einzig in Moskau war irgendwie das Gefühl anders. In der Schule wurde uns Moskau als eine Art Paradies angepriesen. Nur die verdientesten Funktionäre wurden dorthin delegiert. Glaubte man den Beschreibungen im Russischunterricht oder in der Zeitung, war das GUM einfach das großartigste Kaufhaus der Welt. Und dann war da noch der Kreml. Und dieses unvorstellbare Mausoleum, wo der Name schon so lustig war, weil er nach Mäusen klang. Davor sollte eine endlos lange Schlange sein, weil die Leute aus der ganzen Sowjetunion, sprich Welt, zusammengekommen waren, um einen stärkenden Blick auf, ja was denn eigentlich zu werfen. Angeblich war da ja Lenin drin, der in unserer Ehrfurcht noch weit vor Gott lag. Aber der war schon seit Jahrzehnten tot. Wahrscheinlich würde er auch auferstehen.

Die Sowjetunion war ja mindestens so geheimnisvoll wie Amerika. Es war alles möglich. Man sagte, die Winter dort seien so kalt, dass sie die Motoren der Autos die ganze Nacht laufen lassen mussten, weil sie sonst nicht mehr ansprangen. Und dass sie alle nur mit einem Licht fuhren, um die Glühbirnen zu schonen. Natürlich erwartete ich, dass alle Leute da mit einer Pelzmütze, also einer Schapka, herumliefen.

Als wir um das Jahr 2000 dort mit der Band ankamen, war von alldem nicht viel zu erkennen. Da war einfach eine große, dreckige, laute Stadt, wo man schon drei Stunden brauchte, um vom Flughafen in die Innenstadt zu kommen. Der Schnee war fast schwarz vor Dreck, und es stank nach Abgasen. Als DDR-Bürger wäre mir das sicherlich gar nicht aufgefallen, aber inzwischen war ich wohl doch verweichlicht. Das Rossija, das angeblich größte Hotel Europas oder sogar der Welt, wurde gerade abgerissen. Die Straßen waren aufgerissen oder völlig verstopft, nur einige riesige Jeeps fuhren rücksichtslos mit Blaulicht auf der Gegenspur. Dann parkten sie mitten auf dem Bürgersteig, und die ganzen Omis mussten mühsam drum herumtrippeln. Und die Clubs waren voller Mädchen, die um jeden Preis einen reichen Mann für sich gewinnen wollten.

Die Konzerte waren allerdings gut, obwohl es auch da Schwierigkeiten gab. Der Veranstalter hatte die besten Plätze direkt vor der Bühne für viel Geld als VIP-Plätze verkauft, so dass ein ziemlich großer leerer Platz entstand, wo nur ein paar einzelne Leutchen auf roten Samtsesseln saßen und Sekt tranken. Die ganzen Fans mussten hinten stehen. Die gesamte Veranstaltung wurde von der Armee betreut, die nicht sehr zimperlich mit den Jugendlichen umging. Wer keine Eintrittskarte vorweisen konnte, wurde angeblich schon an der Metro-Station zurück in die U-Bahn geprügelt. Das war natürlich hart für die Leute, denen wir versprochen hatten, sie auf die Gästeliste zu setzen. Und die, die es bis in den Saal geschafft hatten, standen jetzt so weit weg von uns. Wir hörten nach dem ersten Lied auf zu spielen und ermunterten die Leute, nach vorne zu kommen, aber das trauten sich nur wenige. Die Wächter kuckten sehr drohend und schubsten die ersten Mutigen wieder zurück. Ich weiß gar nicht mehr, wie das ausgegangen ist.

An ein richtig gutes Konzert in Russland kann ich mich

aber noch erinnern. Da haben wir im Freien gespielt. Das war in Samara, einer Stadt an der Wolga. Dort wurde früher der Lada gebaut, ein sehr beliebtes russisches Auto. Das sieht ein bisschen wie ein Fiat aus. Kurz vor der Wende gab es auch einen Lada Samara, da hatte aber niemand von uns gewusst, dass er nach einer Stadt benannt worden war. Ich dachte, die Samara wäre eine Frau. Vielleicht war sie das auch und die Stadt wurde nach ihr benannt, wer weiß das schon?

Also neben den Ladas, die auch mal Shiguly hießen, was wiederum ein Gebirgszug in der Nähe war, wurden in der Stadt Samara auch die sowjetischen Raketen gebaut, also die, die auf den Mond oder vielmehr ins Weltall flogen. Und etwas außerhalb dieser Stadt hatte der Besitzer der Shiguli-Brauerei ein Rockkonzert veranstaltet. Mitten auf der Steppe. Oder in der Steppe, jedenfalls wuchs da außer Gras nichts. Es gab auch keinen Zaun um das Gelände, denn die Leute hätten viel zu lange gebraucht, um durch irgendwelche Tore zu kommen. Da wäre das Konzert schon wieder vorbei gewesen. Der Eintritt war frei, und die Leute kamen von überallher. Die Stadt und die Armee hatten zwölftausend Busse bereitgestellt, aber die meisten Rockfans kamen zu Fuß in einem riesigen Menschenstrom. Der nächste Bahnhof war über dreißig Kilometer entfernt, aber das störte niemanden. Wer da war, war eben da. Niemand kam mehr vor oder zurück, einzig ein uralter Hubschrauber startete und landete immer wieder hinter der Bühne. Der hatte zwei Rotoren und war angeblich von 1949. Als wir fragten, ob wir mal kurz mitfliegen dürften, lehnten alle entschieden ab. Die Begründung war, dass wir abends auf jeden Fall noch leben müssten. Da setzten wir uns eben in die amerikanischen Wohnmobile, die die Veranstalter als Garderoben für uns hingestellt hatten, und bereiteten uns auf das Konzert vor. Oder wir liefen ein bisschen herum, um uns alles anzusehen. Die Busse, in denen die Soldaten saßen, sahen aus wie aus dem Zweiten Weltkrieg. Auf der Bühne konnte ich dann nicht annähernd das Ende des Menschenmeeres sehen, wenn ich das mal so poetisch ausdrücken darf. So hatte ich mir Woodstock vorgestellt. Am Tag darauf erfuhren wir, dass 700 000 Menschen da gewesen waren. Damit man erkennen konnte, wo sie alle herkamen, schwenkten sie Fahnen mit ihren Wappen oder anderen Zeichen. Die Stimmung war unbeschreiblich gut. Da war es auch egal, dass alle sich in die Hosen gemacht hatten, denn in dieser dichtgedrängten Menschenmenge war es schlichtweg unmöglich, zu einem Klo zu kommen. Es war Sommer, und die Sachen trockneten auf dem Weg zum Bahnhof. Das konnten wir beobachten, als wir nach dem Konzert im Schritttempo zwischen den Leuten zurück in Richtung Samara zuckelten. Und am nächsten Tag stöberte ich begeistert auf den Trampelpfaden zwischen den Neubaublocks herum. Niemand nahm im Geringsten Notiz von mir. In einigen Städten scheine ich wie ein Einheimischer auszusehen, denn immer wieder werde ich nach dem Weg gefragt. Wenn ich dann sogar helfen kann, bin ich stolz wie Bolle.

Hier in Zagreb stehen ganz alte Omas auf der Straße und bieten Honig in großen Einweckgläsern an. Vielleicht heißt es auch Einweggläsern, weil man sie nur einmal benutzen soll. In einigen war bestimmt vor kurzem noch Letscho oder so etwas drin. Da kleben noch die alten Etiketten drauf. So ein großes Honigglas kostet nur zwei Euro. Da habe ich schon wieder ein schlechtes Gewissen, weil das so wenig ist. Trotzdem nehme ich mir öfter eins als Geschenk mit. Mir ist auch schon einmal so ein Glas in meiner Tasche aufgegangen. Das war natürlich meine Schuld und nicht die des Honigs.

Ich kaufe mir wieder mal ein Glas, und die Oma freut sich. Daneben steht ein Opa und bietet kleine Pappschachteln mit verschiedenen Beeren an. Das Oma und Opa soll nicht abwertend klingen, ich weiß nicht, ob sie Enkel haben, also sage ich lieber eine ältere Dame und ein in die Jahre gekommener Herr. Da stellt man sich aber andere Personen vor als diejenigen, die mir hier ihre Waren anbieten.

Die Beeren sind für unsere Verhältnisse geschenkt. Für das Geld würde man kaum jemanden finden, der die pflückt, geschweige denn jemand, der die Pflanzen liebevoll großzieht. Ich bin bei meinen Spaziergängen immer wieder fasziniert, wenn ich sehe, wie die Leute in ihren Gärten herumfuhrwerken. Da steht jede einzelne Blume genau so, wie sie stehen soll. Der Großteil der Arbeit ist aber nicht zu sehen, da wird Boden aufgelockert, gedüngt, und die Schädlinge werden einzeln abgezupft. Es ist wie mit den Eisbergen, bei denen nur ein kleiner Teil zu sehen ist. Wo nehmen die Leute bloß die Energie dafür her?

Ich habe mal überlegt, ob das alles Leute sind, die keinen Sex mehr haben und sich deshalb solchen Aufgaben zuwenden. Solange man noch an Sex interessiert ist, kümmert man sich nicht um Gärten. Als Musiker ist unser Auftreten pures Balzverhalten, und dazu singen wir noch von Sex. Rein musikalisch versuchen wir wohl auch, wenn vielleicht nur unbewusst, die Leute in sexuelle Erregung zu versetzen. Wenn ich manche Lieder höre, spüre ich so ein seltsames, sehnsüchtiges Gefühl, welches der sogenannten Geilheit recht nahekommt. Damit meine ich jetzt aber nicht die Lieder von uns, in Bezug auf die Geilheit ist die Musikrichtung zweitrangig. Ist das dann ein echtes Gefühl, oder sind das wieder nur diese blöden Botenstoffe. Habe ich überhaupt echte Gefühle? Dieses Wissen um die Hormonausschüttung will mir meine ganze Liebe kaputtmachen. Ich denke doch, ich liebe meine Frau nicht wegen der Botenstoffe oder weil ich mich ununterbrochen fortpflanzen will. Obwohl ich auch gelesen habe, dass die Frau sich unbewusst einen Mann aussucht, mit dem sie widerstandsfähige Kinder bekommt und der dann die Kinder ernähren und beschützen kann. Von Liebe war da keine Rede.

Ich glaube trotzdem an die Liebe. Darüber könnten wir mal ein Lied machen, aber auf die Idee ist noch keiner von uns gekommen. Ich selbst natürlich auch nicht. Ursprünglich habe ich in meiner Musik eher zum Ausdruck bringen wollen, dass ich alles scheiße finde und am liebsten etwas kaputtmachen will. Ich konnte mich als Jugendlicher ununterbrochen darüber aufregen, was für ein Schwachsinn überall auf der Welt geschieht und dass alle Leute so tun, als wäre das normal. Diese ganzen Spießer, die sich nur um ihr kleines Wohl und ihren noch kleineren Garten kümmern. Und ihre kleinen Beeren pflücken. Aber das war früher.

Ich kaufe ein weiteres Schälchen mit Himbeeren. Die sind unten matschig, da tut mir der Mann noch mehr leid. Wer weiß, seit wann der hier schon mit seinen Beeren steht. Ich gehe schnell weg, sonst kaufe ich noch mehr. Damit mich niemand anspricht, mache ich ein verschlossenes Gesicht und ziehe die Stirn sorgenvoll zusammen. So, als würde ich ein wichtiges Problem in meinem Kopf herumwälzen. Das stimmt ja fast, ich mache mir Sorgen um das Konzert. Oder vielmehr um mich selbst, dass ich versage. Alles beziehe ich auf mich. Schlimm. Ich bin mein größter Feind.

Ich wollte mal als Jugendlicher an der Ostsee einen Sendemast hochklettern. Da ging eine ganz normale Leiter hoch. Also das war an sich völlig ungefährlich, aber als ich ungefähr 25 Meter hinter mir hatte, überkam mich das Gefühl, dass ich jetzt einfach loslassen müsste. In meiner Angst klammerte ich mich um die Leiter und konnte nicht mehr weiterklettern. Weil ich mich dann richtig verkrampfte, wurde es wirklich gefährlich, dabei ist es eigentlich unmöglich, einfach so von einer Leiter zu fallen. Genauso ging es mir auf der Bühne. Da reichte meine Angst vor irgendetwas Unbestimmtem, damit ich nervös wurde und anfing, unkonzentriert zu werden. Manchmal wurde mir sogar schon schlecht vor der Angst, dass mir schlecht werden könnte. Um dem aus dem Weg zu gehen, kann ich ja mal versuchen, an etwas anderes zu denken. Das mache ich ja schon die ganze Zeit, wenn auch mit dem Ergebnis, dass ich an andere unerfreuliche Sachen denke und in der kleinsten Denkpause zu den Ängsten zurückkehre. Also versuche ich, mich aktiv mit sachlichen Gedanken zu beruhigen. Wenn ich einfach das mache, was ich jeden Abend mache, kann eigentlich nichts schiefgehen.

Jetzt bin ich wieder fast überfahren worden. Mann, war das knapp. Mein Herz schlägt ganz schnell, und mir wird heiß im Gesicht. Der Škodafahrer schimpft mit mir, und obwohl ich die Sprache nicht verstehe, weiß ich, was er mir sagen will.

Dafür bin ich jetzt endlich richtig wach und sehe mich um. Das Hotel ist ganz in der Nähe, und es ist noch genug Zeit für einen Mittagsschlaf. Jetzt gilt es abzuwägen, das Einschlafen ist eine feine Sache und geht bei mir immer schnell, aber wenn ich dann aufwache, fühle ich mich matschig, egal, ob ich mir einen Wecker gestellt habe oder von selbst aufwache. Wenn ich wenig Zeit zum Schlafen habe, weiß ich das ja vorher schon, und dann schlafe ich auch schlechter ein. Außerdem habe ich Wahnvorstellungen, in dieser komischen Zeit zwischen Wachsein und Schlaf. Da kann ich die Gedanken nicht mehr festhalten und ihnen auch nicht mehr folgen. In meinem Kopf geht es zu wie in einem Ameisenhaufen. Außerdem habe ich das Gefühl, all diese Gedanken schon oft gedacht zu haben. Wahrscheinlich auch in einer dieser Zwischenphasen. Es kommt mir manchmal so vor, als gäbe es da eine Zwischenwelt, in die ich immer kurz vor dem Einschlafen zurückkehre. So stelle ich mir die Demenz vor, dass ich irgendetwas denke, ohne aufzutauchen oder darüber nachdenken zu können. Diese Vorstellungen, die mir dann vorflimmern, haben nichts mehr mit meinem Leben zu tun. Vielleicht geht es mir auch so, kurz bevor ich sterbe. Da habe ich gleich noch weniger Lust darauf. Auch vor der Demenz habe ich große Angst. Ich weiß nicht, was schlimmer ist, wenn ich noch merke, dass etwas nicht mit mir stimmt, oder wenn ich das gar nicht mehr mitbekomme. Als Fleischblume will ich nicht im Krankenhaus sitzen. Wenn ich niemanden mehr erkenne, können die anderen mit mir ja auch nichts mehr anfangen. Bin ich dann noch ich?

Was ist nur aus mir geworden? Früher habe ich eher darüber nachgedacht, wie ich eine Frau ins Bett kriegen kann, und nicht, wie ich dement sterbe. Es ist schlimm, eigentlich dürfte ich mit meiner Einstellung keine dolle Rockmusik machen. Wenn die deutsche Bevölkerung angeblich so rasant altert, passe ich allerdings wieder ganz gut ins Bild. Ich freue mich schon auf die Punk-Feten im Altersheim. Wobei das Wort Fete auch hoffnungslos veraltet ist. Ich kann das Dilemma alternder Rockbands verstehen. Mick Jagger fällt es bestimmt nicht leicht, mit knapp achtzig *Jumping Jack Flash* zu singen und dabei noch so zu tun, als platze er gleich vor

Geilheit. Einerseits gehört das zum Lied, anderseits nicht zu einem Opa.

Das Peinliche ist ja immer, dass man nicht merkt, wenn es peinlich wird. Wenn man jugendliche Kinder hat, sagen die einem zum Glück immer wieder, wie sehr sie sich für einen schämen. Aber meine Kinder sind in dem Alter, wo sie sich für alles schämen, was ich mache. Da weiß ich nicht, ob es wirklich so schlimm ist. Und wenn die Kinder dann auch schon um die fünfzig sind, haben sie andere Sorgen als ihre peinlichen Eltern.

Als die Wende kam, war mein Vater jünger als ich jetzt. Mir kam er da schon unendlich alt vor. Wie werde ich mich fühlen, wenn ich so alt bin wie er jetzt? Im Moment fühle ich mich jünger, als mir mein Vater in meinem Alter erschienen ist, aber ob das so bleibt? Ist siebzig das neue Fünfzig? Und achtzig das alte Tod? Das ist auch Quatsch. Schon grammatikalisch.

Endlich bin ich am Hotel. Ich kucke auf mein Handy. Niemand hat angerufen. Ich finde es natürlich gut, dass ich nicht so medienabhängig bin und laufend aufs Handy starren muss, aber wenn gar keiner mehr irgendetwas von mir will, ist das auch merkwürdig.

Ich kann ja mal zu Hause anrufen. Das traue ich mich aber gerade nicht. Nach all meinen Gedanken ist meine Stimme bestimmt ganz zittrig, und ich möchte der Familie zu Hause nichts vorjammern. Die haben selbst genug Stress. Da will ich die Familie nicht noch mit meinen Ängsten belästigen. Ich habe ja auch grundsätzlich ein schlechtes Gewissen. Dafür reicht mir als Grund schon, dass ich mit einer Band in der Welt herumfahre, während die Familie zu Hause sitzt und auf mich wartet. Meine Frau muss sich den ganzen Tag um alles kümmern, und wenn dann noch ein Kind krank wird oder so, wird es richtig anstrengend. Und ich flaniere hier durch die Gegend. Da wäre es doch frevelhaft, nicht wenigstens begeistert zu sein. Das wäre Jammern auf ganz hohem Niveau.

Ich finde ja die Tour und das Musikerleben auch wunderbar, nur komme ich mit mir selbst nicht so gut zurecht. Oder vielmehr mit meinen diffusen Ängsten. Und auch wenn ich etwas anderes als zum Beispiel Musik machen würde, ginge es mir nicht anders, weil es ja immer noch ich wäre, der da irgendetwas anderes macht. Auch wenn ich ganz woanders wäre. Es ist eigentlich alles völlig egal, und ein bisschen kann ich mich jetzt sogar auf das Konzert heute Abend freuen. Auf die beruhigende Gleichförmigkeit der Konzertvorbereitung. Auf meine Kollegen. Ich weiß nicht mehr, wer den Begriff des Kollegen für die Band etabliert hat, aber ich glaube, das kommt noch aus DDR-Zeiten, wo das ironisch gemeint war. Keiner von uns wollte in seinem Leben normal arbeiten gehen und somit Kollegen haben. Aber eigentlich ist es ein schönes Wort, denn es bedeutet, dass wir ein Kollektiv sind, das zusammengehört, und das ist zumindest für mich etwas Erstrebenswertes. Ein Teil einer Gruppe zu sein, die füreinander da ist.

Ich beschließe, meinen Spaziergang schleunigst zu beenden. Den Mittagsschlaf lasse ich auch ausfallen. Ich will ja zum Konzert. Und da ist es wirklich am sichersten, wenn ich jetzt lieber gleich wieder in die Halle fahre.

*

Wenn ich versuche, mich an die schönsten Momente mit Rammstein zu erinnern, fallen mir komischerweise als Erstes kleine Begebenheiten ein, die nichts mit Musik zu tun haben.

Wir saßen einmal zusammen am Rand eines Schwimmbeckens irgendwo in Amerika und unterhielten uns träge. Wir hatten alle gebadet, weil es so heiß war. Till versuchte, einige Bahnen richtig schnell zu schwimmen, das sah so aus, als würde ein Motorboot durchs Wasser fahren, aber es waren zu viele Leute im Becken, so dass er nicht richtig in Schwung kam. Wir mussten erst abends spielen und hatten am Nachmittag Freizeit. Als wir Hunger bekamen, zogen wir unsere dreckigen Hemden wieder an und warteten draußen auf unseren Bus.

Da stand ein wunderschönes, ausgeblichenes dunkelrotes, fast schon braunes Sportcoupé, und wir hatten lange Spaß daran, uns in allen Posen vor diesem Auto zu fotografieren. Um in Amerika Bilder machen zu können, hatten wir im Zeitungsladen mehrere Quick-Shot-Kameras gekauft. Das waren kleine Pappschachteln mit einer Linse vorne dran und einer Filmrolle drinnen. Dazu aßen wir gutgelaunt kleine, unreife Äpfel von einem Baum, der danebenstand. Als wir die Bilder nach dem Entwickeln wieder abholten, war der Angestellte im Labor von unseren Fotos ganz angetan, er hatte sie sich alle genau angesehen. Wahrscheinlich durfte er das sogar, weil wir für ihn so aussahen, als ob Terrorgefahr von uns ausgehen könnte.

Ein anderes Mal in Spanien fuhren wir gleich morgens, als wir vor der Halle im Bus aufgewacht waren, zum Strand, um zu surfen. Das heißt, die anderen wollten surfen, und ich nutzte die Zeit, um an der Steilküste entlangzulaufen. Als ich nach einigen Stunden erschöpft wieder zurückkam, saßen sie vor einem kleinen Café und tranken Kaffee. Ich setzte mich dazu, und ab und an stand einer von uns auf und holte noch etwas zu essen und zu trinken. So blickten wir in absolutem

Frieden aufs Meer und fühlten uns sehr verbunden, ohne etwas zu tun.

Hätte ich da ohne die Band gesessen, wäre es einfach nur langweilig gewesen. Irgendwie ist es geradezu magisch, mit einer Band unterwegs zu sein. Ich fühle mich dann wichtiger als ein Tourist, denn ich habe ja wirklich an all diesen Plätzen auf der Welt etwas zu tun. Und ich fühle mich ein bisschen so wie ein Jugendlicher, der sturmfreie Bude hat. So richtig ausgelassen. Also es gibt keinen Erwachsenen, der auf mich aufpasst und mir sagt, was ich machen soll. Oder vielmehr nicht machen darf. Ganz im Gegenteil, von einem Musiker wird ja eher erwartet, dass er Blödsinn macht. Dabei sind Musiker nicht exaltierter oder verrückter als Vertreter anderer Berufsgruppen. Und um Sachen aus dem Hotelfenster zu werfen, braucht man nicht unbedingt großen Ideenreichtum oder Intellekt, da reicht es oft, so betrunken zu sein, dass man vergisst, dass man den Fernseher am nächsten Tag einfach bezahlen muss.

Jedenfalls bin ich so mit der Band an Orte gekommen, von deren Existenz ich vorher nicht einmal wusste. Um eine Platte aufzunehmen, fuhren wir sogar nach Amerika. Wenn im Studio ein Instrument eingespielt wurde, hatten die anderen frei. Also schnappte ich mir, so oft es ging, einen Bandkollegen und das Mietauto, um die Gegend zu erkunden. Das war wirklich spannend. Wir kamen zu Bergseen, auf denen die Leute ihre selbstgebastelten Rennboote ausprobierten. Wir kamen auf verlassene Farmen, die genauso aussahen, wie wir uns als Kinder den Wilden Westen vorgestellt hatten. Zum Sonnenuntergang setzten wir uns an den Berg und schwiegen, bis es dunkel wurde. Dazu rauchte ich Zigaretten ohne Filter, wobei ich aufpassen musste, die knochentrockene Gegend nicht in Brand zu setzen. Kam ein Auto den Berg hinauf, konnten wir minutenlang seinen Weg verfolgen, bis es bei uns ankam. Dann fingen die Coyoten an zu heulen. Ich konnte mir vorher nie vorstellen, dass es diese Tiere wirklich gab. Und nicht nur in den Erzählungen, die ich als Kind gelesen hatte. Und dann noch so viele davon.

Das Aufnehmen der Platten war für mich immer spannend, weil ich die Gegend, in der wir waren, für mich entdecken konnte. In Spanien, wo wir die Platte *Reise Reise* aufnahmen, war es sogar noch schöner als in Amerika. Unser Haus war etwa sieben Kilometer von der Küste entfernt, und wenn ich da herumlief, traf ich den ganzen Tag nicht einen Menschen. Nur ein paar Hunde begleiteten mich über die Berge. Und auch in Südfrankreich verlor ich mich völlig in den Kalkfelsen. Oft kam ich erst im Dunkeln wieder. In den Händen trug ich riesige Versteinerungen von Muscheln und Schnecken. Die lagen einfach in dem Geröll, das der Regen über den Weg gespült hatte. Etwas Sorgen machten mir die vielen Blechschilder im Wald, die eindeutig etwas verboten und die ich nicht entziffern konnte, aber die bedeuteten wohl nur, dass ausschließlich befugte Leute in dieser Gegend jagen durften. Dem Geknalle nach zu urteilen waren das ziemlich viele. Da blieb ich dann lieber auf der Straße und fuhr mit dem Fahrrad eine halbe Stunde den Berg hinunter. Durch die durchgehende Beanspruchung der Rücktrittbremse wurde mein Tretlager so heiß, dass es anfing zu glühen. Das muss man erst mal schaffen!

Unten im Tal lag ein kleines Dorf, wo ich vor einem kleinen Laden am Bach einen kleinen Kaffee trank. Das Leben konnte nicht schöner sein. Bergauf schob ich das Rad eben. So bekam ich wieder Appetit auf das Abendbrot. Es scheint sich in meinem Leben sowieso eine Menge ums Essen zu drehen. Das liegt daran, dass ich wahrscheinlich durch meine Schilddrüse dazu in der Lage war, so viel zu essen, wie ich wollte, ohne mit einer Gewichtszunahme bestraft zu werden. Ich aß Unmengen. Dadurch zog ich auch Neid auf mich, denn das war wirklich eine Sache, die nicht viele konnten. Und mir schmeckte es auch so gut.

Ich brauche nur an bestimmte Speisen zu denken, dann fallen mir alle anderen Umstände wie Ort und Zeit ein. Von unserer ersten Reise nach Polen habe ich immer noch die Namen der ganzen leckeren Gerichte wie Zapiekanki, Gofr, Rurki, Bigos und Fasolka im Kopf. Wie die Orte hießen, in denen wir waren, weiß ich aber nicht. Ich habe das Gefühl, dass ich die ganze Zeit nur gegessen habe. Eigentlich mein ganzes Leben lang. Aber plötzlich, an einem ganz normalen Tag, merkte ich, dass ich ganz dick geworden war und nicht mehr weiter so in mich reinschlingen konnte. Das war schade, aber wie schon erwähnt, das Glück liegt im Verzicht. Ich schätze, das reden sich alle Leute ein, die auf etwas verzichten müssen.

*

Inzwischen stehen ein paar Fans vor dem Hotel. Durch die Fans in das Hotel hineinzukommen ist nicht so schwer. Wenn ich das Hotel verlasse, folgen sie mir aber manchmal durch die ganze Stadt. Es werden dann aber immer weniger Fans, da die meisten von ihnen so lange Spaziergänge nicht gewohnt sind. Außerdem kehren viele um, weil in der Zeit, in der sie mir hinterherlaufen, die anderen aus der Band aus dem Hotel kommen könnten. Und die sind besser einzufangen, denn die wollen meistens nicht weit laufen.

Ich bleibe stehen und gebe den Leuten ein paar Autogramme und mache mit ihnen Fotos. Da muss ich aber schon in sicherer Entfernung zum Hotel sein, denn sonst rufen sie ihre Kumpels an, die ganz schnell hinterhergerannt kommen. Und dann würde ich wieder eine Stunde da stehen, bis alle abgefrühstückt sind.

Es hilft höchstens, so zu tun, als würde ich telefonieren, aber selbst das hält die wenigsten Fans davon ab, um ein gemeinsames Foto zu bitten. Oder sie laufen einfach neben mir her und machen dabei ein Foto von uns beiden. Dabei kann ich immerhin in Ruhe weitertelefonieren. Oder zumindest so tun, als ob.

Heute sind wie gesagt nur wenige junge Menschen vor der Tür. Sie sehen freundlich aus, so dass ich darauf verzichte, mich an ihnen vorbeizuschleichen. Es ist eine Freude zu erleben, wie sehr sie sich über ein kurzes Gespräch und ein paar Autogramme freuen. Sonst verstecke ich mich manchmal hinter einem Pärchen oder einem Jogger und springe dann unvermutet durch die Tür ins Hotel.

Die ehrliche Begeisterung der Fans habe ich in meinem Leben auch nicht voraussehen können. Dass die Leute mir nach dem Konzert erklären, dass das jetzt gerade der schönste Tag ihres Lebens ist oder so. Es saßen schon begeisterte neunzigjährige Omas bei uns im Konzert und weinten vor Freude. Andere erzählen uns, dass wir sie vor dem Selbstmord bewahrt hätten. Das muss jetzt nichts heißen, denn wir haben da natürlich keinen Vergleich, wir wissen ja nicht, wie viele wir nicht vor dem Selbstmord bewahrt haben. Die kann man schlecht fragen, denn die kommen nicht mehr zu den Konzerten. Aber nicht alle Leute, die nicht mehr zu den Konzerten kommen, haben zwangsläufig Selbstmord gemacht. Manche

Leute bleiben auch aus anderen Gründen fern. Die sind einfach erwachsen geworden. Oder denen ist unsere Musik zu aggressiv. Angeblich wurden schon Komapatienten mit unserer Musik ins Leben zurückgeholt. Da war es vielleicht eher eine Frage der Lautstärke. Vielen anderen Leuten ist unsere Musik wiederum zu lasch geworden. Oder zu poppig, was immer das heißen mag. Jedenfalls nicht hart genug. Es ist aber auch schwierig, sich als fünfzigjähriger Halbopa harte neue Musik auszudenken. Vielleicht sollten wir lieber die alten Lieder spielen. Dann wird geschimpft, dass uns nichts Neues mehr einfällt. Ich habe noch kein Rezept dafür gefunden, wie man es richtig macht. Also mache ich einfach immer so weiter und hoffe, das merkt keiner.

Jetzt sitze ich im Shuttle, und wir stecken im Stau fest. Wenn sich so viele Leute durch eine alte Stadt zwängen, bei deren Bau noch niemand an Rockkonzerte gedacht hat, dauert das ein bisschen länger. Ich versuche wieder einmal mit dem Fahrer zu reden. Vielleicht kann er mir etwas Interessantes über Land und Leute erzählen. Oder ob er schon berühmte Leute gefahren hat, die irgendwas Verrücktes gemacht haben.

Die Klimaanlage ist zum Glück aus. Die Fahrer können nie verstehen, dass wir uns über ihre teuren Klimaanlagen nicht freuen. Den amerikanischen Bands hingegen kann es nicht kalt genug sein. Und dann brauchen sie in ihren Bussen riesige Wannen mit Eis für die Getränke. Ich will nicht wissen, wie viel Geld die Amerikaner für Kühlung ausgeben. Ich bin froh, wenn mein Wohnzimmer im Winter halbwegs warm wird, aber das ist wirklich etwas ganz anderes.

Durch die Tourneen verschwimmt ein wenig das Gefühl für die Jahreszeiten. In Spanien ist es Ende Oktober noch so warm, dass wir im T-Shirt draußen sitzen können und sogar baden gehen wollen. Für die Spanier ist es da schon Winter, und sie ziehen ihre dicken Jacken an. Eine Tour geht meistens von Oktober bis Weihnachten. Zumindest die Herbsttour. Da gehe ich dann jeden Tag auf einen anderen Weihnachtsmarkt. Ich habe schon eine Technik entwickelt, mit der ich mich schnell zwischen den vielen Menschen durchschlängeln kann. Sonst bekomme ich kalte Füße. Bei meiner sportlichen Gangart bekomme ich zwar nicht viel von der Umgebung mit, aber die Weihnachtsmärkte ähneln sich so sehr, dass ich nichts verpasse. Da ist es sogar egal, in welchem Land ich gerade bin. Sogar das Essen ist das gleiche. Die Musik sowieso. Man könnte den Eindruck gewinnen, dass ich das eintönig finde, aber das stimmt nicht. Es beruhigt mich eher.

Ich kannte einen, der hat das ganze Jahr über Weihnachten gefeiert und immer nur Kekse und Pfefferkuchen gegessen. Der Weihnachtsbaum leuchtete jeden Abend mit seinen elektrischen Kerzen. Er mochte einfach diese weihnachtliche Stimmung. Ich mag Weihnachten auch. Und ich liebe es, unterwegs zu sein. Da bin ich mit den Weihnachtsmärkten gut bedient. Jetzt ist es hingegen Sommer, und das ist auch gut. Da muss ich nicht so viel an- und ausziehen. Und auch wenn ich jetzt wie fast jeden Tag stumpf im Bus sitze, fühle ich mich sehr wohl.

Ich denke, ich finde so ziemlich alles in meinem Leben generell erst mal super, obwohl ich dieses Wort wegen Heidi Klum nicht mehr benutzen will. Ich weiß auch nicht, wann und warum ich diese Topmodel-Sendung gesehen habe. Da hat mich wohl diese perverse Faszination für Schwachsinn gepackt. Jedenfalls wurde da mein gesamter Bedarf an dem Wort super gedeckt.

Das Leben ist sinnlos, die Welt voller Leid, und am Ende muss jeder sterben. Wieso fällt mir nie etwas Lustiges ein, sondern immer so ein Zeug? Was ist bloß kaputt bei mir? Es fühlt sich so an, als würde in meinem Kopf eine Endloskassette mit seltsamen Gedanken laufen. Ich hatte wirklich mal eine Endloskassette. Die war aber nur zwei Minuten lang, auch wenn sich das jetzt mit dem Endlos etwas widerspricht. Ich habe versucht, ein Lied von Bob Marley auf diese Kassette zu spielen, aber musste dabei aufpassen, dass ich nach zwei Minuten die Aufnahme pünktlich ausmachte, damit ich nicht den Anfang wieder löschte. Das Lied war nämlich zwei Minuten und vierzig Sekunden lang. Bis ich das begriffen hatte, war mir die Lust an der Endloskassette wieder vergangen. So ging es wohl vielen, denn diese Kassette verschwand bald wieder. Aber das Lied mochte ich immer noch.

Als ich mein erstes Klapphandy bekam und anfing, die ganzen Funktionen zu entdecken, eröffnete sich mir die Möglichkeit, dieses Lied als Klingelton herunterzuladen. Dazu musste ich nur zweimal auf akzeptieren drücken. Ich hatte zwar dann das Lied als Klingelton, dafür wurde mir ab da jeden Monat eine irrsinnig hohe Summe abgebucht. Ich konnte das einfach nicht beenden und zahle es jetzt noch jeden Monat. Da wollte ich wenigstens etwas davon haben und lud mir erst mal ein langes Kotzgeräusch herunter. Das hörte man dann immer, wenn mich jemand anrief. Die Band reagierte zunehmend genervt auf mein Telefon. Hätten sie geahnt, was danach kommen würde, hätten sie wohl nichts gesagt. Denn jetzt kam ich auf die Idee, Babygeschrei erschallen zu lassen, wenn ich einen Anruf bekam. Der Produzent fragte mich entgeistert, ob das mein Kind ist, was da schreit. Es war für ihn unvorstellbar, dass ein Musiker so ein nervendes Geräusch freiwillig hört.

Da stieg ich auf Wiehern um. Ich konnte dann immer an mein Pferd denken, das auf dem Dorf in seiner Box stand. So fuhr ich da wenigstens öfter wieder hin. Bei meinem neuen Handy konnte ich leider keine Geräusche mehr laden, aber es gab einen Klingelton, der wie Vogelzwitschern klang. Bei einer Tour in Amerika riss ich alle zwei Minuten das Handy aus der Tasche, weil ich dachte, es würde klingeln. Da lebte eine Vogelsorte, die genauso pfiff wie mein Handy. Ich änderte meinen Klingelton, aber das Zwitschern blieb in meinem Kopf, und ich zuckte immer noch bei jedem Vogel zusammen. Und jetzt habe ich so etwas als Gedanken im Kopf und kann es nicht löschen.

Warum mache ich das eigentlich alles?

»Hättste in der Schule aufgepasst, müsstest hier jetzt nicht sitzen«, sagt Till in solchen Situationen gerne. Aber das stimmt natürlich nicht, denn erstens habe ich in der Schule aufgepasst und so lange auch gute Zensuren bekommen, bis ich verkündete, nicht zur Armee gehen zu wollen, und zweitens sitze ich gerne hier. Also von müssen kann da keine Rede sein. Und ich muss nicht arbeiten. Das war als Jugendlicher mein erklärtes Ziel. Nicht nur meines, die Hälfte meiner Klasse, natürlich nur die Jungs, haben, nach dem Berufswunsch gefragt, bezahlter Urlauber angegeben. Ich habe das zwar nicht gesagt, weil ich mich das nicht getraut habe, aber genau das bin ich geworden.

Dadurch habe ich sehr viel Zeit, um Musik zu machen. Ich kann sogar von der Musik leben. Ich könnte sicherlich auch ohne Musik leben. Ich habe Interviews gelesen, in denen die Künstler behaupteten, eben das nicht zu können. Sie müssen sich die ganze Zeit ausdrücken. Das klingt jetzt ein bisschen eklig. Manche Leute denken ja auch, sie könnten nicht einmal ohne ihr Handy leben. Geht dann aber doch. Aber darum geht es jetzt nicht. Soll ich lieber darüber nachdenken, warum ich immer Musik machen wollte? Wollte ich das überhaupt? Warum eigentlich?

Manchmal denke ich, es ist wie beim Fahrradfahren. Ich habe als Kind nicht eine Sekunde darüber nachgedacht, ob ich das lernen will oder nicht, sondern habe mich bei der ersten Gelegenheit begeistert auf das Fahrrad meines Bruders geschwungen.

»Trampeln, immer trampeln und nicht aufhören!«, rief mir der Nachbar zu, über den Gartenzaun gelehnt. Das waren die einzigen Worte, die er je an mich richtete, bevor er sich erhängte, aber gerade diese Worte waren sehr hilfreich. Einfach nicht aufhören. Dabei war die Freude über meine neuerworbenen Fähigkeiten so groß, dass die Anstrengungen und Misserfolge völlig in den Hintergrund traten.

Wenn ich daran denke, wie ich davor schon ganz umständlich das Dreirad meines Cousins auf den Hügel im Garten meiner Oma geschoben habe, sind mir die triumphalen Sekunden des Heruntersausens immer noch so präsent, als wäre es gerade eben passiert. Ich glaube, einen solchen Adrenalinausstoß habe ich seitdem nicht mehr erlebt. Ob in jedem Menschen das Bedürfnis wohnt, mal kurz die Kontrolle über sich selbst abzugeben? Wozu gibt es sonst die vielen Achterbahnen? Ich wollte aber gar nicht die Kontrolle abgeben, sondern die Pedale schleuderten einfach meine Füße hoch, so dass ich nichts mehr machen konnte außer umzufallen.

Kurze Zeit später wollte ich unbedingt Klavier spielen lernen. Da dauerte es etwas länger, bis sich der Erfolg einstellte, umso verblüffender war es dann, als ich wirklich die ersten Stücke spielen konnte. Da wäre es dumm von mir gewesen, wenn ich damit wieder aufgehört hätte. Und so habe ich eben weitergespielt. Nur in meiner Phantasie spielte ich vor anderen Leuten, in Wirklichkeit war ich dafür viel zu schüchtern.

Ich kann mich nicht mehr erinnern, ob ich als Kind überhaupt daran gedacht habe, irgendjemanden mit meinem Spiel zu beeindrucken, um Mädchen ging es in diesem Alter mit Sicherheit noch nicht, zumal sich die wenigen Mädchen, die ich überhaupt kannte, weil sie im selben Haus wohnten oder mit meinem Bruder in die Schule gingen, nicht für Musik oder Musiker interessierten. Eher für Barbies und Pferde. Da sieht man, wie schlecht ich mich mit Mädchen auskenne, denn Barbies gab es im Osten überhaupt nicht, diesen Begriff habe ich selber im Alter von 25 Jahren zum ersten Mal gehört, und Pferde habe ich auch nur gesehen, wenn die mit Sperrmüll beladenen Kutschen langsam die Straße hochkrochen. Zum Reiten oder als Projektionsfläche für Mädchenträume waren diese Pferde mit Sicherheit nicht geeignet. Die Mädchen standen indes in einer kleinen Gruppe auf dem Bürgersteig und spielten Gummihopse. Ich wiederum saß bei meinen Eltern im Wohnzimmer, hörte Radio und merkte, dass die Musik mir ein neues, sehr intensives Gefühl verschaffte. Das ist natürlich kein hinreichender Grund, selbst Musiker zu werden. Ich hätte mir ja mein Leben lang auch fremde Musik anhören können. Ein Leben reicht nicht einmal aus, um alle guten Lieder wenigstens einmal zu hören. Einer meiner Freunde war bekannt dafür, immer die beste Musik aus dem Radio aufzunehmen und sich gut damit auszukennen, und er genoss bei uns einen genauso guten Ruf wie die Musiker, die eben selbst spielten.

Wenn ich manchmal behaupte, dass ich einfach nur Musik

der Musik wegen machen will, lachen mich meine Kollegen aus, weil sie der Meinung sind, dass sich niemand auf eine Bühne stellt, wenn er nicht gesehen und angesehen werden will. Dass man mich sieht, ist mir nicht so wichtig, eher dass ein paar Leute mich gut finden. Dazu müssen sie mich aber erst mal wahrnehmen. Also stelle ich mich auf eine Bühne, und ich freue mich auch, wenn die Platten bei Saturn oder wo auch immer im Regal stehen. Wem würde das nicht so gehen? Denn wer will denn nicht geliebt werden? Ist das nicht die Ursache jeglichen Handelns? Denn wozu sollte man sich sonst abrackern oder sich überhaupt irgendwelche tollen Sachen einfallen lassen? Nur um für sich selbst zu sehen, wie toll man ist?

Nein, oder vielmehr ja, ich mache wahrscheinlich Musik, weil ich geliebt werden will. Andere Menschen oder Tiere lieben kann ich auch alleine. Nur geliebt zu werden ist alleine schwierig. Das müssen wirklich die anderen machen. Dazu braucht man dann eben Menschen. Und die will ich wohl mit Musik erreichen. Doch wie ich in vielen Jahren festgestellt habe, hilft mir die Musik, die ich mache, dabei nicht unbedingt. Sie macht es eher schwieriger, da sie so aggressiv ist, dass die Hörer nicht gleich an Liebe denken, sondern ihren angestauten Hass freilassen.

Musiker an sich sind auch nicht zwingend liebenswürdig, sie sind oft komplizierte, egoistische und unzuverlässige Wesen, die nicht in der Lage sind, sich verständlich auszudrücken, und deshalb in die Musik flüchten.

Trotzdem bin ich Musiker geworden, so wie ich ein Junge geworden bin, unausweichlich und ohne persönlichen Einsatz. Ich finde das gut. Die ganze Zeit, egal ob ich gerade Musik mache oder nicht. Dass ich jetzt wirklich in einer echten

Band spiele, ist für mich und wahrscheinlich auch für andere Leute, die mich kennen, schwer nachvollziehbar.

Wir fliegen im Flugzeug zu unseren Konzerten, und alle tun so, als wäre das normal. Dabei ist Fliegen an sich schon nicht normal für Menschen. Wir verkaufen echte Eintrittskarten, und dann kommen ganz viele echte Menschen in diese riesigen Sporthallen, um uns zuzusehen. Ich kann es nicht glauben. Ich kann auch nicht sagen, wann oder wie es dazu gekommen ist, denn ich habe es schon nicht fassen können, dass wir Mitte der achtziger Jahre mit Feeling B als Vorband von Freygang in den Dorfsälen der DDR vor dreihundert betrunkenen Bluesfans spielen durften. Wenn wir in einem geborgten Barkas zusammen als Band zu einem Konzert nach Dresden in die Scheune fuhren, dachte ich, dass es einfach nicht besser im Leben werden kann. Und als wir das erste Mal im Radio gespielt wurden, konnte ich danach nächtelang nicht schlafen. So aufgeregt war ich. Dabei waren es nur ein paar Sekunden während der Abmoderation einer Sendung.

Das ist für mich immer noch ein schönes Gefühl, denn wir werden so gut wie nie im Radio gespielt. Es dauert immer eine Weile, bis ich das Lied erkenne, weil ich mit anderen Ohren Radio höre. Da höre ich privat zu und erwarte einfach keine Musik von uns. Aber dass unsere Band im Gespräch erwähnt wird oder dass ich fast jeden Tag ein Auto mit einem Aufkleber von uns sehe, ich fahre ja auch fast jeden Tag ins Berliner Umland, ist schon nicht mehr so etwas Besonderes. Und ich habe nichts für diese Entwicklung getan, ganz im Gegenteil.

Wenn es damals nach mir gegangen wäre, könnte ich jetzt nicht in diesem Wagen sitzen. Nicht weil ich das nicht gewollt hätte, sondern weil mir die Vorstellungskraft fehlte, mir auszumalen, was alles mit uns passieren würde. Ich hätte versucht, die alte Band so lange wie möglich am Leben zu halten. Ich hätte unseren ersten Manager behalten, der sich weigerte, Englisch zu sprechen, und mit ihm nur in Ostdeutschland gespielt. Ich wäre erst recht nicht mit der Band nach Amerika gefahren, da meine Erfahrungen mit Feeling B dort nicht so ermutigend waren und ich Panik bekam, wenn ich den Berliner Fernsehturm nicht mehr sehen konnte. Ich hätte wahrscheinlich auch gleich bei der ersten Plattenfirma unterschrieben, die sich dazu herabließ, sich unsere Kassette anzuhören.

Als ich zehn Jahre alt war, kaufte ich mir meine erste Platte. In einer thüringischen Kleinstadt, wo unsere Oma mit meinem Bruder und mir im Urlaub zufällig vorbeikam, boten polnische Händler Rock'n' Roll-Platten an, auf denen polnische Bands Lieder von Chuck Berry spielten. Ich kannte Chuck Berry nicht, wusste auch nicht, dass Rock'n' Roll normalerweise nicht aus Polen kam, aber mir war klar, dass Rockmusik eine wichtige Nachricht für mich beinhalten würde. Auf dem Cover war eine Lederjacke abgebildet, die wohl ein Rocker tragen sollte. Der Reißverschluss war schräg. So etwas hatte ich noch nie gesehen. So eine Jacke hätte ich auch gerne gehabt. Das Gesicht des Jackenträgers passte nicht mehr auf das Bild. So sparten sich die Polen den Ärger wegen der Bildrechte. Den Liedern hörte ich nicht an, dass sie von polnischen Musikern gespielt worden waren. Ich fand sie einfach nur gut. Bei einigen dieser Lieder spielte auch ein Klavier mit. Das glaubte ich zumindest zu hören, als wir uns abends die Platte anhörten. Das will ich werden, erklärte ich meiner Oma. Der Klavierspieler in einer Band. Schon damals wollte ich kein Sänger werden und Verantwortung übernehmen. Nur hinten sitzen und Klavier spielen. Dabei sein ist alles. Der olympische Gedanke.

Wir sind jetzt bei der Halle angekommen. Am Tor nimmt mich unser Securitymann in Empfang und bringt mich in unsere Garderobe. Den Weg hätte ich auch selber gefunden, denn hier kleben wieder die Wegweiser an den Wänden. Auf dem Tisch steht eine Schale mit Nüssen. Die Tischdecke ist sauber.

Ich überlege, ob ich in der Zeit nach gestern zurückgerutscht bin. Ich nehme mir wieder ein paar Nüsse, ohne nachzudenken, und betrachte den Raum. Es sieht alles ganz gemütlich aus, und vom Schrank her weht ein leichter Verwesungsgeruch. Ich fühle mich angekommen.

Wo mögen die Kollegen sein? Ich kucke in ihre Zimmer. Keiner da. Da sehe ich einen Techniker, den ich auch schon ganz lange kenne, den Gang entlangkommen. Wir grinsen uns an, obwohl gerade nichts Lustiges passiert ist. Wir freuen uns einfach wie blöde darüber, wie sich die Sache seit damals entwickelt hat. Und wir wissen beide, dass das mit Sicherheit nichts mit meinen Fähigkeiten zu tun hat. Er geht auch mit anderen Bands auf Tour, wenn wir nicht spielen, aber ich könnte das nicht. Was sollte ich denn da machen? Ich kann echt froh sein, dass ich meine Band habe.

Er fragt mich: »Weißt du, was wirklich fies ist? Wenn man ganz doll blutet und nicht weiß, wo und warum.« Er erzählt, dass er sich vorhin auf eine Plasteflasche mit Kunstblut gesetzt hat, ohne es zu merken. Als er später mit der Hand an die Hose gekommen ist, hat er sich erschrocken, weil ihm gar nichts weh tat.

Ich frage ihn, ob er meine Kollegen gesehen hat. Er sagt, dass die ganze Truppe gerade zum Yoga gegangen ist.

Es gibt nicht viel, was ich weniger mit unserer Musik in Verbindung bringe als Yoga. Ich habe nichts gegen Yoga. Ich selber bin steif wie ein Brett, völlig verkrampft und atme falsch. Ich esse das Falsche, und ich verdaue falsch. Ich trinke mal zu viel und mal zu wenig. Die meiste Zeit des Tages sitze ich auf einem Stuhl, was angeblich so ziemlich das Schlimmste ist, was ich meinem Rücken antun kann. Sogar der Arzt sagt mir immer wieder, dass ich mindestens einmal am Tag den Sonnengruß, den ich aber auf keinen Fall mit dem Hitlergruß verwechseln darf, machen soll. Warum schaffe ich das nie?

Einige Leute, die viel Yoga betreiben, wenn man das so ausdrücken kann, machen da so viel Gewese drum. Ungefragt wird mir von Asanas und Chakras erzählt, dass ich gleich eine Überdosis As bekomme und ganz vergesse, dass es nur um ein paar Übungen für den Rücken geht. Wenn Leute so missionarisch werden, will ich nichts damit zu tun haben. Sachen, die gut sind, brauchen keine Werbung. Außerdem bin ich mir nicht sicher, ob die Band wirklich aus gesundheitlichen Gründen zum Yoga geht oder wegen der gutgebauten Yogalehrerin. Da habe ich nicht mehr so ein schlechtes Gewissen, dass ich nichts für meinen Körper tue.

Ich könnte ja etwas Gesundes machen, das nichts mit Yoga zu tun hat. Leider mache ich auch das nicht. Ganz im Gegenteil. Ich glaube, ich mache meinen Körper mutwillig kaputt, so wie ich mich bewege und ernähre. Obwohl Nüsse ganz gut sind. Aber ich esse ja auch Schweinefleisch. Das klingt schon eklig, wenn ich es ausspreche, aber Buletten, die nur aus Rindfleisch gemacht werden, schmecken mir einfach nicht so gut. Ich habe es ausprobiert. Und Eisbein ist Eisbein. Das gehört sozusagen mit zu unserer Kultur und ist Teil unserer Identität.

Als ich mal in Ägypten war und erklärte, dass ich aus Deutschland komme, riefen die Leute mir sofort begeistert

Beckenbauer und Sauerkraut hinterher. Und das gehört nun mal zum Eisbein. Doch das Essen ist es nicht allein. Musik machen ist alles andere als gesund. Krach ist fast die Hauptursache für Herzinfarkte. Und dann immer diese Aufregung. Ich weiß nicht mehr, wann ich mal vor Mitternacht im Bett war. Im Flugzeug soll man auch radioaktive Strahlung abbekommen, weil man so nahe an der Sonne ist. Und bei dem geringen Druck im Himmel dehnt sich das Gehirn aus und stößt gegen die Schädelwand. So kommt es mir jedenfalls vor. Aber das Schlimmste ist der Alkohol.

»Kannst du dich noch an das Slammern erinnern?«, frage ich den Techniker. Er kann es anscheinend, denn er verzieht schmerzvoll das Gesicht.

»Fünf Flaschen Tequila im bc-Club«, gibt er zurück. Der bc-Club war ein Studentenclub der Ilmenauer Universität und lag tief im Keller eines Neubaublocks. Ich muss dazusagen, dass kurz nach der Wende im Thüringer Raum nur der Sierra Tequila erhältlich war, und der war eher nicht zum Trinken geeignet. Aber zum Slammern brauchte man nun mal Tequila.

»Der bc-Club mit seinen schmalen Türen war echt eine Qual«, sagt der Techniker. Er betrachtet die ganzen Clubs von einem anderen Standpunkt aus als wir Musiker, für ihn zählt natürlich mehr, ob man die Sachen da gut rein- und raustragen kann. Mit Sicherheit hat er alle Clubs im Kopf, in denen es lange oder besonders schmale Treppen gibt.

Der schlimmste Schuppen in Ostberlin war nach diesen Gesichtspunkten der OKK Club. Ich weiß nicht, was diese Abkürzung bedeutet hat, ich glaube, ich wusste es nie. Vielleicht hat es etwas mit dem Oktoberclub zu tun, wo ich auch nicht weiß, was das ist. Dieser Club war über dem Kino International in der Karl-Marx-Allee, falls die immer noch so heißt. Ganze vier Treppen hoch. Aus architektonischen Gründen gab es in diesem Club nicht ein einziges Fenster und viele lange schmale, verwinkelte Gänge. Da natürlich überall geraucht werden durfte, konnte man nicht mehr als zwei Meter weit sehen. In ebendiesem Club spielten wir sehr gerne, weil die Stimmung schon klimatisch bedingt sehr aufgeheizt war. Bei einem Konzert kam ich auf die Idee, mich nicht auf die Bühne, sondern zu den Technikern ans Mischpult zu stellen. So konnte ich mir endlich mal die Band ansehen. Natürlich ohne mich. Das war schon komisch, denn die Band wirkte so, als wäre ich einfach nicht mehr dabei. Dieses Gefühl hatte nicht nur ich, sondern auch das Publikum, da niemand merkte, dass ich doch noch mitspielte, es ahnte ja keiner, dass ich hinter allen Leuten an der Wand stand. Mein neuer Platz war jetzt neben dem Techniker, da konnte ich beobachten, was der so das ganze Konzert über macht. Er hatte mehr zu tun als ich. Und ich glaube, das ist immer noch so.

Auf jeden Fall fangen die Techniker schon einige Stunden vor uns an zu arbeiten. Einige nutzen dann die Zeit zwischen Einlass und Konzert für ein Schläfchen. Und nach dem Konzert gibt es ein Bierchen.

Als wir noch alle in einem Bus gefahren sind, haben wir zusammen nachts so lange getrunken, bis es wieder hell wurde. »Es riecht nach kaputter Leber«, sagte dann einer der Techniker, wenn der Bus mal hielt, damit wir ins Gebüsch pinkeln konnten. Ich habe diesen Geruch immer noch in der Nase.

Ich wollte mir mal die Summe aller Getränke, die ich schon getrunken habe, vorstellen und sah vor meinem Auge mehrere Tanklaster voller Alkohol stehen. Da wird mir ganz schlecht. Und dass ich da jetzt jammere, ist noch viel schlimmer, ich hätte es ja nicht trinken müssen. Selbstmitleid ist das Allerletzte!

Deshalb will ich mich auch nicht darüber beschweren, dass ich jetzt hier in dieser hässlichen Garderobe sitze, im sogenannten Backstage-Bereich. Und ich bekomme sogar Geld dafür. Wer würde da nicht gerne mit mir tauschen?

Wenn ich nun aber darüber nachdenke, und ich denke natürlich darüber nach, fällt mir auf, dass dieser Bereich nur für diejenigen interessant ist, die dort nicht arbeiten. Gerade in Amerika gilt der Backstage-Bereich als eine Art Paradies. No ass, No pass sagen die altgedienten Musiker. Damit meinen sie natürlich nur die Frauen. Männer haben hier sowieso eher nichts verloren. Für unsereins haben diese Räume nichts Geheimnisvolles. Für andere sind sie vielleicht das Ziel aller Träume. Geht es schon wieder um Sex? Habe ich noch Träume?

Bei mir haben sich ja schon alle erfüllt. Dabei habe ich die meisten dieser Träume, die sich erfüllt haben, nicht einmal geträumt. Ich habe genauso wenig daran gedacht, zum Mond zu fliegen. Bestimmt nimmt mich da auch mal eine Rakete mit. Es passiert immer wieder etwas, womit ich nicht rechne. Ich habe früher auch nie daran gedacht, dass ich mal ein richtiger Familienvater sein werde. Geplant hatte ich es erst recht nicht. Und dass ich überhaupt erwachsen geworden bin. Mann, das ist unfassbar! Und ich musste nichts dafür tun, außer zu warten und vielleicht noch zu überleben. Jetzt sprechen mich die Leute sogar mit Sie an. Außer die Verkäuferinnen im Osten. Die haben letztens noch junge Frau zu mir gesagt. Da habe ich mir dann endlich den Zopf abgeschnitten. Ich sah gleich viel jünger aus. Ha, da muss ich selber lachen. Und ich kann damit gar nicht mehr aufhören, jetzt wo ich mich hier als angeblich

Erwachsener in Zagreb tief unter der Erde in einem Raum sitzend sehe, in dem sich normalerweise Sportler umziehen. Da öffnet sich die Tür, und Tom kuckt um die Ecke. Er sieht mich auf dem Sofa sitzen und lachen. Zufrieden brummend geht er wieder raus.